HOMÉLIES SUR OZIAS

SOURCES CHRÉTIENNES

Fondateurs : H. de Lubac, s.j. et † J. Daniélou, s.j.
Directeur : C. Mondésert, s.j.

N° 277

JEAN CHRYSOSTOME

HOMÉLIES SUR OZIAS

(In illud, Vidi Dominum)

INTRODUCTION, TEXTE CRITIQUE, TRADUCTION ET NOTES

PAR

Jean DUMORTIER

Doyen honoraire à la Faculté libre
des Lettres et Sciences humaines de Lille

LES ÉDITIONS DU CERF, 29, Bd de Latour-Maubourg, PARIS 7ᵉ
1981

281.4
C469:F

8111616

*La publication de cet ouvrage a été préparée avec le concours
de l'Institut des Sources Chrétiennes
(E.R.A. 645 du Centre National de la Recherche Scientifique)*

ISBN 2-204-01687-X

INTRODUCTION

I. Histoire d'Ozias

Le roi Ozias, appelé aussi Azarias ou Azaria(h), appartient à la lignée des princes de Juda. Il était le fils d'Amasias et le petit-fils de Joas. Sa trisaïeule s'appelait Athalie. Selon le deuxième livre des *Rois,* il aurait régné cinquante-deux années[1] à Jérusalem, mais cette durée exceptionnelle a été contestée et les savants modernes la réduisent à une quarantaine d'années[2]. Ce fut au premier chef un prince belliqueux. Il combattit les Philistins et démantela les murailles de Gath, Yabnéh et Asdod. Il batailla contre les Arabes, les Samaritains et les Méounites qui lui payèrent le tribut[3]. L'architecture militaire ne fut pas négligée : il construisit des tours à Jérusalem et les fortifia, réparant ainsi les destructions des guerres précédentes. Il installa dans le désert des postes de guetteurs[4]. Son armée était considérable : à en croire le Chroniste, les effectifs se seraient élevés à 307 500 guerriers. L'armement militaire

---

1. *II Rois* 15, 2 ; *II Chr.* 26, 3.
2. Jean Delorme, *Chronologie des civilisations,* Paris 1969, p. 48, propose comme dates extrêmes 791-751 ; Édouard Dhorme, *Ancien Testament,* coll. de la Pléiade I, p. 1193, n. 1, donne comme approximation 780-746.
3. *II Chr.* 26, 6-8.
4. *Ibid.* 26, 9-10.

jusqu'aux pierres de fronde était fourni aux soldats par les services de l'intendance royale. Ozias s'intéressa aussi à la balistique et il munit de catapultes les remparts de sa capitale[1].

Ce roi belliqueux se consacra également à l'agriculture. Il creusa des citernes, veilla à l'irrigation des terres cultivables, à la culture de la vigne, à l'abondance du cheptel «car il aimait la terre[2]».

L'auteur du livre des *Rois* et celui des *Chroniques* se plaisent à rappeler la piété d'Ozias[3] et à souligner que «tant qu'il recherchait Yahvé, Dieu le fit réussir». Il faut noter cependant que, d'après le livre des *Rois,* la piété d'Ozias n'alla point jusqu'à faire disparaître les hauts-lieux où le peuple, oublieux de son Dieu, allait offrir des sacrifices et faire fumer de l'encens[4].

Après avoir résumé le règne d'Ozias, l'auteur des *Chroniques* nous raconte assez longuement comment le roi devint lépreux et dut se claustrer dans une demeure, laissant à son fils Yotham le soin de gouverner. C'est précisément cet épisode de la vie du prince que Jean commente dans ses homélies. Mais voici la relation du Chroniste, dans la traduction d'Édouard Dhorme[5] :

«Mais quand il fut devenu fort, son cœur s'exalta jusqu'à se corrompre ; il devint infidèle à Iahvé, son Dieu, et il entra au Temple de Iahvé, pour brûler de l'encens sur l'Autel de l'encens. Derrière lui entra le prêtre Azaryahou, ayant avec lui quatre-vingts prêtres de Iahvé, hommes valeureux. Ils se dressèrent contre le roi Ozias et lui dirent : 'Ce n'est pas à toi, Ozias, qu'il appartient d'offrir l'encens à Iahvé, mais aux prêtres, fils d'Aaron, qui ont été consacrés pour offrir l'encens. Sors du Sanctuaire, car tu es infidèle, ce qui ne te fait pas honneur devant Iahvé Dieu.' Ozias, qui avait en main l'encensoir pour encenser, se mit en colère et, tandis qu'il était en colère

---

1. *Ibid.* 26, 11-15.
2. *Ibid.* 26, 10.
3. *II Rois* 15, 3 ; *II Chr.* 26, 4-5.
4. *II Rois* 15, 4.
5. *II Chr.* 26, 16-21, trad. É. Dhorme, *Ancien Testament* I, 1428.

contre les prêtres, la lèpre apparut sur son front, en présence des prêtres, dans la Maison de Iahvé, auprès de l'Autel de l'encens. Le grand prêtre Azaryahou et tous les prêtres se tournèrent vers lui et voici qu'il était atteint de la lèpre au front ! Ils l'expulsèrent de là à la hâte et lui-même se hâta de sortir, car Iahvé l'avait frappé. Le roi Ozias resta lépreux jusqu'au jour de sa mort : il demeura comme lépreux dans une maison d'isolement, car il était exclu de la Maison de Iahvé. Jotham, son fils, préposé à la Maison du roi, jugeait la population du pays.»

II. CONTENU DES HOMÉLIES

Jean Chrysostome a consacré à l'histoire d'Ozias six homélies intitulées In illud : Vidi Dominum (*PG* 56, 97-142). Les homélies II, III, V, VI [1] forment un ensemble cohérent. Jean y donne, sous forme oratoire, le commentaire du passage d'Isaïe 6, 1-6. Ces homélies sont postérieures à une œuvre exégétique consacrée à ce prophète [2] et s'en inspirent manifestement. Les homélies I et IV sont d'une époque plus récente [3].

Hom. II

      Vision de Dieu et des chérubins.
      Datation de la prophétie d'Isaïe.
      Importance des dates pour les prophéties messianiques.

Hom. III

      Origine de la présomption, le péché d'Ozias.
      Gravité diverse des péchés.
      L'Écriture condamne le péché et en révèle la cause.

Hom. V

      Histoire d'Ozias :
      Le roi tente d'usurper les fonctions sacerdotales.
      Azarias reproche au roi sa conduite.

---

1. Pour ne pas dérouter le lecteur, nous gardons l'ordre de succession traditionnel des homélies *Sur Ozias,* tel qu'il figure dans la *PG.* Il y aurait cependant, croyons-nous, intérêt à lire d'affilée les homélies II, III, V, VI, I, IV.

2. Il s'agit du *Commentaire sur le prophète Isaïe, PG* 56, 11-94.

3. Cette question sera traitée au chapitre de la *Chronologie des homélies.*

Le roi, qui ne l'écoute pas, est frappé de la lèpre.
Les juifs tolèrent le roi lépreux dans leur cité.
Dieu les punit en cessant d'inspirer les prophètes.
Isaïe est favorisé d'une vision à la mort du roi.

Hom. VI

Dignité des Séraphins.
Symbolisme de leurs ailes.
Importance du jeûne quadragésimal.
Danger de communier indignement.

Hom. I

Mesure à garder dans les manifestations de la piété.
Scandale des conversations oiseuses à l'église.
Il faut imputer les malheurs de l'État, non à l'impéritie
des princes, mais à la mauvaise conduite de leurs sujets.
Histoire d'Achan.

Hom. IV

Éloge d'Antioche et de ses habitants.
Vision de Dieu et des chérubins.
Datation de la prophétie d'Isaïe.
Parallèle entre le prêtre et le roi.
Châtiment d'Ozias : la lèpre.
Les juifs tolèrent le roi lépreux dans leur cité.
Dieu les punit en cessant d'inspirer les prophètes.
Isaïe est favorisé d'une vision à la mort du roi.

Comme il est aisé de le remarquer, l'homélie IV reprend la
plupart des thèmes contenus dans les homélies III et V et dans
une œuvre de jeunesse *Comparatio regis et monachi* (*PG* 47,
387-392). En composant l'*Homélie IV,* Jean se serait-il pillé
lui-même ou ne faut-il pas plutôt voir ici le pastiche d'un pâle
imitateur ? La question peut se poser.

III. CHRONOLOGIE DES HOMÉLIES

En l'absence de tout critère extérieur, la chronologie des
homélies *Sur Ozias* (ou *Sur les Séraphins*) peut être fixée néanmoins avec quelque certitude par la critique de leur contenu.

Au tome XIe de ses *Mémoires pour servir à l'histoire ecclésiastique des six premiers siècles,* Le Nain de Tillemont, *vir saga-
cissimus Tillemontius* comme l'appelle Montfaucon, a
consacré deux *notes ou éclaircissements* à cette question[1]. Il
fait à bon droit remarquer que la première homélie fut compo-
sée « en un temps de malheurs, où l'Empire estoit en assez
mauvais état, et où l'on avoit esté défait dans quelque guerre ;
ce que le peuple attribuait à l'imprudence de ceux qui gouver-
noient, ἡ τῶν κρατούντων ἀβουλία, c'est à dire à l'Empereur
mesme, puisque S. Chrysostome rapporte aussitost cela à un
seul. » Et après avoir prouvé que ce dernier ne pouvait être
Théodore, l'historien ajoute : « Mais on pouvoit aisément en
accuser Arcade son fils, dès la première année duquel tout
l'Orient fut ravagé par les Huns, et la Grèce par Alaric Prince
des Gots. Cette première homélie sur les Séraphins ne se peut
donc point mettre plutost que sur la fin de 395. » Dans sa pré-
face aux homélies sur Ozias, Montfaucon n'est point d'un avis
différent[2]. Et l'on peut, croyons-nous, admettre sans conteste
l'opinion de ceux qui placent cette homélie à la fin de l'époque
antiochienne, entre 395 et 398.

La deuxième et la troisième homélie ne sont pas la suite de
la première : ce sont des œuvres indépendantes et qui appar-
tiennent à une époque plus ancienne ; elles remontent en effet
au début de la carrière oratoire de notre auteur. Au commencement de la deuxième homélie, Jean se plaint, comme s'il
manquait encore de savoir et de métier, de ne pouvoir satisfaire l'attente de ses auditeurs, de ne leur présenter, pour
reprendre son langage, qu'une table modeste et des aliments de
peu de prix ; et dans la conclusion de la même homélie il s'exprime ainsi : « Prenons donc un temps pour nous taire, afin que

---

1. Ce sont les notes XVII : *En quel temps ont esté faites les homélies sur
les Séraphins* et XVIII : *Difficultés touchant les homélies sur les Séraphins.*
2. Montfaucon, *Monitum ad homelias in Oziam seu de Seraphim,*
PG 56, 95-96.

le Maître ait un temps pour parler. Nos paroles ressemblent au moût que l'on vient de puiser à la cuve, et les siennes, semblables à un vin vieux et vénérable, qui aide et réconforte ceux qui le prennent.» (II, 3, 66-71).

La troisième homélie nous offre une conclusion analogue : «Accueillons l'exhortation plus parfaite du bon Maître. Nos paroles, quelles qu'elles puissent être, portent la marque de la jeunesse; les siennes, quelles qu'elles soient, se parent de la sagesse chenue» (III, 5, 56-59).

Ces propos sont d'un débutant qui fait ses premières armes en présence de l'évêque. L'homélie, d'ailleurs assez courte, de Jean servait de prélude au discours assurément plus long de Flavien. Ces deux homélies doivent donc suivre de peu l'ordination du jeune orateur. On les placera avec Tillemont au commencement de 386, ou selon nous dans les derniers mois de cette même année, car Tillemont précisément estime avec raison que le carême de 387 a précédé de peu la sixième homélie, et l'on ne peut séparer par un long laps de temps la cinquième et la sixième homélie, qui poursuivent jusqu'à son terme l'histoire d'Ozias, des deuxième et troisième homélies qui l'ont commencée. Les auditeurs en effet devaient être impatients de connaître sans retard l'issue des événements. Il nous semble donc légitime de placer à la fin de 386 et au début de 387 les homélies II, III, V, VI, qui forment d'ailleurs un ensemble cohérent.

Montfaucon opte pour une date un peu plus tardive, 388, et se fonde pour cela sur la promesse que fait Jean dans la deuxième homélie (3, 1-2) de traiter des changements de noms (d'Abram en Abraham par exemple). Or les homélies sur ce thème furent prononcées en 388. Mais rien ne prouve que les homélies *Sur Ozias* aient précédé immédiatement celles qui parlent des changements de noms. Un certain laps de temps a pu s'écouler entre des œuvres dont le thème était différent.

«Quant à la quatrième (homélie), déclare Montfaucon dans son *Monitum*..., il n'est guère possible de la rattacher aux autres ; bien que vers le milieu il y soit question d'Ozias, rien ne montre qu'elle ait été donnée dans le même temps et dans la même ville. Tout porte à croire, au contraire, qu'elle fut prononcée plus tard à Constantinople. L'orateur y mentionne les consuls, la beauté du site, la richesse et l'importance de la ville, qu'il compare à Rome et qu'il appelle la métropole de l'univers ; toutes choses qui me paraissent ne pouvoir se rapporter qu'à Constantinople. »

Le Nain de Tillemont estimait au contraire que cette homélie avait été prononcée à Antioche, tout en émettant sur ce point quelques doutes. Cependant il se montrait plus affirmatif quand il assurait que « l'homélie quatrième sur les Séraphins n'a rien qui la lie avec la troisième, comme il est aisé de le voir en les conférant ensemble : et il est encore plus visible que la cinquième n'est point la suite de la quatrième, l'une ne disant rien que ce qui est déjà dans l'autre. Mais la cinquième commence justement où la troisième avait fini, c'est-à-dire au péché d'Ozias. »

Nous avons donc un groupe de quatre homélies, les homélies II, III, V, VI, selon l'ordre traditionnel, qui nous racontent l'histoire d'Ozias, et que Jean prononça au début de sa carrière oratoire en 386-387. Les byzantins ont ajouté à ce groupe primitif deux homélies qui sont d'une époque plus tardive. L'une a pour objet la discipline à observer à l'église et ne peut être antérieure à 395. L'autre résume toute l'histoire d'Ozias. Elle est sans doute la plus tardive de toutes, mais sa date ne peut être fixée avec certitude. Son authenticité est même sujette à caution, comme nous le verrons au chapitre suivant.

IV. L'AUTHENTICITÉ DE LA IVᵉ HOMÉLIE

La quatrième homélie est-elle authentique ? La question peut se poser. Le catalogue d'Augsbourg l'ignore. Dans son édition des œuvres de S. Jean Chrysostome, Savile écrit : « Ex his quinque orationibus in Oziam Catalogus Augustanus, num. 30, 31, 32, 33, agnoscit quatuor, hoc est demta quarta caeteras omnes [1].» Les cinq homélies visées sont évidemment les cinq premières, puisque la sixième nous parle non d'Ozias, mais des Séraphins et que εἰς τὰ Σεραφίμ est son titre habituel. L'on peut se demander si l'omission de la quatrième homélie dans le catalogue n'est pas due au fait que cette homélie n'a point sa place dans cette série.

La critique interne n'est point favorable à l'authenticité de la quatrième homélie. Nous avons, pour notre part, dans un article paru dans les *Mélanges de Science religieuse,* émis des doutes qui ont paru fondés. Voici notre conclusion : «Ce sont les emprunts à la Ve homélie, tout autant que l'étendue de certains exposés hors du sujet ou le caractère insolite du style, qui nous inclinent à penser que la IVe homélie risque bien de n'être pas authentique [2].» Nous serions aujourd'hui plus affirmatif encore, car d'autres remarques peuvent être faites qui dénoncent la main d'un faussaire.

Le Nain de Tillemont pense que la quatrième homélie a été prononcée à Antioche par S. Jean Chrysostome «en une ville dont la plus grande gloire estoit non pas d'avoir un Sénat, non pas de pouvoir conter des Consuls etc, mais d'avoir un peuple très ardent pour la parole de Dieu. C'est l'éloge que le Saint a accoutumé de donner à Antioche... Néanmoins *le Sénat* embarasse. Car Antioche avoit-elle en cela quelque privilège au dessus des autres villes, qui avoient aussi leur Sénat? Et même je ne sçais si σύγκλητος, dont S. Chrysostome se sert ici, se dit d'aucun autre Sénat que de ceux de Rome et de Constantinople. Il me semble que pour toutes les autres villes, on ne se servoit guère que du terme de βουλή ou de συνέδριον. Cette

---

1. *Opera,* Eton 1612, t. VIII, *Notae* col. 722.
2. J. DUMORTIER, «Une homélie chrysostomienne suspecte», *Mélanges de Sciences religieuses,* XXXe année, n° 4, 1973, p. 185-191.

difficulté est considérable[1]. » Elle l'est en effet. Le mot σύγκλητος désignait à l'origine une assemblée extraordinaire, réunie
par convocation. A l'époque romaine il fut le terme technique
pour désigner le Sénat de Rome. Au VIIIe-IXe siècle, dans
l'œuvre de Théophane le confesseur († 817), il est employé
pour dénommer le sénat de Constantinople[2]. On ne sache pas
qu'il ait jamais été employé pour désigner le sénat d'Antioche,
comme c'est le cas dans cette homélie (IV, 1, 16, PG 56, 120).
L'emploi de ce terme est singulier. Il est improbable que Jean
ait pu commettre une telle impropriété, lui qui vécut si longtemps à Antioche. Ne serait-elle pas le fait d'un écrivain
byzantin postérieur qui aurait appliqué pour désigner le sénat
d'Antioche le mot usité de son temps à Byzance ?

Quand il est question des persécuteurs de l'Église, l'orateur
s'écrie πόσοι Βασιλεῖς ; Αὔγουστος, Τιβέριος, Γάϊος, Κλαύδιος, Νέρων, ἄνθρωποι λόγοις τετιμημένοι, δυνατοί : combien
d'empereurs, Auguste, Tibère, Caligula, Claude, Néron, des
gens célébrés par des panégyriques, puissants (IV, 2, 5). Les
derniers mots sont naturellement en apposition avec des personnages nommément désignés et non avec un terme général
comme celui d'empereurs (les mots Βασιλεῖς et ἄνθρωποι
jurent d'être accouplés). On ne peut donc considérer cette liste
comme une glose, ainsi que le font certains manuscrits qui
omettent cette énumération. Mais alors on accuse S. Jean
d'une ignorance invraisemblable, et qui n'apparaîtrait qu'ici,
car s'il condamne Néron persécuteur, il n'a garde de le faire
pour les prédécesseurs de ce prince. Un écrivain postérieur,
homme peu cultivé, pourrait plus facilement encourir ce
reproche.

Dans le domaine stylistique, les différences sont considé-

1. *Mémoires pour servir à l'histoire ecclésiastique des six premiers
siècles*, Paris 1712, t. XI, note 18.
2. *Chronographia*, PG 108, 221 et 780.

rables. Dans la IVe fleurissent la pointe *(oxymoron),* l'antithèse, et... le mauvais goût. En voici quelques exemples :

> « Alors que Sodome avait des remparts, que la cabane avait Abra-
> ham, eh bien ! les anges en arrivant passèrent près de Sodome sans
> s'arrêter, mais descendirent sur la cabane, car ils ne recherchaient
> pas le luxe des habitations, mais circulaient en quête de la vertu de
> l'âme » (1, 24-28).
> « Caïn circulait et il s'adressait à tous, en émettant des sons en
> silence, en instruisant par son aphonie » (6, 5-6).

La mère des Maccabées c'est « la mer et ses vagues » (2, 84-
85). Pierre, le paisible pêcheur galiléen, « l'amant fou du
Christ » (3, 13). Si la femme de Job entreprend d'ébranler la
vertu de son mari, le saint homme, tel Protée, se transforme
tour à tour en rempart, en acier, en roc, en soldat, en esquif, en
arbre... dont elle ne peut triompher (3, 37-44).

Le parallèle de quelques passages similaires aux homélies III et V d'une part et à l'homélie IV d'autre part est tout en
faveur des premières, au point que l'auteur de l'homélie IV
apparaît comme un piètre écrivain, qui substitue des tournures
gauches et des mots vagues au texte littéraire qu'il a sous les
yeux. Que l'on se reporte à la Note annexe (p. 231).

Tout ceci ne nous permet pas d'attribuer à S. Jean la
IVe homélie. Un auteur ne peut se plagier lui-même aussi
misérablement. On ne peut croire que le successeur de Nectaire sur le trône de Constantinople ait écrit une œuvre qui
sans doute reste digne d'intérêt, mais ne peut être comparée
aux œuvres authentiques de Chrysostome.

Il faut alors se tourner vers un autre patriarche, qui s'oppo-
sa, lui, à l'empereur Léon V l'Arménien, dans la querelle des
Images. S. Nicéphore, en butte aux attaques du prince, a-t-il
voulu s'abriter sous la protection du plus illustre de ses
prédécesseurs ? A-t-il composé lui-même à son tour une homélie sur Ozias pour l'attribuer à Chrysostome ? Le procédé n'eût
pas été sans précédent dans l'histoire littéraire et religieuse de
ce temps. Or l'homélie *Sur les Séraphins,* la sixième de notre

recueil, avait connu la plus large diffusion et elle faisait allusion à l'histoire d'Ozias dont S. Jean était l'auteur. N'était-ce
pas là un brevet d'authenticité pour l'œuvre de Nicéphore ?
Cette manœuvre cependant ne suffit pas pour sauver le prélat,
qui mourut exilé dans un monastère en 829.

Cette attribution de la IVe homélie à Nicéphore demeure
sans doute une hypothèse, mais une hypothèse, croyons-nous,
assez plausible. Quant à attribuer la quatrième homélie à l'auteur des cinq autres, S. Jean, cela ne nous paraît point possible.

V. Place des homélies dans l'œuvre de Jean

Les homélies sur Ozias ne sont pas une œuvre isolée dans
l'œuvre de Jean Chrysostome. Elles entretiennent des rapports
étroits avec le *Commentaire sur Isaïe*[1] et des relations certaines avec les homélies *Sur l'incompréhensibilité de Dieu*[2] et
celles *Sur le changement de noms*[3].

Le *Commentaire sur Isaïe,* qui s'arrête dans la tradition
grecque au chap. 8, verset 10, a été la source exégétique de nos
homélies. Toutefois, les remarques du commentateur ne sont
pas livrées sans adaptation au peuple fidèle. A l'auteur des
homélies, on est tenté de reprocher la longueur de ses déve-
loppements, les multiples digressions, le style fleuri, les figures
en honneur dans la Seconde Sophistique, alors qu'on ne trou-
vera rien de tel à blâmer dans l'œuvre exégétique dont le langage est direct et clair, le style d'une lumineuse limpidité et
d'une remarquable concision. L'histoire d'Ozias, qui fait la
matière des six homélies, est résumée en une page où ne
manque rien d'essentiel[4].

---

1. *PG* 56, 11-94.
2. Jean Chrysostome, *Sur l'incompréhensibilité de Dieu, SC* 28 bis,
Paris 1970.
3. *PG* 51, 113-156.
4. *PG* 56, 67-68.

A la question de savoir comment il est possible à l'homme de voir Dieu et si même cela se peut, Jean répond différemment dans le *Commentaire* et *l'homélie VI*. Dans cette dernière, l'orateur se contente de déclarer à l'auditeur fictif qui lui demande comment le prophète a vu le Seigneur, qu'il faut accepter cette affirmation sans vouloir scruter le mystère et que, pour en savoir davantage, il faut devenir prophète comme Isaïe [1], ce qui est proprement une dérobade. Dans le *Commentaire,* au contraire, Jean se conduit en exégète. « La divinité, dit-il, ni son essence toute pure, personne ne les a contemplées à découvert, si ce n'est le Fils unique, tandis que le prophète parle de ce qu'il lui était possible de voir. Il n'a pu voir, en effet, ce que Dieu est, mais il le contemple en figure, σχημα- τισθέντα, descendu jusqu'au point où pouvait s'élever la faiblesse de l'homme [2]. »

La leçon exégétique s'appuie sur une étude philologique des termes de l'Écriture, par exemple sur la distinction entre les temps des verbes, aoriste ou imparfait [3], ou bien encore sur une interprétation sémantique, par exemple celle du mot hébreu *Iasoub* [4].

Dans les homélies *Sur l'incompréhensibilité de Dieu,* est sans cesse répétée l'affirmation que Dieu et les anges sont des êtres incorporels, que pour entrer en relation avec l'homme Dieu doit user de condescendance, s'abaisser jusqu'à lui et que, même en ses abaissements, il jette l'homme en un terrible effroi, que notre langage humain est impuissant à traduire la grandeur infinie de Dieu. Toutes ces vérités ont pour résultat de placer la divinité dans la sphère du mystère. Les adversaires de Jean, les anoméens, soutenaient, au contraire, que le Verbe et l'Esprit ne sont pas semblables au Père qui seul est Dieu,

---

1. *Hom.* VI, 1, 57-58 ; *PG* 56,136.
2. *PG* 56, 68.
3. *PG* 56, 71.
4. *PG* 56, 80.

parce que seul il est inengendré et que l'essence de la divinité réside précisément en cela. Le Christ est donc une créature du Père, une espèce de démiurge platonicien. Dans ces perspectives, le mystère de la Trinité est évacué, celui de la relation des personnes divines devient parfaitement compréhensible. Jean combat de la même manière les anoméens dans les homélies *Sur Ozias,* dans la seconde, en particulier.

Dans les homélies *Sur le changement de noms,* Jean explique pourquoi les patriarches et les apôtres se voient donner un nom différent de celui qu'ils portaient, en fonction de la mission qu'ils vont remplir ; c'est le cas d'Abram, devenu Abraham, de Simon devenu Pierre, de Saul devenu Paul[1]. De même dans l'homélie II *Sur Ozias,* Jean fait allusion au cas d'Abraham et il annonce son dessein de traiter plus amplement, dans une autre occasion, le problème du changement de noms[2]. Dans cette homélie, la crainte révérentielle manifestée par les Séraphins quand ils sont en présence de Dieu nous ramène à un thème favori du prédicateur : celui des anoméens[3].

On voit ainsi combien les problèmes soulevés dans les homélies *Sur Ozias* se retrouvent souvent dans les œuvres contemporaines de Jean Chrysostome et qu'il leur donne la même solution grâce à des arguments semblables.

---

1. *PG* 51, 125-128 ; 137-138 ; 149.
2. *Hom.* II, 2, 85-88 et 3, 1-2 ; *PG* 56, 110.
3. *Hom.* II, 22-41 ; *PG* 56, 109.

HISTOIRE DU TEXTE

I. Tradition manuscrite

Les homélies *In Oziam* nous sont parvenues à travers une tradition manuscrite très riche échelonnée entre le IXe et le XVIe siècle. De ces homélies, on trouve en outre une traduction arménienne, représentée par trois manuscrits qui ont servi de base à l'édition des Méchitaristes. La langue de la traduction permet de dater ces manuscrits du Ve s.

1. Table des manuscrits.

1.	B	Basileensis gr. 39 (B II 15)	IXe s.
2.	L	Atheniensis 210	IXe s.
3.	N	Atheniensis 212	Xe s.
4.	Q	Oxoniensis gr. Barocci 55	Xe s.
5.	V	Vaticanus gr. 1526	Xe s.
6.	a	Atheniensis gr. 456	Xe s.
7.	j	Parisinus gr. 799	Xe s.
8.	l	Eblanius W 131	Xe s.
9.	s	Vaticanus gr. 807	Xe s.
10.	t	Parisinus gr. 751	Xe s.
11.	w	Parisinus gr. 750	Xe s.

12.	δ	Vatopedinus 334	Xe s.
13.	Δ	Cantabrigiensis gr. 192	Xe s.
14.	ω	Hierosolymitanus Bibl. Patr. S. Sabas 25	Xe s.
15.	A	Mosquensis gr. 232 (Vlad. 165)	X^e-XIe s.
16.	Z	Palatinus gr. 72	X^e-XIe s.
17.	c	Oxoniensis gr. Merton cod. 28	X^e-XIe s.
18.	v	Vaticanus gr. 450	X^e-XIe s.
19.	C	Sinaiticus gr. 378	XIe s.
20.	D	Parisinus gr. 802	XIe s.
21.	E	Sinaiticus gr. 377	XIe s.
22.	F	Parisinus gr. 804	XIe s.
23.	G	Parisinus gr. 805	ann. 1064
24.	H	Parisinus gr. 812	XIe s.
25.	I	Parisinus gr. 813	XIe s.
26.	K	Laurentianus, Plut. VIII col. 10	XIe s.
27.	M	Marcianus gr. 105	XIe s.
28.	O	Marcianus gr. 107 (572)	XIe s.
29.	P	Marcianus gr. 363	XIe s.
30.	S	Hierosolymitanus Bibl. Patr. S. Sabas 4	XIe s.
31.	U	Athous Kau. 1	XIe s.
32.	W	Angelicus gr. 110	XIe s.
33.	X	Palatinus gr. 15	XIe s.
34.	e	Monacensis gr. 354	XIe s.
35.	f	Atheniensis gr. 414	XIe s.
36.	m	Laurentianus, gr. Plut. XI cod. 9 (ff. 265-282)	ann. 1021
37.	n	Laurentianus gr. Plut. XI cod. 9 (ff. 309-312)	ann. 1021
38.	p	Cantabrigiensis gr. 195	XIe s.
39.	Π	Sinaiticus gr. 379	XIe s.
40.	Y	Vaticanus gr. 575	XIe s.
41.	R	Atheniensis 265	XIe-XIIe s.
42.	o	Messanensis gr. 72	XIe-XIIe s.
43.	d	Scorialensis gr. 519	XIIe s.
44.	χ	Parisinus gr. 661	XIIe s.
45.	T	Atheniensis 455	XIIIe s.
46.	k	Cantabrigiensis Univ. Libr. 1789	XIVe s.
47.	r	Vatopedinus 336	XIVe s.
48.	b	Bresciensis gr. Quer. a III 3	XVe-XVIe s.

La répartition des mss dans le temps se présente ainsi :

3 manuscrits arméniens	du Ve s.
2 manuscrits grecs	du IXe s.
12 manuscrits grecs	du Xe s.
4 manuscrits grecs	du Xe-XIe s.
22 manuscrits grecs	du XIe s.
2 manuscrits grecs	du XIe-XIIe s.
2 manuscrits grecs	du XIIe s.
1 manuscrit grec	du XIIIe s.
2 manuscrits grecs	du XIVe s.
1 manuscrit grec	du XVIe s.

2. Contenu des manuscrits.

Les homélies *In illud : Vidi Dominum* furent maintes fois copiées à l'époque byzantine. Pour les première, troisième et cinquième homélies, nous avons collationné trente-cinq manuscrits, pour la seconde trente et un, pour la quatrième vingt-neuf, pour la sixième quarante-deux.

Au IXe siècle,

Basileensis gr. 39 (B). Il n'a conservé que l'homélie III (ff. 299^v-304^v). Il la qualifie de λόγος Δ΄, d'où l'on peut déduire que son modèle donnait une série d'homélies et que dans cette série notre homélie occupait la quatrième place. Voir R.E. Carter, *Codices chrysostomici graeci* III, 65-68.

Atheniensis Bibl. nat. 210 (L), qui nous a conservé l'homélie VI seulement (ff. 283-289^v).

Au Xe siècle,

Atheniensis Bibl. nat. 212 (N), avec les homélies IV, V, VI (ff. 114-128).

Oxoniensis Bodleian library, Barocci 55 (Q), donne l'homélie V (ff. 61^v-68^v). Sur le même folio 68^v on peut lire la fin de l'homélie V et le début d'une homélie étrangère à notre recueil, puis, après diverses œuvres, les homélies IV, II, VI (ff. 122-148). Sur le folio 148^r on lit la fin de l'homélie VI et le début d'un discours prononcé dans la *grande église*. Le scribe de Q a dû emprunter nos quatre homélies à deux recueils ou florilèges différents, ce qui explique que les homélies ne sont pas groupées. Voir M. Aubineau, *Codices chrysostomici graeci* I, 170-172.

Vaticanus gr. 1526 (V), avec la série complète dans l'ordre I, IV, II, III, V, VI (ff. 267-294^v). Le manuscrit est gravement mutilé et il ne nous donne qu'une vingtaine de lignes de l'homélie VI. Le texte s'arrête sur les mots ἀνδρῶν κατορθωκότων ἀρετήν (VI, 1, 12).

Atheniensis, Bibl. nat. 456 (a), avec l'homélie VI (ff. 125-130).

Parisinus gr., Bibl. nat. 799 (j), avec la série complète dans l'ordre I, II, III, IV, V, VI (ff. 326^v-376^v).

Eblanius (Dublin), *Chester Beatty library W 131* (l), avec la première homélie (ff. 55^v-63^v). Voir M. Aubineau, *Codices chrysostomici graeci* I, 3-4.

Vaticanus gr. 807 (s), avec l'homélie VI (ff. 77-81).

Parisinus gr. Bibl. nat. 751 (t), avec toute la série, dans l'ordre I, IV, II, III, V, VI (ff. 56-98). Toutefois l'homélie I est mutilée au début et ne commence qu'avec les mots καὶ τίς ἡ αἰτία (I, 4, 65). La mutilation de t provient de son modèle qui avait perdu un quaternion.

Parisinus gr. Bibl. nat. 750 (w), avec les homélies III, V, VI (ff. 173^v-190).

Vatopedinus Athos (Vatopedi) *334* (δ), avec la série primitivement complète, dans l'ordre I, II, III, IV, V, (VI) (ff. 149^v-196). La mutilation du manuscrit nous a privés de l'homélie VI.

Cantabrigiensis Trinity College 192 (Δ), avec l'homélie VI (ff. 319-321^v). Le manuscrit est mutilé à la fin et l'homélie s'arrête avec les mots καὶ ἱκε[- τεύω] (VI, 3, 52). Voir M. Aubineau, *op. cit.* I, 24-27.

Hierosolymitanus Bibl. Patr. S. Sabas 25 (ω), avec la série primitivement complète, dans l'ordre I, II, III, IV, V, (VI) (ff. 213^v-248^v). Le manuscrit est mutilé à la fin.

Au Xe-XIe siècle,

Mosquensis Bibl. syn. gr. 232 (Vlad. *165*) (A), avec les homélies I, II, III, VI (ff. 245-271).

Vat. Palatinus gr. 72 (Z), avec les homélies I, IV, II, III, V, VI (ff. 159ᵛ-195ᵛ). Ce manuscrit est lacunaire par suite de la disparition d'un quaternion. L'homélie III s'arrête sur les mots τὸ εὐθὲς ἐποίει (folio 187ᵛ) (III, 2, 15), et l'homélie V qui la suit (folio 188) ne commence qu'avec les mots Χεῖρας φέρων (V, I, 76). L'homélie VI s'arrête sur les mots ἀλλὰ μετὰ au folio 195ᵛ (VI, 2, 80), le dernier du manuscrit, mais les folios 144 et 145 permettent de lire la suite, depuis κραυγῆς ἰσχυρᾶς (VI, 2, 80) jusqu'à οὐδεὶς καυ[-χήσεται] (VI, 3, 69) au bas du folio 145. Le folio 146 nous donne un passage situé plus bas dans l'homélie, commençant avec les mots γνώμην, καὶ (VI, 4, 36) et s'achevant avec la doxologie. Ainsi l'homélie III est amputée de 374 lignes sur 484, l'homélie V de 90 sur 359, l'homélie VI de 59 sur 461.

Oxoniensis, Oxford Merton College, cod. 28 (c), avec les homélies IV, VI, I, V (ff. 270-306ᵛ). Voir M. Aubineau, *op. cit.* I, 91.

Vaticanus gr. 450 (v), avec la série complète I, II, III, IV, V, VI (ff. 190ᵛ-239ᵛ).

Au XIᵉ siècle,

Sinaiticus gr. 378 (C), avec la série complète I, IV, II, III, V, VI (ff. 234-274).

Parisinus gr. Bibl. nat. *802* (Colbert 247) (D), avec la série complète I, IV, II, III, V, VI (ff. 264ᵛ-306).

Sinaiticus gr. 377 (E), avec les homélies IV et V (ff. 73ᵛ-89) auxquelles il donne respectivement les numéros II et V. Il les emprunte donc à une série où elles occupent cette place.

Parisinus gr. Bibl. nat. *804* (F), avec la série primitivement complète, dans l'ordre I, IV, II, III, V, (VI) (ff. 611-698). Ce manuscrit, mutilé à la fin, ne nous donne plus l'homélie VI et seulement de façon incomplète l'homélie V qui s'arrête sur les mots παιδεύουσα ἡμᾶς (V, 2, 55).

Parisinus gr. Bibl. nat. *805,* daté de 1064 (G), avec les homélies II, III, IV, I, V (ff 205-236ᵛ). Le manuscrit est mutilé à la fin : manque l'homélie VI.

Parisinus gr. Bibl. nat. *812* (Colb. 3055) (H), avec les homélies I, II, III, VI (ff. 176ᵛ-196).

Parisinus gr. Bibl. nat. *813* (Reg. 1973) (I), avec les homélies I, III, V, VI (ff. 196-223).

Laurentianus gr. Plut. VIII, 10 (K), avec les homélies I, II, III, IV, V, VI (ff. 100-151).

Marcianus gr. 105 (M), avec les homélies I, III, V, VI (ff. 229ᵛ-261).

Marcianus gr. 107 (572) (O), avec les homélies I, II, III, VI (ff. 307ᵛ-337).

Marcianus gr. 363 (P), avec les homélies I, II, VI (ff. 98-123ᵛ). Ce manuscrit présente au début de l'homélie II un texte plus développé que celui de la tradition et, dans le corps de l'homélie I au chapitre 3, de nombreuses variantes signalées dans l'apparat critique.

Hierosolymitanus Bibl. patr. S. Sabas 4 (S), avec les homélies II, III, IV, I, V, VI (ff. 264ᵛ-297ᵛ).

Athous Kausokalyvies 1 (U), avec les homélies II, III, IV, V, VI, I (ff. 265ᵛ-297ᵛ).

Angelicus gr. 110 (W), avec les homélies I, IV, II, III, V, VI (ff. 188ᵛ-211).

Vaticanus Palatinus gr. 15 (X), avec les homélies I, III, V, VI (ff. 230ᵛ-263).

Monacensis (Munich) *Bayer, Staatbibl. 354* (e), avec les homélies I, II, III, IV, V, VI (ff. 282ᵛ-321). Voir R.E. Carter, *op. cit.* II, 63-64).

Atheniensis Bibl. nat. *414* (f), avec les homélies I, IV, II, III, V, VI (ff. 239ᵛ-268).

Laurentianus gr. Plut. XI, 9, daté de 1021 (m), avec les homélies I, IV, II, III, V, VI (ff. 265ᵛ-282), et (n), avec les homélies V et VI (ff. 309ᵛ-312ᵛ). Ce manuscrit nous a conservé en deux rédactions les cinquième et sixième homélies. Nous avons donc pour le recueil complet le sigle m et pour le florilège le sigle n. Dans le recueil, la quatrième homélie est désignée comme λόγος β΄, une notation qui doit remonter à l'original ; par contre les deux homélies de n sont respectivement appelées quatorzième et cinquième discours. Ce qui suggère un autre original comme modèle du florilège.

Cantabrigiensis Cambridge Trinity Col. codex 195 (p), avec les homélies I, II, III, IV, V, VI (ff. 209ᵛ-262). Voir M. Aubineau, *op. cit.* I, 27-28.

Sinaiticus gr. 379 (Π), avec les homélies I, II, III, IV, V, VI (ff. 300ᵛ-338).

Vaticanus gr. 575 (Y), avec les homélies I, VI (ff. 249ᵛ-269ᵛ).

Au XIᵉ-XIIᵉ siècle,

Atheniensis Bibl. nat. 265 (R), avec les homélies I, II, III, VI (ff. 150ᵛ-177).
Messanensis S. Salv. gr. 72 (o), avec les homélies I, IV, II, III, V, VI (ff. 228-261ᵛ).

Au XIIᵉ siècle,

Scorialensis Real biblioteca gr. 519 (d), avec les homélies I, IV, II, III, V, VI (ff. 252-298ᵛ). Voir R.E. Carter, *op. cit.* III, 90.
Parisinus gr. Bibl. nat. 661 (χ), avec les homélies II, III, IV, V, VI (ff. 1-20). Ce ms. mutilé au début, ne garde plus de l'hom. I que la fin de la doxologie, depuis ὧν γένοιτο (I, 6, 82).

Au XIIIᵉ siècle,

Atheniensis Bibl. nat. 455 (T), avec les homélies III, V, VI (ff. 146-161). Ce manuscrit présente des lacunes imputables à sa détérioration : les folios 157 et 158 sont déchirés transversalement. L'homélie VI est ainsi amputée depuis τοῦ θρόνου (VI, 2, 26) jusqu'à δὴ τῶν Σεραφίμ (VI, 2, 45), et depuis καὶ τί λέγω (VI, 2, 68) jusqu'à μόνον ἐκπλήττειν (VI, 2, 84).

Au XIVᵉ siècle,

Cantabrigiensis Universitary library 1789 (k), avec les homélies III, IV, I, II, V, VI (ff. 3-50). La finale est plus développée que dans la tradition. Voir M. Aubineau, *op. cit.* I, 15 et appendice p. 256.
Athous Vatopedi 336 (r), avec les homélies I, II, III, VI, IV, V (ff. 137-167). Copie d'un recueil plus ancien, dont P est un florilège.

Au XVᵉ-XVIᵉ siècle,

Bresciensis gr. Quer. a III 3 (b), avec l'homélie VI (ff. 37-40).

3. Classement des manuscrits.

On observe donc une grande variété parmi nos manuscrits. Certains en effet nous donnent, ou nous eussent donné avant leur mutilation, les six homélies; d'autres n'en contiennent qu'un petit nombre, voire une seule. Il est légitime de penser que les recueils de nos six homélies sont plus anciens que les florilèges, car ceux-ci proviennent d'un choix ou du désir de compléter une collection, plus anciens aussi, et pour la même raison, que les manuscrits à homélie unique. On observe également que ni les recueils ni les florilèges ne présentent les homélies dans le même ordre de succession, et comme on peut penser que le scribe chargé de copier un modèle le reproduit sans bouleverser l'ordre de succession des homélies de ce modèle, on en conclura que tous les manuscrits à séquence identique sont issus du même original.

Nous aurons ainsi pour les recueils complets les successions :

I, II, III, IV, V, VI	avec K e j p v Π δ χ ω et les éditeurs modernes
I, IV, II, III, V, VI	C D F V W Z d f m o t
II, III, IV, I, V, VI	G S
II, III, IV, V, VI, I	U
III, IV, I, II, V, VI	k
I, II, III, VI, IV, V	r

et pour les florilèges les successions :

I, II, III, VI	avec A H O R	IV, V, VI	avec N
I, III, V, VI	M I X	I, II, VI	P
III, V, VI	T w	IV, V	E
V, IV, II, VI	Q	I, VI	Y
IV, VI, I, V	c	V, VI	n

Enfin on rappellera que sept manuscrits ne donnent qu'une homélie : B la troisième, l la première, L a b s Δ la sixième, et que G, δ, ω, mutilés, n'ont plus l'hom. VI et, pour la même raison, χ l'hom. I.

L'examen des variantes, additions et lacunes, doit nous permettre de préciser les rapports qu'entretiennent entre eux les manuscrits.

A. Variantes.

I, 1, 40	συνήρμοσεν	F V W Z m o A H O R P
	συνηρμόσθαι	K
	συνήρμοσται	δ M I X Y
	συνηρμόσθη	cett.
3, 89	ἀσκωλιαζομένους	P r
	ἱππαζομένους	cett.
4, 101	ἀντιπραττόντων	F V W Z m o A H O R P r [1]
	ἀντικοπτόντων	K d U Y
	ἀντικούντων	D
	ἀντικοτούντων	cett.
6, 31	ἐπειδὴ σφοδρόν	P r
	ἀσφαλῆτε	cett.
II, 1, 49	ἐφίσταται	F V W Z m o A H O R (P r lac.)
	ἐφίπταται	cett.
III, 2, 37	σκοτοδινία	F V W (Z lac.) m o A H O R r [2]
	σκοτοδινίη	C f
	σκοκόδινος	B D d t k
	σκότος καὶ δεινός	e v
	σκοπὸς καὶ δεινός	K j p U M I T w

1. On notera que pour XÉNOPHON, *Helléniques,* II, 3, 14 et 15 les deux mots ἀντιπραττόντων et ἀντικοπτόντων sont exactement synonymes.
2. Σκοτοδινία se lit dans PLATON, *Sophiste* 264 c, σκοτοδινίη dans HIPPOCRATE, *Ancienne Médecine* 10; *Prénotions coaques* 157; *Maladies* 2,4, ainsi que σκοτόδινος *Aphorismes* 4,17.

	καὶ δεινός	X
	κίνδυνος	δ G S
2, 57	συνειληχότας	F V W (Z lac.) m o A (H lac.) O R C f d Π
	συνειλεχότας	D t[1]
	συναγαγόντας	k
	συνηγειοχότας	B
	συναγηοχότας	cett.
IV, 1, 25	ὁ δὲ Ἀβραὰμ καλύβην	E F V W Z m o r
	ἡ δὲ καλύβη τὸν Ἀβραάμ	cett.
5, 45	ἀπῆλθε	C D T Nc
	ἐπῆλθε	cett.
V, 2, 22	γνῶμεν	E F V W Z m o r
	εἰδῶμεν	e p v χ G S Q
	ἴδωμεν	cett.
VI, 1, 1	διαπλεύσαντες	L n
	διεπλεύσαμεν	cett.
1, 44	ἀποθέμενος	L n b
	ἀποβαλών	cett.

B. Additions.

I, 3, 47	Post στάσεως :	
	τοῦτο δεικνύουσιν	F V W Z m o A H O R r
	πειρῶνται δεικνύναι	P
	ἔχουσαι	Y
II, 1, 2-3	[καὶ − προκοπῆς]	P
1, 5	Post ἐρᾶν : πνευματικῶν	U j
III, 5, 35	Post πλῆθος : τῶν λεγομένων G S	
V, 3, 39	Post θέντος : τὸν ὅρον Θεοῦ E F V W Z m o r	

---

1. Συνειλεχώς est une leçon attestée par deux mss de Démosthène, *Pour la Couronne 308,* les *Parisinus gr. 2934* et *Laurentianus gr. 56, 136.*

C. Lacunes.

I, 1, 16	μηδὲ φθειρομένην	*om.*	G S
2, 12	καὶ περιφερόμενοι	*om.*	G S
IV, 2, 5	Αὔγουστος — Νέρων	*om.*	E F V W Z m o r
V, 1, 63-67	ὅσα — οὐρανός	*om.*	C n c
3, 28-29	καὶ γέγονεν ἐναγέστερος	*om.*	C n c

Les variantes, additions et lacunes permettent de distinguer
dans notre tradition deux familles bien distinctes. La première,
x, est une sorte de vulgate qui rassemble la majorité des mss,
mais ceux-ci apparaissent très divers dans les leçons qu'ils
présentent, tandis que l'autre famille, y, est beaucoup plus
homogène. Cette dernière est représentée par E F V W Z m o
qui sont des recueils complets et par les florilèges A H O R. Se
joignent à elle parfois le recueil r et le florilège P. De plus la
famille y se distingue de la famille x par nombre de formes
attiques, inconnues de x.

En III, 2, 37, y donne σκοτοδινία que l'on lit chez Platon, x
hésite entre deux formes qu'on trouve chez Hippocrate σκοτόδινος σκοτοδινίη, mais les mélectures de σκοτόδινος sont,
comme l'indique le tableau précédent, fort diverses.

En I, 1, 40, x présente trois formes différentes (alors que y
ne nous en donne qu'une seule συνηρμόσθη) : -ηρμόσθαι
-ήρμοσται : -ήρμοσεν.

En I, 4, 101, la leçon ἀντικοπτόντων est fournie par quelques mss de la vulgate, mais très tôt, sans doute, la lettre π est
tombée et l'on a corrigé le barbarisme ἀντικοτόντων par une
forme ionienne courante ἀντικοτούντων puis le réviseur à qui
nous devons l'édition d'où vient la famille y, a substitué à cette
forme l'atticisme ἀντιπραττόντων.

4. Transmission des homélies par les manuscrits.

Au V⁰ s., l'existence d'un recueil contenant les homélies II

III, V, VI est attestée par une version arménienne qui date de
cette époque. On y joignit par la suite l'hom. I, bien que son
thème fût différent, et enfin l'homélie IV, qui est apocryphe.
L'édition des six homélies en un recueil est antérieure au Xe s.,
puisqu'un ms. du IXe s., le *Basileensis gr. 39 (B.II.15)* (B)
donne à l'hom. III le numéro d'ordre, sous lequel elle figurait
dans la succession d'hom. dont il l'a extraite.

Du recueil primitif des six homélies (x), une première transcription
fut exécutée, x^1, que nous connaissons par C D d f t avec la succession I, IV, II, III, V, VI, où les homélies les plus longues étaient,
selon l'usage du temps, placées en tête. A x^1 se rattachent Q (V, IV,
II, VI), N (IV, V, VI), c (IV, VI, I, V) et B (III). Mais par la suite x^1 a
été démembré et l'ordre initial fut perturbé. Cela explique la variété
des séquences que nous pouvons observer, pour

x^2 : II, III, IV, I, V, VI en G S, mais à G mutilé fait défaut l'hom. VI.
On peut y rattacher T w avec les hom. II, V, VI.

x^3 : II, III, IV, V, VI, I en U

x^4 : I, II, III, IV, V, VI en K e j p v Π δ χ ω, mais à χ mutilé manque
la presque totalité de l'hom. I ; à δ et ω l'homélie VI. On joindra
à ce groupe

M I X avec les hom.	I, III, V, VI
Y	I, VI
n	V, VI
l	I
a b s L Δ	VI
k	III, IV, I, II, V, VI, un ms récent et conta- miné.

x^5 : I, II, III, VI, IV, V en r auquel se joint P avec I, II, VI. Grâce à
ce florilège du XIe s., nous pouvons atteindre un état du texte de
x^5 plus ancien qu'avec r, que l'on date du XIVe s.

x^2, x^3, x^4, x^5 sont postérieurs à x^1, mais peuvent être contemporains
les uns des autres, comme le sont les mss qui en dérivent.

A une époque difficile à déterminer, mais antérieure au
Xe s., un philologue byzantin entreprit de donner une édition
révisée de nos homélies. Il se servit pour ce faire de x^1 et de x^5.
Du premier ms., il a gardé, outre certaines leçons, la succes-

TABLEAU DES HOMÉLIES SELON L'ORDRE DES MANUSCRITS

	Recueil primitif	Recueil intermédiaire	Recueil complet				Version arménienne
	II III V VI	II III V VI + I	II III V..VI + I + IV				y = édition révisée
			x = vulgate				
	x^1	x^2	x^3	x^4	x^5		
	I IV III II V VI	II III IV V V VI	II III IV V V VI	II III IV VII V VI	II III IV VII V VI		IV II III II V VI
V^e s							
VIe-IXe s							
IXe s	B	w					V
X^e s	t N Q			L j δ ω l a s Δ			A Z
				v			
X^e-XIe s	c			v			
XIe s	C D f	G S	U	K p Π I M X Y n e	P		E F W m H O
XIe-XIIe s							o R
XIIe s	d	T		X	r		
XIIIe s				[k]			
XIVe s				b			
XVe-XVIe s							

Dans ce tableau, on voit la constitution des trois recueils donnant lieu, par la suite, à une vulgate (x), puis à une édition révisée (y). Cette vulgate s'est ramifiée en groupes (x^1, x^2, x^3, x^4, x^5) qui se différencient par l'ordre de succession des homélies et dont les témoins apparaissent à travers les siècles. Le ms. k, à séquence III, IV, I, II, V, VI, est contaminé. Il est proche de x^4. Dans ce tableau, nous n'avons pas distingué recueils complets, florilèges, homélies isolées.

sion, traditionnelle à Byzance, I, IV, II, III, V, VI; du second, diverses variantes. Mais on remarque dans son texte certaines corrections atticisantes, des additions qui sont souvent des gloses, des omissions délibérées de mots considérés comme superflus. On ne peut donc se fier aveuglément à cette édition revisée, qui est toutefois meilleure que la vulgate x.

Ce recueil est représenté par les mss F V W Z m o. On y rattachera les florilèges A H O R qui contiennent les hom. I, II, III, VI; et E avec les hom. IV et V.

5. Choix des manuscrits pour l'apparat critique.

Nous ferons figurer dans l'apparat critique douze des quarante-huit manuscrits que nous avons collationnés soit

pour x^1 : *Parisinus gr. 751* (t), Xe s., et pour les parties manquantes de t le *Scorialensis gr. 519* (d), XIIe s.

pour x^2 : *Hierosolymitanus 4* (S), XIe s.

pour x^3 : *Athous Kausokalyvies 1* (U), XIe s.

pour x^4 : *Parisinus gr. 799* (j), Xe s.

pour x^5 : *Marcianus gr. 363* (P), XIe s., que nous compléterons par *Athous Vatopedi 336* (r), XIVe s.

pour y : *Vaticanus gr. 1526* (V), Xe s., et pour les parties manquantes *Angelicus gr. 110* (W), XIe s.

A cette liste nous joignons pour l'originalité de leurs leçons
Oxoniensis gr. Barocci 55 (Q), Xe s.
Eblanius (Dublin) Chester Beatty W 131 (l), Xe s.
Basileensis gr. 39 (B), IXe s.
Atheniensis 210 (L), IXe s.
Paraîtront occasionnellement dans l'apparat
Monacensis gr. 354 (e), XIe s.

Cantabrigiensis Univ. Libr. 1789 (k)[1], XIVe s.

Le choix des différents témoins a été dicté par le désir de faire figurer un représentant de chaque séquence complète d'homélies. Nous y avons adjoint quelques florilèges très anciens qui proviennent de manuscrits à séquence complète perdus.

6. L'apport de l'arménien.

Nous possédons des homélies II, III, V, VI *Sur Ozias* une version arménienne. L'édition de Venise[2] qui la donne repose sur trois manuscrits, mais l'introduction de cette édition est réduite à 16 lignes et ne nous fournit aucune indication sur la tradition. Quelques variantes seulement figurent au bas des pages[3].

La langue de cette version est celle du Ve siècle et atteste la haute antiquité des mss. La traduction est, compte tenu du génie des deux langues, très fidèle. Ainsi, ayant à rendre un

---

1. On peut négliger k qui donne la série III, IV, I, II, V, VI. Ce ms. du XIVe s. ne possède pas, comme r, la caution d'un témoin du XIe s. et il a subi la contamination. Citons de lui au moins une leçon originale χαρακτηρίζεται pour θαυμάζεται dans l'homélie IV, I, 22. Savile l'a adoptée, mais toute notre tradition l'ignore.

2. Cette version a été publiée sous le titre : Mechitaristae, *Orationes*, Venise 1861, *Yovhannou Oskeberani Konstandnoupolsi episkoposi Jark*, p. 385-422. Grâce au concours d'un savant orientaliste, Dom Louis Leloir, nous avons pu collationner mot à mot cette version des homélies II, III, V, VI avec le texte grec de nos mss.

3. Les variantes les plus significatives se trouvent dans l'homélie VI, 2, 7-9, *Orationes* p. 414. Une note de cette page nous apprend que sur les trois mss cités deux d'entre eux donnent un texte assez proche de celui de notre tradition grecque, mais l'éditeur a retenu la leçon du troisième, qui s'en écarte beaucoup. Nous proposons, pour ce passage de l'homélie, la traduction latine que voici : *Sicut multitudo aquarum multos locos, magna turbine impetu, secat transit, ita verbum cum omnibus nostris cogitationibus etiam festinans currit ad hanc narrationem.*

verbe composé διακόπτων[1], l'auteur de la version recourt à deux verbes accolés, ce qui donne en latin : *secat transit* et en français : *il se fraye un passage*. Nous avons utilisé cette version en observant les règles suivantes :

Quand une leçon est attestée par plusieurs mss grecs, voire un seul et l'arménien, nous la retenons de préférence aux autres.

Quand l'arménien présente une leçon étrangère à toute notre tradition, le contexte permet de trancher.

Quand un ou plusieurs mots, voire une phrase, font défaut dans l'arménien et quelques mss, alors qu'il figurent dans l'ensemble de la tradition, nous estimons que l'arménien et ces quelques témoins nous ont conservé le texte primitif, avant toute addition de glose.

Nous avons gardé les intitulés et les doxologies qui figurent dans l'arménien. Ces intitulés ressemblent à ceux que nous donnent les mss grecs. Cela prouve que, dès l'origine de la tradition, les scribes ont éprouvé le besoin de donner, avec l'intitulé, un bref résumé de l'homélie.Les doxologies de la version arménienne, au contraire, diffèrent de celles des mss : elles sont plus développées. Elles ont subi l'influence des doxologies liturgiques.

Voici, traduites en grec, les leçons les plus notables, propres à l'arménien.

	ARMÉNIEN	GREC
II, 1, 15	ἥδοιτο παθοῦσα	ἕλοιτο παθεῖν
1, 60	καμαρώματα	σώματα
1, 88	εἰρήνης	σιγῆς
2, 26	ἠδυνήθησαν	ἐτόλμησαν
2, 37	τοῦ σώμασος	τῆς ὄψεως

---

1. *Hom. VI, 2, 8.*

2, 74	ὁρῶσι	εὕρωσι
3, 13	τῆς διαθήκης	τῶν γραμμάτων
3, 75	τίκτει	προχέει
III, 2, 26	μέλλοντες	μελετῶντες
2, 52	πολεμεῖ	πνεῖ
2, 76	μεταβαλόμενος	μεταπεσών
3, 37	ἀγχόνη	ἀπαγωγή
V, 3, 70	ἀπειλήσαντα	ἀγανακτήσαντα
3, 95	γνῶθι	σκόπει
3, 113	γνῶθι	σκόπει
VI, 1, 34	ῥυπαρίαν	ἀτιμίαν
2, 57	ἐφαίνετο	κάτεισιν
2, 69	λέγεις	λέγω
3, 33	τῇ χάριτι	ἡ χάρις
4, 1	ποῖος... κάματος	ποῖον... κατόρθωμα
4, 12	ταπεινόν	ἥμερον

On remarquera que certaines leçons sont des fautes d'on-
ciales, mais que d'autres sont de véritables variantes entre lesquelles il est parfois malaisé de choisir.

II. HISTOIRE DES ÉDITIONS

La première édition des œuvres complètes de Jean Chrysostome a été donnée par Henry Savile en 1612 (texte grec seul).
Les homélies dont nous nous occupons se trouvent au tome V
de ces *Opera* sous les numéros 21 à 26, p. 127 à 160. Les
homélies I à V portent comme titre courant εἰς Ὀζίαν ἢ εἰς τὰ
Σεραφίμ, l'homélie VI εἰς τὰ Σεραφίμ.
En 1614, Fronton du Duc publia le tome III des œuvres

complètes de Jean Chrysostome (texte grec et latin)[1]. Ce tome
contient nos homélies, p. 833-894. Les homélies I à V portent
comme titre courant : *De verbis Esaiae : Vidi Dominum,*
l'homélie VI *In Seraphim.* Le texte grec de Savile et l'ordre
dans lequel se présentaient les homélies sont reproduits par
Fronton du Duc. Le seul progrès de son édition consiste dans
la traduction latine donnée en face du grec et faite par Érasme
pour les cinq premières homélies, par Fronton du Duc lui-
même pour la VIe.

En 1724, Bernard de Montfaucon publie le tome VI d'une
nouvelle édition complète (texte grec et latin), dont les volumes
s'échelonnent entre 1718 et 1738. Ce tome VI contient nos
homélies, p. 94 à 144, précédées d'un *Monitum,* p. 93-94. Le
titre courant est *In Oziam seu De Seraphim* pour les cinq premières homélies et *De Seraphim* pour la sixième. Ces textes
sont reproduits dans la *Patrologie grecque* de Migne, tome 56,
97-142. Montfaucon a repris, tout en l'améliorant, la traduction latine qui figure dans l'œuvre de son prédécesseur.

Sources manuscrites de ces éditions.

Dans les notes correspondant à nos homélies, tome VIII,
col. 722-724, Savile précise l'état dans lequel il les a trouvées
et les manuscrits qu'il a consultés pour améliorer le texte.

D'après ces notes, la première avait été déjà éditée deux fois
à Rome, la troisième une fois à Bâle, mais il ne donne aucun
renseignement sur ces éditions. Au contraire, il indique avec
précision les manuscrits qu'il a utilisés soit pour améliorer les

---

1. Les deux premiers tomes ont été édités en 1609. Ils avaient été
précédés, en 1602, d'une édition partielle (77 homélies) qui ne contient pas
nos textes. Savile est donc le premier éditeur des homélies *Sur Ozias* dans
des *Œuvres complètes.*

textes déjà édités, soit pour donner lui-même une première édi
tion.

Pour l'homélie I, Savile a consulté un ms. de l'Universit
d'Oxford actuellement à la Bodléienne sous la cote Auc
E. I. 13 (XIe s.), le ms. *New College 79* (XIe s.), un ms. d
l'Université de Cambridge cod. II-III, 25 (XIVe s.), enfin, u
ms. actuellement à Oxford, *Merton College cod. 28* (XIVe s.
procuré, dit-il, « a doctissimo Croshavio [1] ».

Pour les homélies II et III, *idem,* sauf le ms. de Merton
College.

Pour les homélies IV et V, les ms. de New College et d
Cambridge auxquels il faut ajouter un ms. royal de Paris, u
autre prêté par Fronton du Duc [2] et celui de Merton College

Pour l'homélie VI, nous retrouvons les mss de l'homélie I, à
l'exception de celui de la Bodléienne.

Selon son habitude, Montfaucon cite, au début de l'homé
lie I, les mss qu'il a consultés et qui sont au nombre de onze
Les voici sous leur cote ancienne et avec le numéro qu'il
portent actuellement dans le catalogue de la Bibliothèqu
Nationale de Paris :

Xe s.	1958	= 750	XIe s.	1973	= 813
XIe s.	656	= 1963	XIIe s.	1819	= 806
"	*Colb.* 247	= 802	"	1832	= 1176
"	2354	= 807	XIIIe s.	768	= 1030
"	1964	= 811	XIVe s.	1960	= 809
"	3055	= 812			

---

1. Voir t. VIII, col. 722. Il s'agit de William Crashow, cité par Savil
sous la forme *Croshavius.* Prêtre anglican et prédicateur réputé, il était l'am
des grands érudits de son temps.

2. Savile ne donne pas de référence pour le ms. de la Bibliothèque royal
ni pour celui prêté par Fronton du Duc. Mais on peut présumer qu'il s'agi
respectivement de nos *Parisini gr.* 751 et 1176.

Valeur de ces différentes sources.

Si le nombre des mss consultés par Savile est assez restreint, ils sont cependant de bonne époque et représentent, mais de façon incomplète, la tradition des deux familles x et y.

De la famille x, Savile connaît les groupes

x^1 par *Auct.* E. I, 13, *Merton College* cod. 28 et *Paris gr.* 751.
x^4 par *Cambridge* cod. II-III, 25.
x^5 par *Paris* gr. 1176.
x^3 et x^2 lui ont donc échappé.

De la famille y, Savile connaît un seul représentant, le ms. *New College* 79.

Montfaucon est assurément mieux informé que Savile, mais il s'est borné dans son enquête aux seuls mss parisiens. Il se trouve néanmoins que, même ainsi, il a pu atteindre presque tous les rameaux de notre tradition :

x^1 par le *Paris gr. 802*
x^2 par le *Paris gr. 750*
x^4 par le *Paris gr. 813*
x^5 par le *Paris gr. 1176*
y par le *Paris gr. 812*
x^3 représenté par *Athous Kausokalyvies 1* lui a échappé.

Bien que son édition soit meilleure que celle de Savile, Montfaucon a une information encore incomplète.

En faisant porter notre enquête sur quarante-huit manuscrits et avec les leçons fournies par la version arménienne, nous avons pu améliorer le texte et nous avons fourni au lecteur les variantes susceptibles d'éclairer son choix personnel.

Il était difficile d'autre part d'établir le texte en partant d'un *stemma,* car la tradition est souvent contaminée et les variantes ne s'imposent pas la plupart du temps. Nous avons donc tenu compte bien souvent, pour faire un choix, du style de Jean Chrysostome. Nous avons eu recours à des critères d'ordre linguistique ou stylistique. On remarque, en effet, que Jean évite systématiquement le hiatus, emploie souvent l'hyperbate, aime les formules familières à la diatribe, use fréquemment du subjonctif délibératif ou du subjonctif d'exhortation, dialogue volontiers avec un auditeur fictif. Ces ornements littéraires ont souvent disparu de notre tradition. Le *Marcianus gr. 363* (P) en a gardé plus que les autres mss et nous avons ainsi l'écho du style familier de l'orateur.

Je tiens à témoigner ma gratitude au P. Joseph Paramelle et à Madame Gilberte Astruc pour toute l'aide qu'ils m'ont apportée dans la recherche et l'obtention des films ou photographies des mss.

Je veux aussi remercier Monsieur Claude Meillier, maître de conférences à l'Université de Lille III, pour ses judicieux conseils dans le travail de la traduction de certains passages difficiles.

La version arménienne des homélies II, III, V, VI m'était inaccessible, si Dom Louis Leloir, professeur de langues orientales à l'Université de Louvain, ne m'avait prêté son concours pour la collation de ce texte. Je lui dois beaucoup de reconnaissance.

Index siglorum

B	= Basileensis gr. 39 (B.II.15)	IXe s.
L	= Atheniensis 210	IXe s.
Q	= Oxoniensis gr. Barocci 55	Xe s.
V	= Vaticanus gr. 1526	X^e s
j	= Parisinus gr. 799	Xe s.
l	= Eblanius W 131	Xe s.
t	= Parisinus gr. 751	Xe s.
P	= Marcianus gr. 363	XIe s.
S	= Hierosolymitanus Bibl. Patr. S. Sabas 4	XIe s.
U	= Athous Kau. 1	XIe s.
W	= Angelicus gr. 110	XIe s.
e	= Monacensis gr. 354	XIe s.
d	= Scorialensis gr. 519	XIIe s.
k	= Cantabrigiensis Univ. Libr. 1789	XIVe s.
r	= Vatopedinus 336	XIVe s.

arm. = ex arm.

A'

Ἔπαινος τῶν ἀπαντησάντων ἐν τῇ ἐκκλησίᾳ, καὶ περὶ εὐταξίας ἐν ταῖς δοξολογίαις καὶ εἰς τό · «Εἶδον τὸν Κύριον καθήμενον ἐπὶ θρόνου ὑψηλοῦ καὶ ἐπῃρμένου [a].»

1. Πολλὴν ὁρῶ τὴν σπουδὴν ἐνδεικνυμένους ὑμᾶς εἰς ἔργον ἀγαγεῖν τὰ πρῴην ἡμῖν εἰρημένα. Διὰ τοῦτο τοίνυν ἀόκνως τὰ τῆς διδασκαλίας κἀγὼ καταβάλλομαι σπέρματα, χρησταῖς ἐντεῦθεν ταῖς ἐλπίσι τρεφόμενος. Καὶ γὰρ ὁ
5 γεωργός, ὁπόταν πόνῳ μὲν τὰ σπέρματα καταβάλῃ εὐφοροῦσαν δὲ τὴν γῆν καὶ τὰ λήϊα κομῶντα θεάσηται, τῶν πρῴην ἐπιλανθάνεται κόπων καὶ πρὸς τὴν ἑξῆς ἐργασίαν τε καὶ συντήρησιν τῷ προσδοκωμένῳ διανίσταται κέρδει. Καίτοι πόσον πορ." ποριμωτέρα καὶ ἐπικερδὴς αὕτη καθέστηκεν
10 ἡ γεωργία; Ἐκείνη μὲν γὰρ τῶν καρπῶν τῶν αἰσθητῶν περιποιουμένη τὴν ἀφθονίαν, σώμασιν ἐναποτίθεται τροφήν · αὕτη δὲ τὴν τῶν λόγων καταβαλλομένη

Testes t(d)SUjP(r)Vl
Titulus Ἔπαινος − ἐπῃρμένου dSUjP(r)Vl
1, 3 κἀγὼ] + ὑμῖν jP ‖ 3-4 καταβάλλομαι ... τρεφόμενος : καταβάλλομεν ... τρεφόμενοι Sjl ‖ 8 συντήρησιν : τήρησιν S ‖ 11 σώμασιν] + μόνοις P ‖ 12 ante τροφὴν add. τὴν P

Tit. a. Is. 6, 1

1. La parabole du semeur (*Matth.* 13, 3-9) est devenue ici un thème littéraire que S. Jean développe dans l'esprit de la Seconde Sophistique. Ce

HOMÉLIE I

*Éloge de ceux qui se sont rendus à l'église, de la défé-
rence à observer dans les invocations liturgiques, et sur la
parole : «J'ai vu le Seigneur siéger sur un trône élevé et
sublime[a].»*

1. Je vous vois faire preuve d'un grand zèle pour mettre en
pratique ce que nous avons dit la veille. C'est bien pourquoi je
n'hésite pas à répandre les semences de l'enseignement[1], car
j'en conçois de beaux espoirs[2]. Quand l'agriculteur qui a peiné
pour répandre les semences contemple sa terre fertile et sa
moisson florissante[3], sans plus songer aux fatigues de la veille,
il se lève pour poursuivre ses travaux et engranger sa récolte
dans l'attente du profit. Combien plus fructueuse cependant,
combien profitable est cette culture ! Car si la première, par
l'abondance des fruits visibles qu'elle procure, ménage au
corps des réserves de nourriture, la seconde, par l'ensei-

---

sont des procédés littéraires chers à Lucien. Cf. J. BOMPAIRE, *Lucien
écrivain, Imitation et création*, Paris 1958.

2. L'image des espoirs, que l'on conçoit, dont on se nourrit, était chère
aux poètes : SOPHOCLE, *Antigone*, 897-898 ; EURIPIDE, *Phéniciennes*, 396 et
Bacchantes, 617. Mais elle avait perdu son éclat.

3. L'expression grecque est recherchée. Elle apparaît dans l'hymne
homérique *A Déméter*, 454, l'hymne callimachéen *A Artémis*, 41, les
Argonautiques, 3, 928 ; mais aussi chez ARISTOTE, *H.A. 9, 6,8* et le rhéteur
PROCOPE DE GAZA (Hercher, *Epistolographi graeci*, p. 540). Hésychius
définit λήϊον, πύρινος καρπός ; c'est la récolte sur pied.

διδασκαλίαν καὶ τὰ τοῦ Πνεύματος πλεονάζουσα
χαρίσματα, τὸν ψυχικὸν ἐναποτίθεται πλοῦτον, τὴν
15 ἀδαπάνητον καὶ ἀκήρατον τροφὴν τὴν μὴ διαλυομένην,
μηδὲ φθειρομένην κατ᾽ ἀκολουθίαν, ἀλλὰ ἀρρήτῳ τινὶ
συντηρουμένην προνοίᾳ καὶ νοητὴν τὴν ἀπόλαυσιν
ἔχουσαν. Αὕτη τῶν ἐμῶν πόνων ἡ ἐπικαρπία, οὗτος ὁ
ἐναποτιθέμενος τῇ ὑμῶν ἀγάπῃ πλοῦτος. Τοῦτον οὖν
20 αὐξανόμενον ἐν ὑμῖν κατανοῶν, χαίρω διὰ παντὸς ὡς μὴ
εἰκῇ τὰ σπέρματα καταβαλλόμενος, ὡς μὴ μάτην τοὺς
πόνους ὑπομείνας, ὡς εἰς εὔφορον καὶ λιπαρὰν ἐπισπείρων
γῆν καὶ πρὸς καρποφορίαν ἐπιτηδείαν.

Πόθεν οὖν τὸ τοιοῦτον καταστοχάζομαι κέρδος; πόθεν
25 εἰς ἔργον τοὺς λόγους προκόπτοντας κατανοῶ; Ἐκ τῆς
παρούσης δηλονότι συνδρομῆς, ἐκ τοῦ τὴν μητέρα πάντων
τὴν ἐκκλησίαν μετὰ σπουδῆς ὑμᾶς καταλαβεῖν, ἐκ τῆς
παννύχου ταύτης καὶ διηνεκοῦς στάσεως, ἐκ τοῦ τὴν
ἀγγελικὴν χοροστασίαν μιμουμένους ἀκατάπαυστον τῷ
30 κτίστῃ τὴν ὑμνολογίαν προσφέρειν. Ὦ τῶν τοῦ Χριστοῦ
δωρημάτων. Ἄνω στρατιαὶ δοξολογοῦσιν ἀγγέλων · κάτω
ἐν ἐκκλησίαις χοροστατοῦντες ἄνθρωποι τὴν αὐτὴν
ἐκείνοις ἐκμιμοῦνται δοξολογίαν. Ἄνω τὰ Σεραφὶμ τὸν
τρισάγιον ὕμνον ἀναβοᾷ · κάτω τὸν αὐτὸν ἡ τῶν
35 ἀνθρώπων ἀναπέμπει πληθύς · κοινὴ τῶν ἐπουρανίων καὶ
τῶν ἐπιγείων συγκροτεῖται πανήγυρις · μία εὐχαριστία, ἐν

13-14 χαρίσματα πλεονάζουσα ~ S ‖ 16 μηδὲ φθειρομένην om. S ‖
φθειρομένην : διαφθ- UPV ‖ κατ᾽ἀκολουθίαν conieci : om. P ἀκολουθίᾳ
cett. ‖ 21 καταβαλλόμενος : -τιθέμενος S ‖ 22 ὑπομείνας : -6άλλων S ‖
30 ὑμνολογίαν : δοξολογίαν SP ‖ 32 χοροστατοῦντες ἐν ἐκ- ml ‖
33 δοξολογίαν om. S ‖ 35 ἀναπέμπει : πέμπει l ‖ 36 τῶν om. dl

---

1. Réminiscence de *Matth.* 6, 19-21, où il est question de biens
impérissables.
2. Dans le *Phédon*, 83 B, PLATON oppose le sensible et le visible, à
l'intelligible et l'invisible : αἰσθητόν τε καὶ ὁρατόν ... νοητόν τε καὶ ἀειδές.

gnement de la parole qu'elle répand et les dons de l'Esprit dont elle est prodigue, ménage des réserves de richesses spirituelles, une nourriture à l'abri de tout gaspillage[1] et d'altération, de décomposition et de corruption dans le cours du temps, qui se conserve au contraire grâce à une Providence ineffable et dont la jouissance est de l'ordre intelligible[2]. Voilà le revenu[3] de mes peines, voilà les richesses mises en réserve pour Votre Amour[4]. A les voir s'accroître en vous, je me réjouis sans cesse à la pensée de ne pas répandre mes semences en vain, de n'avoir pas supporté inutilement des fatigues, d'ensemencer encore une terre fertile et riche, rendue ainsi productive.

D'où vient donc que j'escompte un tel profit? D'où me vient la pensée que mes paroles aboutissent aux actes? Du présent concours de peuple évidemment, du zèle que vous mettez à prendre vos places dans l'Église[5], notre mère à tous, de cette station debout prolongée toute la nuit[6], du chant des hymnes qu'à l'imitation du chœur angélique vous offrez sans relâche au Créateur. Les dons du Christ! Là-haut des légions d'anges récitent l'invocation liturgique[7]; ici-bas formant des chœurs dans les églises les hommes récitent à leur imitation la même invocation. Là-haut les Séraphins font retentir l'hymne *Trois fois saint*[8]; ici-bas de la foule des hommes monte le même hymne; c'est ensemble que les êtres célestes et les êtres terrestres forment une assemblée de fête : c'est une seule action

3. Le mot grec désigne le revenu foncier; c'est un terme technique dont use PLATON dans les *Lois,* 955 D

4. Votre Amour, titre d'honneur analogue à Votre Béatitude, Votre Sainteté.

5. Le terme d'Église est ambivalent, car il désigne aussi bien la communauté que l'édifice dans lequel elle se réunit.

6. C'est un devoir de fréquenter la nuit le lieu saint. *Com. in Ps.* 133, 1 (*PG* 55, 386-387).

7. L'invocation ou «doxologie» désigne une prière ou une acclamation commençant par «Gloire au Père».

8. L'hymne du *Sanctus* de la messe grégorienne, *Isaïe* 6, 3.

ἀγαλλίαμα, μία εὐφρόσυνος χοροστασία. Ταύτην γὰρ ἡ
ἄφατος τοῦ Δεσπότου συγκατάβασις συνεκρότησεν, ταύτην
τὸ Πνεῦμα συνέπλεξεν τὸ ἅγιον, ταύτης τὴν ἁρμονίαν τῶν
40 φθόγγων ἡ πατρικὴ εὐδοκία συνήρμοσεν, ὥστε ἄνωθεν
ἔχει τὴν τῶν μελῶν εὐρυθμίαν καὶ ὑπὸ τῆς Τριάδος,
καθάπερ ὑπὸ πλήκτρου τινὸς κινουμένη, τὸ τερπνὸν καὶ
μακάριον ἐνηχεῖ μέλος, τὸ ἀγγελικὸν ᾆσμα, τὴν ἄληκτον
συμφωνίαν. Τοῦτο τῆς ἐνταῦθα σπουδῆς τὸ πέρας, οὗτος
45 ὁ τῆς συνελεύσεως ὑμῶν καρπός. Διὰ τοῦτο χαίρω τὴν
τοιαύτην καθορῶν εὐδοκίμησιν · χαίρω τὴν ἐν ταῖς ψυχαῖς
ὑμῶν εὐφροσύνην κατανοῶν, τὴν χαρὰν τὴν πνευματικήν,
τὴν κατὰ Θεὸν ἀγαλλίασιν.

Οὐδὲν γὰρ οὕτω περιχαρῆ τὴν ἡμετέραν διατίθησι ζωὴν
50 ὡς ἡ ἐν ἐκκλησίᾳ θυμηδία. Ἐν ἐκκλησίᾳ ἡ τῶν χαιρόντων
συντηρεῖται χαρά, ἐν ἐκκλησίᾳ ἡ τῶν ἀθυμούντων εὐθυμία,
ἐν ἐκκλησίᾳ ἡ τῶν λυπουμένων εὐφροσύνη, ἐν ἐκκλησίᾳ ἡ
τῶν καταπονουμένων ἀναψυχή, ἐν ἐκκλησίᾳ ἡ τῶν
κοπιώντων ἀνάπαυσις. «Δεῦτε γάρ, φησί, πρός με πάντες
55 οἱ κοπιῶντες καὶ πεφορτισμένοι · κἀγὼ ἀναπαύσω ὑμᾶς[a].»
Τί ταύτης τῆς φωνῆς γένοιτ' ἂν ποθεινότερον; τί τῆς
κλήσεως ταύτης ἡδύτερον; Πρὸς εὐωχίαν σε καλεῖ ἐν
ἐκκλησίᾳ καλῶν ὁ Δεσπότης, εἰς ἀνάπαυσιν ἀντὶ τῶν
κόπων προτρέπεται, εἰς ἄνεσιν ἐκ τῶν ὀδυνηρῶν
60 μετατίθησιν, τὸ βάρος τῶν ἁμαρτημάτων κουφίζων · τρυφῇ
τὴν ἀθυμίαν καὶ εὐφροσύνῃ τὴν λύπην ἰᾶται. Ὦ τῆς
αὐτοῦ κηδεμονίας, ὦ κλήσεως ἐπουρανίου; Σπεύσωμεν
τοίνυν, ἀγαπητοί, αὐτὴν μὲν ἐπιτεινομένην ἐνδείκνυσθαι

98

---

37 εὐφρόσυνος : εὐφροσύνης 1 ‖ 38 συνεκρότησε PVl : ἐκρότησε
cett. ‖ 39 τὴν ἁρμονίαν PV : ἡ ἁρμονία cett. ‖ 40 ἡ πατρικὴ — ὥστε
PV : τῇ πατρικῇ εὐδοκίᾳ συνηρμόσθη cett. ‖ 45 ὑμῶν : ἡμῶν UP ‖
53 ἀναψυχή : παραμυθία PV βοηθεία d ‖ 58 ἐκκλησίᾳ] + σε U ‖ 60-
61 τρυφῇ ... εὐφροσύνῃ dSV : τρυφὴ ... εὐφροσύνη cett. ‖ 61-62 ὦ —
κηδενομίας om. S ‖ 62 αὐτοῦ : ἀφάτου Montf.

de grâces, une seule allégresse, un seul chœur joyeux[1]. Ce chœur en effet c'est l'ineffable condescendance du Maître[2] qui l'a formé, c'est l'Esprit-Saint qui lui a donné sa cohésion, c'est la complaisance du Père qui en a accordé les voix à l'octave, aussi est-ce d'en haut que lui vient l'eurythmie de ses chants, que touché par la Trinité comme par un archet, il résonne du chant agréable et bienheureux, de la mélodie angélique, de la symphonie ininterrompue. C'est le résultat de votre zèle ici, c'est le fruit de votre rassemblement. Voilà pourquoi je suis joyeux de remarquer un tel renom, joyeux de voir en vos âmes la gaieté, la joie spirituelle, l'allégresse selon Dieu.

Il n'est rien en effet qui rende aussi joyeuse notre vie que la satisfaction que l'on goûte à l'église. A l'église on observe la joie des gens joyeux, à l'église le courage des gens découragés, à l'église la gaieté des gens attristés, à l'église le soulagement des gens épuisés, à l'église le repos des gens lassés : «Venez à moi, est-il dit en effet, vous tous qui êtes lassés et ployez sous le fardeau, et moi je vous donnerai le repos[a].» Quoi de plus désirable à entendre que cette voix, quoi de plus agréable que cette invitation? C'est à un festin que te convie le Maître quand il t'appelle à l'église, c'est au repos qu'il t'engage après les fatigues, c'est la détente qu'il te procure après les tracas, c'est en allégeant le poids des péchés que par le bien-être il guérit le découragement et par la gaieté le chagrin. Sollicitude de sa part! Céleste invitation! Hâtons-nous donc, mes bien-aimés, de manifester un zèle lui-même empressé, et de le

1 a. Matth. 11, 28

1. PLATON, Lois 653 E - 654 A, parle des dieux qui forment un chœur avec nous : ἡμῖν δὲ οὓς εἴπομεν τοὺς θεοὺς συγχορευτὰς δεδόσθαι, τούτους εἶναι καὶ τοὺς δεδωκότας τὴν εὔρυθμόν τε καὶ ἐναρμόνιον αἴσθησιν.
2. Allusion aux abaissements de l'Incarnation, à la divine Condescendance.

τὴν σπουδήν, μετὰ δὲ τῆς προσηκούσης εὐταξίας καὶ το
65 πρέποντος σκοποῦ ταύτην ἀποπληροῦν.

Καὶ γὰρ τὸν περὶ τούτου λόγον ὑμῖν σήμερον κινῆσι
βούλομαι, φορτικὸν μὲν εἶναι δοκοῦντα, ἀνεπαχθῆ δὲ κ
ὠφέλιμον ὄντα τῇ ἀληθείᾳ. Οὕτω γὰρ καὶ φιλόστοργι
πατέρες ποιοῦσιν · οὐ μόνον τὰ πρὸς ὀλίγc
70 χαροποιοῦντα, ἀλλὰ καὶ τὰ λυποῦντα παρεγγυῶνται το
τέκνοις · καὶ οὐ τὰ αὐτόθεν ἐνδεικνύμενα τὴν ὠφέλεια
παραινοῦσιν αὐτοῖς, ἀλλὰ καὶ ὅσα δοκοῦσιν μὲν εἶνι
φορτικά, σωτήρια δέ ἐστιν ἀποπληρούμενα, καὶ ταῦτα μει
πολλῆς τῆς ἐπιμελείας διδάσκουσιν καὶ ἀσφαλῶς τί
75 αὐτῶν ἀπαιτοῦσιν συντήρησιν. Τάχα καὶ ἡμεῖς. Διὰ τοῦι
τοῦτον προτείνομεν τὸν λόγον, ἵνα μὴ μάτην τὸν ἐνταῦθ
καταβαλλώμεθα πόνον, ἵνα μὴ τὴν τῆς ἀγρυπνίι
ὑπομένοντες ἀνάγκην, ἀνονήτως πυκτεύωμεν[b], ἵνα μὴ ε
ἀέρα διαλυόμεναι αἱ φωναὶ ἐπὶ ζημίᾳ μᾶλλον ἐνηχοῖν
80 καὶ οὐκ ἐπὶ κέρδει. Οὐδὲ γὰρ ἔμπορος μακρὰς μ
ἐμπορίας στελλόμενος, πολλὴν δὲ τὴν τῶν πνευμάτω
99 ἐμβολὴν καὶ τὴν τῶν κυμάτων ἐπανάστασιν ὑπομένω
καταδέξοιτο ἂν εἰκῇ καὶ μάτην τοὺς τοιούτους ὑπομένε
κόπους · ἀλλὰ διὰ τοῦτο καὶ πελάγη τέμνει καὶ κινδύνω
85 κατατολμᾷ καὶ τόπους ἐκ τόπων μεταμείβει καὶ ἄϋπνο
πάσας διατελεῖ νύκτας, ἵνα τὰ τῆς ἐμπορίας αὐτῷ πλε
νάζῃ. Ὡς εἴ γε τοῦτο μὴ προσῇ, ἀλλὰ σὺν τῷ κέρδει κ
ἡ τῶν κεφαλαίων αὐτῷ ἐπιγένηται ζημία, οὐδὲ ἀπαίρε
ἔξεστιν αὐτῷ, οὐδὲ τοὺς πολυπλόκους ἐκείνους ὑπομένε
κινδύνους.

2. Τοῦτο τοίνυν εἰδότες, μετὰ τῆς προσηκούσ

---

75 τάχα καὶ ἡμεῖς r : om. cett. ‖ 83 -δέξοιτο : -δέξαιτο P
84 κόπους : πόνους PV ‖ 84-85 καὶ[2] — κατατολμᾷ om. j.

b. Cf. I Cor. 9, 26

déployer avec la discipline[1] convenable, l'intention requise.

C'est le point que je veux devant vous toucher aujourd'hui dans un discours, pénible en apparence, mais non fastidieux et même vraiment utile. Car c'est ainsi que se conduisent les pères aimants : ils ne se bornent pas à donner des ordres qui réjouissent momentanément leurs enfants, ils en intiment aussi d'autres qui les chagrinent ; ils ne leur prodiguent pas des conseils qui se révèlent utiles sur-le-champ, mais ceux qu'ils croient pénibles et qui pourtant se révèlent salutaires à l'expérience, ce sont ceux-là qu'ils enseignent avec beaucoup de soin et dont ils réclament l'observance strictement. Il en va ainsi sans doute pour nous. Voilà pourquoi nous vous adressons ce discours, pour ne point dépenser ici en pure perte notre peine, pour ne point, tout en subissant la contrainte des veilles[2], cogner[b] sans profit, pour qu'à se perdre en l'air mes paroles ne puissent pas retentir plutôt à votre détriment qu'à votre profit. Le négociant non plus qui fait le commerce au long cours et subit avec l'assaut des vents le soulèvement des flots, n'accepterait de supporter pour rien et vainement de telles fatigues : s'il fend les mers, brave de tels dangers, se rend d'un pays à l'autre, passe toutes ses nuits dans l'insomnie, c'est bien pour voir prospérer son négoce, car s'il n'avait pas en plus le profit et qu'il perdît aussi le capital avec le bénéfice il est impossible qu'il lève l'ancre et affronte ce réseau de périls[3].

2. Le sachant, réunissons-nous donc ici avec toute la piété

---

1. « Dans nos inscriptions hellénistiques », note L. ROBERT (R.E.G. LXXXIII, 453) « εὐτακτεῖν et εὐταξία ont d'abord et avant tout un sens précis et technique très net : il s'agit de la discipline des soldats et aussi des éphèbes naturellement (il s'agit d'éphèbes dans syllogé 957). »

2. Jean évoque discrètement les veilles qu'il a consacrées à composer son homélie. Mais c'est aussi un thème littéraire : cf. l'épigramme XXVII consacrée à Aratos, CALLIMAQUE, Épigrammes, Paris 1940, p. 125.

3. Expression poétique empruntée sans doute à PLATON, Phèdre 230 A.

εὐλαβείας ἐνταῦθα παραγινώμεθα, ὅπως μὴ ἀντὶ
ἁμαρτημάτων ἀφέσεως προσθήκην τούτων ποιησάμενοι,
οἴκαδε πορευσώμεθα. Τί δέ ἐστι τὸ ζητούμενον καὶ ὃ παρ'
5 ἡμῶν ἀπαιτεῖται; Τὸ τοὺς θείους ἀναπέμποντας ὕμνους,
φόβῳ πολλῷ συνεσταλμένους καὶ εὐλαβείᾳ κεκοσμημένους,
οὕτω προσφέρειν τούτους. Καὶ γάρ εἰσί τινες τῶν ἐνταῦθα,
οὓς οὐδὲ τὴν ὑμετέραν ἀγάπην ἀγνοεῖν οἶμαι, οἵτινες
καταφρονοῦντες μὲν τοῦ Θεοῦ, τὰ δὲ τοῦ Πνεύματος
10 λόγια ὡς κοινὰ ἡγούμενοι, φωνὰς ἀτάκτους ἀφιᾶσι καὶ
τῶν μαινομένων οὐδὲν ἄμεινον διάκεινται, ὅλῳ τῷ σώματι
δονούμενοι καὶ περιφερόμενοι καὶ ἀλλότρια τῆς πνευματικῆς καταστάσεως ἐπιδεικνύμενοι τὰ ἤθη. Ἄθλιε καὶ
ταλαίπωρε, δέον δεδοικότα καὶ τρέμοντα τὴν ἀγγελικὴν
15 δοξολογίαν ἐκπέμπειν, φόβῳ τε τὴν ἐξομολόγησιν τῷ
κτίστῃ ποιεῖσθαι καὶ διὰ ταύτης συγγνώμην τῶν
ἐπταισμένων αἰτεῖσθαι · σὺ δὲ τὰ μίμων καὶ ὀρχηστῶν
ἐνταῦθα παράγεις, ἀτάκτως μὲν τὰς χεῖρας ἐπανατείνων καὶ
τοῖς ποσὶν ἐφαλλόμενος καὶ ὅλῳ περικλώμενος τῷ σώματι
20 Καὶ πῶς οὐ δέδοικας, οὐδὲ φρίττεις τοιούτων κατατολμῶν
λογίων; Οὐκ ἐννοεῖς, ὅτι αὐτὸς ἀοράτως ἐνταῦθα πάρεστιν
ὁ Δεσπότης καὶ ἑκάστου τὴν κίνησιν ἀναμετρεῖ καὶ τὸ
συνειδὸς λογοθετεῖ; οὐκ ἐννοεῖς, ὅτι ἄγγελοι ταύτῃ τῇ
φρικτῇ παρίστανται τραπέζῃ καὶ φόβῳ ταύτην
25 περιέπουσιν; Ἀλλὰ σὺ ταῦτα οὐ κατανοεῖς, ἐπειδὴ ὑπὸ
τῶν ἐν τοῖς θεάτροις ἀκουσμάτων τε καὶ θεαμάτων τὸν
νοῦν συνεσκοτίσθης καὶ διὰ τοῦτο τὰ ἐκεῖσε πραττόμενα
τοῖς τῆς ἐκκλησίας ἀναφύρεις τύποις, διὰ τοῦτο ταῖς
ἀσήμοις κραυγαῖς τὸ τῆς ψυχῆς ἄτακτον δημοσιεύεις. Πῶς
30 οὖν συγγνώμην ἐξαιτήσῃ τῶν οἰκείων ἁμαρτημάτων; πῶς

2, 2 παραγινώμεθα : -γενώμεθα P ‖ 6 καὶ — κεκοσμημένους om. S
7 τῶν om. l ‖ 12 καὶ περιφερόμενοι om. S ‖ 14 δέον] + σε dSUjl
18 παράγεις : εἰσ- PV ‖ 19 τῷ σώματι περικλώμενος ∼ SP
23 λογοθετεῖ cod. : ἐξετάζει Montf. ‖ 27 συνεσκοτίσθης : ἐσκοτίσθης S

convenable, de peur qu'au lieu de recevoir la rémission de nos péchés nous retournions chez nous après en avoir accru le nombre. Que nous est-il donc demandé et qu'est-il requis de nous? Qu'en faisant s'élever les hymnes divins, nous soyons enveloppés d'une vive frayeur et parés de piété pour en faire l'offrande. Il y a en effet dans cette assistance des personnes que, j'imagine, Votre Amour n'est pas sans connaître non plus, qui, au mépris de Dieu, avec l'idée que les oracles de l'Esprit sont banalités, poussent des cris confus [1] et se mettent dans un état tout proche de la folie, car ils tournoient de tout leur corps [2], virevoltent et manifestent un comportement étranger à la tranquillité spirituelle. Malheureux et infortuné! Quand il faudrait dans la crainte et le tremblement entonner les chants de gloire des anges, dans la frayeur te confesser au Créateur et par cet aveu solliciter le pardon de tes chutes, te voilà à jouer ici les mimes et les danseurs avec tes bras qui gesticulent, tes pieds qui trépignent, tout ton corps qui se disloque. Comment ne crains-tu pas, ne frissonnes-tu pas, quand tu braves de tels oracles? Ne songes-tu pas que le Maître en personne est ici invisible et présent, qu'il mesure les mouvements de chacun et scrute leur conscience? Ne songes-tu pas que les anges assistent à ce redoutable banquet et le servent avec frayeur? Mais pour ta part tu n'y songes pas, car tu as l'esprit obnubilé par les rengaines et les spectacles des théâtres. Voilà pourquoi tu confonds pêle-mêle les pratiques de là-bas et les rites de l'église. Voilà pourquoi avec des clameurs dénuées de sens tu étales en public le désordre de ton âme. Comment donc implorer le pardon de tes propres péchés? Comment incliner

---

1. Cris confus ou cris d'animaux. L'épithète est traditionnellement employée pour décrire la vie bestiale. Cf. DE ROMILLY, *Les lois dans la pensée grecque*, 165, 6. Cf. aussi PLUTARQUE, *Camille* V, 9; MARCEL-LUS VI, 12; *Numa*, XIV, 7; SUÉTONE, *Vitellius* II. Ces cris discordants sont un mauvais accompagnement à la parole sacrée.

2. On songe aux derviches tourneurs. Mais des chrétiens trop exubérants se manifestaient déjà dans la primitive Église. *I Cor.* 14, 16-33.

εἰς οἶκτον ἐπισπάσῃ τὸν Δεσπότην, οὕτω καταπε
φρονημένως τὴν δέησιν προτεινόμενος;
« Ἐλέησόν με, ὁ Θεός[a]», λέγεις, καὶ τοῦ ἐλέου
ἀλλότριον τὸ ἦθος ἐπιδείκνυσαι. «Σῶσόν με», βοᾷς, κα
35 ξένον τῆς σωτηρίας τὸ σχῆμα διατυποῖς. Τί συντείνουσ
πρὸς ἱκεσίαν χεῖρες ἐπὶ μετεωρισμῷ συνεχῶς ἐπαιρόμενα
καὶ ἀτάκτως περιφερόμεναι, κραυγή τε σφοδρὰ καὶ τ
βιαίᾳ τοῦ πνεύματος ὠθήσει τὸ ἄσημον ἔχουσα; Οὐχὶ τ
μὲν αὐτῶν τῶν ἐν ταῖς τριόδοις ἑταιριζομένων γυναικῶν
40 τὰ δὲ τῶν ἐν τοῖς θεάτροις φωνούντων ἐστὶν ἔργα; Πῶ
οὖν τολμᾷς τῇ ἀγγελικῇ ταύτῃ δοξολογίᾳ τὰ τῶ
δαιμόνων ἀναμιγνύειν παίγνια; πῶς δὲ οὐκ αἰδῇ ταύτη
100　　　τὴν φωνήν, ἣν ἐκφέρεις, «Δουλεύσατε τῷ Κυρίῳ ἐν φόβῳ
λέγων, καὶ ἀγαλλιᾶσθε αὐτῷ ἐν τρόμῳ[b]»; Τοῦτό ἐστιν, ἐ
45 φόβῳ δουλεύειν, τὸ διακεχύσθαί τε καὶ συντείνεσθαι κα
μηδὲ σεαυτὸν ἐπίστασθαι περὶ τίνων διαλέγῃ τῇ ἀτάκτ
τῆς φωνῆς ἐνηχήσει; Τοῦτο καταφρονήσεώς ἐστιν, ο
φόβου, ἀλαζονείας, οὐ ταπεινώσεως · τοῦτο παιζόντω
μᾶλλον ἢ δοξολογούντων.
50　　Τί οὖν ἐστι τὸ δουλεύειν τῷ Κυρίῳ ἐν φόβῳ; Τὸ πᾶσα
ἐντολὴν ἀποπληροῦντας φόβῳ καὶ συστολῇ ταύτη
κατεργάζεσθαι, τὸ συντετριμμένῃ καρδίᾳ καὶ τετ
πεινωμένῳ νοῖ τὰς ἱκεσίας προβάλλεσθαι. Καὶ οὐ μόνο
δουλεύειν ἐν φόβῳ, ἀλλὰ καὶ ἀγαλλιᾶσθαι ἐν τρόμῳ τ
55 Πνεῦμα τὸ ἅγιον διὰ τοῦ προφήτου παρακελεύετο
Ἐπειδὴ γὰρ ἡ τῆς ἐντολῆς πλήρωσις χαρὰν εἴωθε
ἐμποιεῖν τῷ τὴν ἀρετὴν ἀσκοῦντι, καὶ ταύτην, φησι
τρόμῳ καὶ δέει ποιεῖσθαι προσήκει, ἵνα μὴ τῇ ἀφοβ

36 συνεχῶς om. S ‖ 42 ταύτην : αὐτὴν PV ‖ 45 συντείνεσθαι 1 : δι
cett. ‖ 53 προβάλλεσθαι : προτείνεσθαι P ‖ καὶ οὐ μόνον : οὐ μόνον
P ‖ 57 φησί om. PV ‖ 58 προσήκει : προτρέπει V προστάττει P

2　　a.　Ps. 50, 3
　　　b.　Ps. 2, 11

le Maître à la pitié, quand tu lui adresses ta prière de façon aussi désinvolte?

«Aie pitié de moi, mon Dieu[a]!» dis-tu et tu manifestes un comportement incompatible avec la pitié. «Sauve-moi!» cries-tu, et tu adoptes une attitude étrangère au salut. Quel concours apportent à ta supplication des bras qui s'élèvent en l'air sans cesse et gesticulent de façon désordonnée, ou une violente clameur rendue confuse par la poussée brutale du souffle? N'est-ce point là le travail des femmes qui se prostituent aux carrefours, ou encore celui des hommes qui se font entendre au théâtre? Comment oses-tu donc mêler à cette invocation angélique les jeux des démons? Comment n'as-tu pas honte d'émettre les sons que tu profères: «Servez le Seigneur avec frayeur et réjouissez-vous en lui avec tremblement[b]»? Est-ce le servir avec frayeur que de prendre une pose alanguie, de te crisper[1], sans savoir toi-même de quoi tu parles dans ce vacarme confus? Voilà du mépris, non de la frayeur, de la forfanterie non de l'humilité! Voilà le fait de plaisantins plutôt que de chanteurs d'invocations!

Qu'est-ce donc que servir le Seigneur avec frayeur? C'est dans l'accomplissement de tout précepte agir avec frayeur et en se faisant tout petit[2], c'est présenter ses supplications avec un cœur contrit et un esprit humilié. Or l'Esprit-Saint nous engage par son prophète non seulement à servir Dieu dans la crainte, mais encore à nous réjouir avec tremblement. Comme en effet l'accomplissement du précepte produit habituellement la joie chez celui qui pratique la vertu, il convient, est-il dit, de l'accomplir avec crainte et tremblement, de peur que l'absence

---

1. Les deux expressions sont antithétiques: la première évoque les prostituées, la seconde les cabotins. Cf. aussi PLATON, *Lois* 775 C.
2. Jean affectionne cette attitude qui consiste à se faire tout petit physiquement devant Dieu. C'est celle du Publicain de l'Évangile (*Lc* 18, 9-14). PLUTARQUE aussi évoque cette attitude dans les *Moralia,* 564 B, mais il l'interprète tout autrement.

συγχεόμενοι, τούς τε πόνους ζημιωθῶμεν καὶ τὸν Θεὸ
60 παροξύνωμεν.

Πῶς δὲ ἔσται, φησίν, ἀγάλλεσθαι ἐν τρόμῳ; Καὶ γὰ
οὐδὲ δυνατὸν κατὰ ταὐτὸν τὰ δύο συμβαίνειν, πολλῆ
οὔσης τῆς μεταξὺ αὐτῶν διαφορᾶς. Χαρὰ γάρ ἐσ
καταθυμίων πλήρωσις καὶ ἡδέων ἀπόλαυσις καὶ ἀνιαρῶ
65 λήθη · φόβος δὲ ἐλπιζομένων κακῶν ἐπίτασις, ἐν
κατεγνωσμένῳ συνιστάμενος συνειδότι. Πῶς οὖν ἔστι
ἀγάλλεσθαι ἐν φόβῳ, καὶ οὐχ ἁπλῶς ἐν φόβῳ, ἀλλ᾽ ἐ
τρόμῳ, ὅπερ ἐπίτασίς ἐστι τοῦ φόβου καὶ πολλῆς ἀγωνίο
σημεῖον; πῶς δέ, φησί, τοῦτο γενήσεται; Αὐτά σε τ
70 Σεραφὶμ διδάσκουσιν ἔργῳ, τὴν τοιαύτην ἀποπληροῦντ
διακονίαν. Καὶ γὰρ ἐκεῖνα τῆς ἀφάτου δόξης ἀπολαύοντ
τοῦ κτίστου καὶ τὸ ἀμήχανον ἐνοπτριζόμενα κάλλος · c
λέγω αὐτὸ ἐκεῖνο, ὅπερ ἐστὶ τῇ φύσει (ἀκατανόητον γὸ
τοῦτο καὶ ἀθεώρητον καὶ ἀσχημάτιστον, καὶ ἄτοπόν ἐσ
75 τὸ οὕτω περὶ αὐτοῦ ὑπολαμβάνειν), ἀλλ᾽ ὅσον ἐγχωροῦσι
ὅσον ὑπὸ τῆς ἀκτῖνος ἐκείνης ἰσχύουσιν καταλάμπεσθα
Ἐπειδὴ γὰρ διηνεκῶς λειτουργοῦσιν κύκλῳ τοῦ βασιλικ
θρόνου, ἐν διηνεκεῖ χαρᾷ διατελοῦσιν, ἐν ἀϊδί
εὐφροσύνῃ, ἐν ἀγαλλιάσει ἀκαταπαύστῳ, χαίροντ
80 σκιρτῶντα, ἀσιγήτως δοξολογοῦντα. Τὸ γὰρ ἐνώπι
ἑστάναι τῆς δόξης ἐκείνης καὶ ἀπὸ τῆς ἐξ αὐτὶ
ἀπαστραπτούσης καταφωτίζεσθαι αἴγλης, τοῦτο αὐτοῖς κ
χαρά, τοῦτο καὶ ἀγαλλίασις, τοῦτο καὶ εὐφροσύνη, τοῦ
καὶ δόξα. Τάχα τι πρὸς ἡδονὴν ἐπάθετε καὶ ἐν ἐπιθυμι
85 τῆς δόξης ἐκείνης γεγόνατε.

3. Ἀλλ᾽ εἴ γε βουληθείητε παραινοῦντος ἀκοῦσαι κ
μετ᾽ εὐλαβείας τὴν παροῦσαν δοξολογίαν ποιεῖσθαι, οἱ

61-67 ἀγάλλεσθαι : ἀγαλλιᾶσθαι PV ‖ 64 καὶ[1] — ἀπόλαυσις om. S
66 συνιστάμενος om. 1 ‖ 74 καὶ ἀσχημάτιστον om. P ‖ 81 ἐκείνη
ἐκείνους S ‖ ἀπὸ PV : om. cett. ‖ 83 τοῦτο[1]] + αὐτοῖς 1 ‖ 84-83 δό
... ἀγαλλίασις transp. S

de frayeur nous rende agités, que nous perdions ainsi le fruit
de nos peines et irritions Dieu.

Et comment sera-t-il possible, dit-on, de se réjouir avec
tremblement? Car en fait il n'est pas possible que ces deux
sentiments coexistent, quand la différence entre eux est si
considérable! La joie c'est l'accomplissement de ce qui nous
tient à cœur, la jouissance des choses agréables, l'oubli des
choses désagréables; la frayeur c'est le paroxysme qui dans
l'attente des malheurs saisit la conscience réprouvée. Comment donc est-il possible de se réjouir avec frayeur, et non
avec frayeur simplement, mais avec tremblement, ce qui est le
paroxysme de la frayeur, et le signe d'une grande angoisse? —
Comment donc, me dit-on, cela arrivera-t-il? — Les Séraphins
en personne te l'apprennent par les actes dans l'exercice de
leurs fonctions. Ils jouissent en effet de la gloire ineffable du
Créateur et voient comme dans un miroir sa prodigieuse beauté! Je ne dis pas cette beauté même, telle qu'elle est par nature
— elle est inconcevable, invisible, sans figure[1], et il serait
absurde de s'en faire une pareille idée —, mais dans la mesure
de leurs capacités, dans la mesure où ils sont capables d'être
illuminés par ces rayons. Puisqu'ils exercent sans cesse leurs
fonctions autour du trône royal, c'est dans une joie incessante
qu'ils passent leur existence, dans une éternelle félicité, dans
une allégresse ininterrompue, joyeux, bondissant, chantant des
invocations sans un instant de silence. Se tenir debout en
présence de cette gloire et être illuminés par l'éclat fulgurant
qui en jaillit, voilà bien leur joie, voilà bien leur allégresse,
voilà bien leur félicité, voilà bien leur gloire! Peut-être avez-
vous éprouvé quelque attrait pour ce bonheur et ressenti le
désir de cette gloire.

3. Eh bien! si vous vouliez écouter qui vous conseille et
chanter pieusement la présente invocation, une telle joie ne

1. PLATON, *Phèdre* 247 C.

ἀποληφθήσεσθε τῆς τοιαύτης χαρᾶς · αὐτὸς γάρ ἐστ
ἐκεῖνος ὁ Δεσπότης, ὁ καὶ ἐν οὐρανοῖς καὶ ἐπὶ γῖ
5 δοξαζόμενος · «Πλήρης γὰρ ὁ οὐρανός, φησί, καὶ ἡ γ
τῆς δόξης αὐτοῦ[a].» Πῶς οὖν ἐκεῖνα τῆς τοσαύτι
εὐφροσύνης ἀπολαύοντα, φόβῳ ταύτην ἀναμιγνύουσι·
Πῶς ; Ἄκουσον τί φησιν ὁ προφήτης · «Εἶδον τὸν Κύρις
καθήμενον ἐπὶ θρόνου ὑψηλοῦ καὶ ἐπηρμένου[b].» Τίνς
10 ἕνεκεν τὸ ὑψηλὸν εἰπών, καὶ τὸ ἐπηρμένον προσέθηκε ; μ
γὰρ οὐκ ἤρκει διὰ τοῦ ὑψηλοῦ τὸ πᾶν σημᾶναι τς
101   πράγματος καὶ δεῖξαι τὸ τῆς ἀξίας ὑπερανεστηκός ; διὰ
οὖν τὸ ἐπηρμένον ἐπήγαγεν ; Ἵνα τὸ τῆς καθέδρ·
ἀκατάληπτον ἐνδείξηται. Ἐπειδὴ γὰρ παρ' ἡμῖν τὸ ὑψηλς
15 ἔννοιάν τινα παρέχεται συγκρίσεως πρὸς τὰ χαμαίζηλά
καὶ ταπεινότερα (οἷον, ὑψηλὰ μὲν τὰ ὄρη πρὸς τς
πεδιάδας καὶ τὰ κοῖλα τῆς γῆς, ὑψηλὸς δὲ ὁ οὐρανὸς
πάντων ὑπεραρθεὶς τῶν γηΐνων), τὸ δὲ ἐπηρμένον κ
ἐξηρμένον μόνης ἐστὶν ἐκείνης τῆς ἀκαταλήπτου φύσεω·
20 ἣν μήτε ἐννοῆσαι, μήτε ἑρμηνεῦσαί ἐστιν δυνατόν · δ
τοῦτό φησι · «Εἶδον τὸν Κύριον καθήμενον ἐπὶ θρόνς
ὑψηλοῦ καὶ ἐπηρμένου[b].» Καὶ τί ἕτερον εἶδες, ὦ προφῆτς
τί περὶ αὐτὸν ἐθεάσω ; «Καὶ τὰ Σεραφὶμ εἱστήκεισα
φησί, κύκλῳ αὐτοῦ[c].» Τί ποιοῦντα, εἰπέ μοι, καὶ
25 λέγοντα ; ποίας παρρησίας ἀπολαύοντα ; Παρρησίας μέ
φησίν, οὐδεμιᾶς, φόβου δὲ καὶ καταπλήξεως γέμοντα, κ
δι' αὐτοῦ τοῦ σχήματος τὸ ἄφατον ἐπιδεικνύμενα τοῦ δέου
«Ταῖς γὰρ δυσὶ πτέρυξι κατεκάλυπτον τὰ πρόσωπα[c]
ὁμοῦ μὲν ἀποτειχίζοντα τὴν ἐκπεμπομένην ἀκτῖνα τς
30 θρόνου, διὰ τὸ μὴ δύνασθαι φέρειν τὴν ἄστεκτον αὐτῖ

3, 3 ἀποληφθήσεσθε d : -λειφθήσεσθε cett. ‖ 4 οὐρανοῖς : οὐρανῷ
‖ 8 πῶς S : om. cett. ‖ τί – προφήτης : τοῦ προφήτου λέγοντος P
20 μήτε ἑρμηνεῦσαι μήτε ἐννοῆσαι ~ P ‖ 24 εἰπέ μοι P : om. cett.
27 δέους] + εἶτα καὶ τοιοῦτόν τι προστίθησι τοῦτο δηλῶν P ‖ 28 τς
γὰρ : καὶ ταῖς P ‖ 29 ἀποτειχίζοντα : δια- V

vous serait pas refusée. Ce Maître est celui-là même qui est
célébré sur la terre comme au ciel par l'invocation : «Car le
ciel et la terre sont remplis de sa gloire[a].» Comment dans ces
conditions les êtres qui jouissent d'une telle félicité y mêlent-ils
de la frayeur? Comment? Écoute ce que dit le prophète : «J'ai
vu le Seigneur assis sur un trône élevé et sublime[b].» Pour
quelle raison, après avoir dit «élevé», a-t-il ajouté «sublime»?
Ne suffisait-il pas du mot «élevé» pour signifier le tout de la
chose et montrer le caractère éminent de la dignité? Pour
quelle raison donc a-t-il joint «sublime»? — Afin d'indiquer le
caractère incompréhensible du mode de siéger. Alors qu'en ce
monde la notion d'élevé suggère l'idée d'une comparaison avec
les notions de terre à terre et d'inférieur — par exemple les
montagnes sont élevées par rapport aux plaines et aux creux
du sol, le ciel est élevé puisqu'il domine toutes les choses terrestres —, la notion de sublime et de transcendant ne convient
qu'à cette nature incompréhensible qu'on ne peut concevoir ni
exprimer. Voilà pourquoi il est dit : «J'ai vu le Seigneur sur un
trône élevé et sublime[b].» Et qu'as-tu vu d'autre, ô prophète?
Qu'as-tu contemplé autour de lui? «Les Séraphins se tenaient
debout autour de lui[c].» En train de quoi faire, dis-moi, et de
quoi dire? De jouir de quelle assurance? D'aucune assurance,
remplis qu'ils étaient de frayeur et de stupeur, et montrant par
leur maintien même le caractère indicible de leur crainte.
«Avec deux de leurs ailes, ils se voilaient la face[c]», à la fois
pour se défendre contre les rayons jaillis du trône, faute de
pouvoir supporter leur insoutenable éclat[1], et pour manifester

---

3   a. Is. 6, 3
      b. Is. 6, 1
      c. Is. 6, 2

1. ESCHYLE, *fr.* 224 Nauck[2]. Selon Hésychius, le mot ἄστεκτα
proviendrait de la tragédie de *Sémélé,* dont l'héroïne voulait imprudemment
voir la gloire de son divin époux.

δόξαν, ὁμοῦ δὲ καὶ τὴν οἰκείαν εὐλάβειαν ὑποφαίνοντα, ἣν
ἔχουσι πρὸς τὸν Δεσπότην. Τοιαύτῃ χαρᾷ χαίρουσιν
ἐκεῖνα, τοιαύτῃ εὐφροσύνῃ ἀγάλλονται. Εἶδες πῶς οὐ
μόνον τὰ πρόσωπα καλύπτουσιν, ἀλλὰ καὶ τοὺς πόδας.
35 Τίνος ἕνεκεν τοῦτο ποιοῦσιν; Τὰς μὲν γὰρ ὄψεις εἰκότως
διὰ τὸ φοβερὸν τοῦ θεάματος καὶ τὸ μὴ δύνασθαι ἀντο-
φθαλμεῖν τῇ ἀπροσίτῳ δόξῃ · τοὺς πόδας δὲ διὰ τί
συγκαλύπτουσιν; Καὶ ἐβουλόμην μὲν ὑμῖν τοῦτο
καταλιπεῖν, ὥστε πεῖσαι καὶ ὑμᾶς πονεῖν περὶ τὴν αὐτοῦ
40 λύσιν καὶ ἐγρηγορέναι πρὸς τὴν τῶν πνευματικῶν
ἔρευναν · ἵνα δὲ μὴ ἀσχολουμένην τὴν ὑμετέραν διάνοιαν
εἰς τὴν αὐτοῦ ζήτησιν καταλιπών, ἀμελεῖν τῆς
παραινέσεως παρασκευάσω, ἀναγκαῖον αὐτὸ ἐπιλύσασθαι.
Διὰ τί οὖν τοὺς πόδας κατακαλύπτουσιν; Ἄπληστον τὴν
45 πρὸς τὸν κτίστην εὐλάβειαν ἐνδείκνυσθαι σπεύδουσιν,
πολλὴν τὴν ἀγωνίαν καὶ διὰ τοῦ σχήματος καὶ διὰ τῆς
φωνῆς καὶ διὰ τῆς ὄψεως, καὶ δι' αὐτῆς τῆς στάσεως. Ἐπειδή γε καὶ οὕτω τοῦ ἐπιθυμουμένου καὶ τοῦ προσήκοντος
ἀποτυγχάνουσιν, τῷ συγκαλύπτεσθαι πανταχόθεν τὸ
50 ἐλλεῖπον περικρύπτουσιν. Ἆρα ἐνοήσατε τὸ εἰρημένον, ἢ
πάλιν ἀναλαβεῖν αὐτὸ δίκαιον; Ἀλλ' ἵνα σαφέστερον
τοῦτο γένηται, ἐκ τῶν παρ' ἡμῖν παραδειγμάτων, φανερὸν
αὐτὸ ποιῆσαι πειράσομαι. Παρίσταταί τις τῷ ἐπιγείῳ
βασιλεῖ, διὰ πάντων μηχανᾶται, ὥστε πολλὴν τὴν πρὸς

---

31 ὑποφαίνοντα : ἔχοντα P ‖ 32-33 χαρᾷ — τοιαύτῃ om. S ‖
33 εἶδες πῶς P : καὶ cett. ‖ 35 τοῦτο ποιοῦσιν : καὶ τοὺς πόδας P ‖
39 πεῖσαι καὶ ὑμᾶς πονεῖν P : πονεῖν ὑμᾶς cett. ‖ 44 οὖν S : om. cett.
‖ ἄπληστον : πολλὴν P ‖ 45 ἐνδεικνυσθαι σπεύδουσιν : ἔχουσιν P ‖
46 πολλὴν τὴν ἀγωνίαν : ἄφατον τὴν ἔκπληξιν ταῦτα P ‖ 47 στάσεως]

leur vénération à l'égard de leur Maître. Telle est la joie dont
ils jouissent, telle est la félicité dont ils jubilent. Tu as vu
comment ils se voilent non seulement le visage, mais encore les
pieds. Mais pourquoi le font-ils ? Les yeux, c'est naturel, à
cause du caractère effrayant du spectacle et de l'incapacité de
fixer les yeux sur la gloire inaccessible. Mais pourquoi se
voilent-ils les pieds ? Je voulais vous laisser ce problème pour
vous inciter à vous donner de la peine, vous aussi, pour le
résoudre et rester vigilants pour cette enquête sur les choses
spirituelles, mais de peur qu'en laissant votre intelligence
occupée à cette recherche, je ne vous mette en état de négliger
mon exhortation, il est nécessaire d'en fournir la solution.
Pourquoi donc se voilent-ils les pieds ? C'est qu'ils s'empres-
sent de montrer à leur Créateur une piété sans borne, une
grande angoisse, et ils le font par leur attitude, par leur voix,
par leurs yeux, par leur maintien même. Comme même ainsi
ils n'atteignent pas le but désiré et requis, ils dissimulent cette
déficience en se voilant de toutes parts. Avez-vous compris ce
qui a été dit ou est-il juste de le reprendre ? Eh bien donc, pour
que cela devienne plus évident, c'est par des exemples de notre
temps que je m'efforcerai de le rendre clair. Est-on en présence
du roi de ce monde que l'on s'efforce par tous les moyens de

+ πειρῶνται δεικνύναι P τοῦτο δεικνύουσιν V ‖ 47-48 ἐπειδή γε καὶ
οὕτω P : ἐπεὶ οὖν cett. ‖ 49 τῷ : διὰ τοῦ PV ‖ 50 περικρύπτουσιν :
περικαλύπτουσιν V ἀποπληροῦσιν P ‖ 51 αὐτὸ ἀναλαβεῖν ∼ djV ‖ 51-
52 ἀλλ᾽ — γένηται : ἔμοιγε δοκεῖ, οὐκοῦν P ‖ 52-53 φανερὸν —
πειράσομαι : φέρε ποιήσω αὐτὸ φανερόν· εἰπέ δή μοι P ‖ 53 παρίσταται
— ἐπιγείῳ : ὁ παρεστὼς P ‖ 54 ante διὰ add. οὐχὶ P ‖ ὥστε om. P

55 αὐτὸν εὐλάβειαν ἐπιδείξασθαι, ἵνα διὰ τούτου πλείονα τὴν
ἐξ αὐτοῦ ἐπισπάσηται εὔνοιαν. Τούτου χάριν καὶ διὰ τοῦ
τῆς κεφαλῆς σχήματος καὶ διὰ τῆς φωνῆς καὶ διὰ τοῦ
δεσμοῦ τῶν χειρῶν καὶ τῆς τῶν ποδῶν συζεύξεως καὶ τῆς
συστολῆς τοῦ ὅλου σώματος τὴν τοιαύτην εὐλάβειαν
60 ἐπιτηδεύει. Τοῦτο καὶ ἐπὶ τῶν ἀσωμάτων ἐκείνων γίνεται
δυνάμεων. Πολλὴν γὰρ ἔχοντα τῆς πρὸς τὸν κτίστην
εὐλαβείας τὴν ἐπιθυμίαν καὶ ταύτην πανταχόθεν
μηχανώμενα περιποιεῖσθαι, εἶτα τῆς ἐφέσεως
ἀποτυγχάνοντα, τὸ ὑστεροῦν τῆς ἐπιθυμίας τῷ καλύμματι
65 ἐπικρύπτουσιν. Διὰ τοῦτο τοίνυν τάς τε ὄψεις καὶ τοὺς
πόδας κατακαλύπτεσθαι λέγονται. Εἰ καὶ ἄλλη τίς ἐστι
μυστικωτέρα θεωρία ἡ περὶ τούτου θεωρουμένη · οὐ γὰρ
ἵνα βοήσωμεν ὅτι πόδας καὶ πρόσωπα ἔχουσιν, τοῦτο
ἐπισημαίνεται ὁ προφήτης — ἀσώματα γάρ ἐστιν, ὥσπερ
70 καὶ τὸ θεῖον —, ἀλλ᾽ ἵνα διὰ τούτων ἐπιδείξῃ πανταχόθεν
αὐτὰ συνεστάλθαι, φόβῳ τε καὶ εὐλαβείᾳ λειτουργεῖν τῷ
Δεσπότῃ. Οὕτω δεῖ καὶ ἡμᾶς παρίστασθαι τὴν τοιαύτην
αὐτῷ δοξολογίαν προσφέροντας, δεδοικότας καὶ τρέμοντας
καὶ ὡς αὐτὸν ἐκεῖνον τοῖς τῆς διανοίας ἐνορῶντας ὀφθαλ-
75 μοῖς. Πάρεστι γὰρ ἐνταῦθα πάντως καὶ οὐδαμοῦ
περιγράφεται καὶ τὰς φωνὰς ἁπάντων ἀπογράφεται. Οὕτω

55 ἐπιδείξασθαι : -δείκνυσθαι P ‖ ἵνα διὰ τούτου : οὐ δηλονότι· ἵνα
γὰρ P ‖ 56 τούτου χάριν om. P ‖ 57 καὶ — φωνῆς om. S ‖
63 μηχανώμενα : μηχανῶνται PV ‖ περιποιεῖσθαι : ποιεῖσθαι P ‖ 64-
65 τῆς — ἐπικρύπτουσιν : λοιπὸν τὸ καλύπτεσθαι ἀναπληροῦσι P ‖
66 ἐστι] + τάχα P ‖ 67 θεωρία — θεωρουμένη : περὶ ταῦτα θεωρία P ‖
67-68 οὐ — βοήσωμεν PV : οὐχ cett. ‖ 68-69 τοῦτο — προφήτης PV :
om. cett. ‖ 70 τούτων P : τούτων ὁ λόγος cett. ‖ 74 ἐνορῶντας Uj :
ὁρῶντας PV ἐνορῶντες cett. ‖ 75-76 καὶ — περιγράφεται : ὁ μηδενὶ
τόπῳ περιγραφόμενος P ‖ 76 ἁπάντων P : om. cett. ‖ 76-78 οὕτω —
ποιήσωμεν : ἂν τοίνυν συν- καρ- καὶ τετα- τὰς αἰνέσεις ποιώμεθα,
εὐπροσδέκτους αὐτὰς ποιήσομεν P

1. On trouve en P (et r) pour tout ce passage (C'est qu'ils... à vénération)
une autre rédaction qui est signalée dans l'apparat critique et dont voici la
traduction : Ils éprouvent une grande vénération envers leur Créateur, un
indicible effroi. Cela, c'est par leur attitude, par leur voix, par leurs yeux, par

lui témoigner une grande vénération [1], afin de s'attirer par là plus de bienveillance de sa part. Dans ce dessein, par le port de tête et par le ton de la voix, en joignant les mains [2] et en rapprochant les pieds, en ramassant tout son corps on exprime une telle vénération. C'est là aussi ce qui se passe pour ces puissances incorporelles. Elles éprouvent un grand désir de vénération envers leur Créateur et s'efforcent de la lui témoigner de toutes les façons, et puis comme elles n'atteignent pas le but désiré elles dissimulent sous un voile l'impuissance de leur désir. Voilà pourquoi l'on dit qu'elles se voilent les yeux et les pieds [3] — encore qu'on ait échafaudé une autre théorie plus mystique à ce sujet —, car ce n'est pas pour que nous proclamions qu'elles ont un visage et des pieds que le prophète donne cette indication. Elles sont en effet incorporelles, tout comme la divinité! C'est un moyen pour lui de montrer qu'elles sont totalement ramassées sur elles-mêmes, qu'elles servent le Maître avec vénération et frayeur. C'est ainsi que nous devons nous présenter quand nous lui offrons pareille invocation, avec crainte et tremblement, comme si nous fixions sur lui-même les yeux de l'esprit. Car ici aussi il est totalement présent, sans être circonscrit nulle part, et il inscrit les paroles de tous [4]. Faisons donc monter notre louange

leur maintien même qu'ils s'efforcent de le montrer. Lors donc qu'ils n'atteignent pas le but requis, ils comblent cette déficience en se voilant de toutes parts. Avez-vous compris ce qui a été dit ou est-il juste de le reprendre? Il l'est, me semble-t-il. Donc, par des exemples de notre temps, allons, que je rende cela clair. Dis-moi bien. Celui qui se trouve en présence du roi ne s'efforce-t-il pas par tous les moyens de lui témoigner une grande vénération? C'est bien visible.

2. Litt. le lien des mains. Sans doute les mains jointes. Avis opposé chez HAMMAN, *La vie quotidienne des premiers chrétiens (95-197)*, Paris 1971, p. 200.

3. Il est probable que l'expression «se voiler les pieds» était dans l'original un euphémisme pour dire «se voiler le sexe» en un geste de pudeur. Cf. OSTY, *La Bible*, Paris 1973, p. 1540, n. 2.

4. Allusion à la croyance selon laquelle Dieu inscrit sur le Livre du Jugement les actions humaines, et qui s'autorise de l'*Apocalypse* 20, 12. Sur l'ubiquité divine, cf. PLOTIN, *Ennéades* VI, 5, 4.

τοίνυν συντετριμμένῃ καρδίᾳ καὶ τεταπεινωμένῃ τὴν
αἴνεσιν ἀναπέμποντες, εὐπρόσδεκτον αὐτὴν ποιήσωμεν καὶ
ὡς εὐῶδες θυμίαμα πρὸς οὐρανὸν ἀναπέμψωμεν. «Καρδίαν
80 γάρ, φησί, συντετριμμένην καὶ τεταπεινωμένην ὁ Θεὸς οὐκ
ἐξουδενώσει^d.»
    Ἀλλ' ὁ προφήτης, φησίν, ἀλαλαγμῷ ποιεῖσθαι τὴν
δοξολογίαν προτρέπεται· «Ἀλαλάξατε γὰρ τῷ Κυρίῳ,
πᾶσα ἡ γῆ^e.»
85   Ἀλλ' οὐδὲ ἡμεῖς τὸν τοιοῦτον διακωλύομεν ἀλαλαγμόν,
ἀλλὰ τὴν ἄσημον βοήν· οὐδὲ τὴν φωνὴν τῆς αἰνέσεως,
ἀλλὰ τὴν φωνὴν τῆς ἀταξίας, τὰς πρὸς ἀλλήλους
φιλονεικίας, τὰς εἰκῇ καὶ μάτην ἐπαιρομένας χεῖρας ἐν τῷ
ἀέρι, τοὺς ἱππαζομένους πόδας, τὰ ἄκοσμα καὶ διακε-
90 κλασμένα ἤθη, ἅπερ τῶν ἐν τοῖς θεάτροις καὶ ταῖς
ἱπποδρομίαις σχολαζόντων ἐστὶ παίγνια. Ἐκεῖθεν ἡμῖν τὰ
ὀλέθρια ταῦτα παρεισφέρονται διδάγματα, ἐκεῖθεν αἱ
ἀνευλαβεῖς αὗται καὶ δημοτικαὶ φωναί, ἐκεῖθεν αἱ τῶν
χειρῶν ἀταξίαι, αἱ ἔριδες, αἱ φιλονεικίαι, τὰ ἄτακτα ἤθη.

4. Οὐδὲν γὰρ οὕτω καταφρονεῖν τῶν τοῦ Θεοῦ
παρασκευάζει λογίων, ὡς οἱ τῶν ἐκεῖ θεαμάτων
μετεωρισμοί. Διὰ τοῦτο παρεκάλεσα πολλάκις μηδένα τῶν
ἐνταῦθα παραγινομένων καὶ τῆς θείας διδασκαλίας
5 ἀπολαυόντων καὶ τῆς φρικτῆς καὶ μυστικῆς μετεχόντων
θυσίας πρὸς ἐκεῖνα βαδίζειν τὰ θέατρα, καὶ τὰ θεῖα τοῖς
δαιμονικοῖς ἀναμιγνύειν μυστήρια. Ἀλλ' οὕτω τινὲς
μεμήνασιν, ὥστε καὶ σχῆμα εὐλαβείας ἐπιφερόμενοι καὶ εἰς

---

79 ἀναπέμψωμεν : ἀναπέμψομεν P ‖ 80 καὶ τεταπεινωμένην *om.* j ‖
83 γὰρ *om.* P ‖ 89 ἱππαζομένους : ἀσκωλιαζομένους P ‖ ἄκοσμα :
ἄρρυθμα P ‖ 90 ἅπερ : ἃ παρὰ P ὥσπερ S ‖ 92 παρεισφέρονται :
παρεισφθείρονται d παρεισεφθάρησαν P ‖ 94 ἄτακτα : ἄστατα S ‖ ἤθη]
+ αἱ ἀπαίδευτοι ἐνηχήσεις καὶ ἄτακτοι S.
4, 1-2 *post* καταφρονεῖν *transp.* παρασκευάζει P ‖ 5 καὶ μυστικῆς
om. P

d'un cœur contrit et humilié pour la faire agréer, faisons-la
monter vers le ciel comme un encens d'agréable odeur. Car il
est dit : « Un cœur contrit, humilié, Dieu n'en fera point fi[d]. »

Cependant le prophète, me dit-on, nous exhorte à faire notre
invocation avec acclamation : « Acclamez le Seigneur, terre
entière[e] ! »

Oh ! nous ne prohibons pas, nous non plus, une telle acclamation mais les clameurs confuses, ni la voix de la louange
mais la voix du désordre, les rivalités mutuelles, les bras qui se
dressent en l'air au hasard et sans but, les cavalcades[1], les
comportements indécents et languissants[2], amusements de
gens qui perdent leur temps au théâtre et à l'hippodrome. C'est
de là que viennent pour s'introduire chez nous ces leçons
pernicieuses, c'est de là que viennent ces cris irrévérencieux et
vulgaires, c'est de là que viennent les gesticulations, les
querelles, les disputes, les comportements désordonnés.

4. Rien ne prédispose à mépriser les oracles de Dieu
comme l'exaltation qui se manifeste dans les spectacles de là-
bas. Voilà pourquoi j'ai souvent insisté pour que personne
parmi ceux qui viennent ici et profitent de la divine doctrine,
qui participent au redoutable et mystique sacrifice, ne se rende
à ces théâtres et ne mêle les mystères divins aux mystères
démoniaques[3]. Mais certains sont assez fous, tout en affectant
les dehors de la piété et en dépit de leur vieillesse chenue, pour

---

d. Ps. 50, 19
e. Ps. 65, 1

1. Les cavalcades. Le *Cantabrigiensis 1789*, glose ὅταν πηδῶσιν ἀτάκτως οἱ ψάλλοντες. Le *Marcianus 363*, ἀσκωλιαζομένους. Pour ce dernier
mot, on se reportera à ARISTOPHANE, *Ploutos* 1129 ; PLATON, *Banquet*
190 D ; VIRGILE, *Géorgiques* II, 384.
2. Notons la variante curieuse de l'*Athous Vatopedi 334*, ἄρρυθμα, dont
on rapprochera PLATON, *République* 400 D.
3. Cf. II Cor. 6, 14-16.

πολιὰν ἐληλακότες βαθεῖαν, ὅμως αὐτομολοῦσιν πρὸς
10 ἐκεῖνα μήτε τοῖς ἡμετέροις προσέχοντες λόγοις, μήτε τὴν
οἰκείαν αἰσχυνόμενοι μόρφωσιν. Ἀλλ' ὅταν αὐτοῖς τοῦτο
προτείνωμεν καὶ τὴν πολιὰν καὶ τὴν εὐλάβειαν αἰδεῖσθαι
παραινῶμεν, τίς αὐτῶν ὁ ψυχρὸς καὶ καταγέλαστος λόγος;
Ἄκουσον. Παράδειγμα, φησί, τῆς ἐκεῖσε νίκης καὶ τῶν
15 στεφάνων εἰσὶ καὶ πλείστην ἐντεῦθεν καρπούμεθα τὴν
ὠφέλειαν. Τί λέγεις, ἄνθρωπε; Ἕωλος οὗτος ὁ λόγος καὶ
ἀπάτης ἀνάμεστος. Πόθεν τὴν ὠφέλειαν καρποῦσαι; ἐκ
τῶν μυρίων ἐκείνων φιλονεικιῶν καὶ τῶν εἰκῇ καὶ μάτην
καταβαλλομένων ὅρκων ἐπὶ κακῷ τῶν λεγόντων; ἢ ἐκ
20 τῶν ὕβρεων καὶ βλασφημιῶν καὶ σκωμμάτων, οἷς
ἀλλήλους καταντλοῦσιν οἱ θεαταὶ τῶν τοιούτων; Ἀλλ' ἐκ
τούτων μὲν οὐχί · ἐκ δὲ τῶν ἀτάκτων φωνῶν καὶ τῆς
ἀσήμου βοῆς καὶ τῆς κόνεως τῆς ἀναπεμπομένης καὶ τῶν
ὠθούντων καὶ βιαζομένων καὶ τῶν ἀκκιζομένων κατέναντι
25 γυναικῶν τὰ τῆς ὠφελείας συλλέγεις; Ἀλλ' οὐκ ἔστι
τοῦτο, οὐκ ἔστιν. Καὶ ἐνταῦθα μὲν αὐτὸν τὸν Δεσπότην
τῶν ἀγγέλων προφῆται πάντες καὶ διδάσκαλοι ἐπὶ θρόνου
ὑψηλοῦ καὶ ἐπηρμένου καθήμενον[a] ὑποδεικνύουσιν καὶ
τοῖς μὲν ἀξίοις τὰ βραβεῖα καὶ τοὺς στεφάνους ἀπο-
30 νέμοντα, τοῖς δὲ ἀναξίοις γέενναν καὶ πῦρ ἀπο-
κληροῦντα · καὶ αὐτὸς δὲ ὁ Κύριος τοῦτο διαβεβαιοῖ[b].
Εἶτα τούτων μὲν καταφρονεῖς, ἐν οἷς καὶ ὁ τοῦ συνειδότος
φόβος καὶ ὁ τῶν πεπραγμένων ἔλεγχος καὶ ἡ τῶν εὐθυνῶν
ἀγωνία καὶ τὸ τῆς κολάσεως ἀπαραίτητον · ἵνα δὲ
35 πρόφασιν ἄλογον τῶν σῶν ἐφεύρῃς μετεωρισμῶν,
ὠφελεῖσθαι λέγεις, ἐν οἷς τὴν ἀπαραμύθητον ὑπομένεις
ζημίαν; Μή, δέομαι καὶ ἀντιβολῶ, μὴ προφασιζώμεθα

11-13 ὅταν ... προτείνωμεν ... παραινῶμεν [παραινέσωμεν S] : ὅτε ...
προτείνομεν ... παραινοῦμεν dl ‖ 14 ἄκουσον P : om. cett. ‖
16 ἄνθρωπε om. PV ‖ 17 ἀπάτης ἀνάμεστος : φλυαρίας μεστός P ‖
πόθεν τὴν : τί λέγεις P ‖ 19 καταβαλλομένων : γινομένων P ‖
21 καταντλοῦσιν : βάλλουσιν P ‖ ἀλλ' : ἢ PV ‖ 22 ἀτάκτων : ἀτάκτως
d ‖ ἀτάκτων] + πάντως dSUjl ‖ 24 καὶ τῶν ἀκκιζομένων om. V ‖

y passer en transfuges, sans prêter attention à nos paroles, ni rougir de leur propre attitude. Mais quand nous leur exposons cela et les invitons au respect de leurs cheveux blancs et de la piété, quel est leur froid et ridicule discours ? Écoute ! C'est, me dit-on, une image de la victoire et des couronnes célestes et nous y glanons un immense profit. — Que veux-tu dire, brave homme ? Il est éventé ce discours, et rempli d'artifice. Du profit ? Où en glanes-tu ? Dans ces mille querelles et ces serments prononcés en vain au détriment de leurs auteurs, dans les insultes et les blasphèmes et les lazzis dont s'accablent mutuellement les spectateurs de tels spectacles ? Mais de cela il n'en sort rien ! Sera-ce alors des cris désordonnés, des clameurs confuses, de la poussière qui s'élève, de la bousculade, des brutalités, des simagrées devant les femmes que tu tires du profit ? Mais c'est impossible ! impossible ! Ici, c'est le Maître des Anges lui-même que tous les prophètes et docteurs te montrent siégeant sur un trône élevé et sublime[a], en train de décerner les prix et les couronnes à ceux qui les méritent et de donner pour lot aux indignes la géhenne et le feu. C'est le Seigneur lui-même qui confirme cette vérité[b]. Et puis tu méprises ce châtiment qui inclut les terreurs de la conscience, le démenti du passé, l'angoisse de la reddition des comptes, le caractère implacable du châtiment et, pour trouver un prétexte stupide à ton exaltation, tu prétends trouver de l'utilité dans ce qui te fait subir un irréparable dommage. N'allons pas, je t'en prie et t'en conjure, n'allons pas chercher des prétextes dans nos péchés :

25 ἀλλ' οὐκ ἔστιν PV : om. cett. ‖ 26-28 καὶ — καθήμενον : καὶ προφῆται μὲν πάντες αὐτὸν τὸν ἀγγέλων δεσπότην κριτὴν ἐρχόμενον καὶ ἐπὶ θρόνου καθήμενον P ‖ 35 ἄλογον om. P ‖ ἐφεύρῃς : ἔχῃς PV

4   a. Is. 6, 1
    b. Cf. Matth. 25, 31-46

προφάσεις ἐν ἁμαρτίαις · σκῆψις γὰρ ταῦτα καὶ ἀπάτη ἡμῖν αὐτοῖς τὸ ἐπιζήμιον προξενοῦσα.

40 Ἀλλὰ περὶ τούτου μὲν τοσαῦτα · ὥρα δὲ λοιπὸν εἰς προτέραν ἀναδραμεῖν παραίνεσιν καὶ βραχέα περὶ ταύτης εἰπόντα, τὸ προσῆκον τέλος ἐπιθεῖναι τῷ λόγῳ.

Καὶ γὰρ οὐ μόνον τὰ τῆς ἀταξίας ἐνταῦθα, ἀλλὰ καὶ ἕτερόν τι χαλεπὸν περινοστεῖ νόσημα. Ποῖον δὴ τοῦτο;

45 Τὸ πρὸς Θεὸν τὴν διάλεξιν ποιεῖσθαι προθεμένους καὶ αὐτῷ τὴν δοξολογίαν ἀναπέμποντας, εἶτα ἀφέντες τοῦτον, τὸν πλησίον ἕκαστος ἀπολαβών, τὰ κατ᾽ οἶκον διατίθεται, τὰ ἐν ταῖς ἀγοραῖς, τὰ ἐν τῷ δήμῳ, τὰ ἐν τοῖς θεάτροις, τὰ ἐν τῷ στρατῷ καὶ πῶς μὲν ταῦτα διῳκήθη, πῶς δὲ ἐκεῖνα

50 παρεωράθη καὶ τί τὸ πλεονάζον ἐν ταῖς πραγματείαις, τί δὲ τὸ ἐλλεῖπον · καὶ ἁπλῶς περὶ πάντων τῶν κοινῶν καὶ ἰδίων ἐνταῦθα διαλέγονται. Καὶ ποίας ταῦτα συγγνώμης ἄξια; Καὶ βασιλεῖ μέν τις τῷ ἐπιγείῳ διαλεγόμενος, περὶ ἐκείνων μόνων ποιεῖται τὸν λόγον, περὶ ὧν ἂ ἐκεῖνος

55 βουληθείη καὶ ὧν προτείνει τὰς ἐρωτήσεις · εἰ δὲ καὶ ἕτερόν τι παρὰ τὴν ἐκείνου γνώμην ὑποβαλεῖν τολμήσειε, τὴν ἐσχάτην τιμωρίαν ὑποστήσεται · σὺ δὲ τῷ βασιλεῖ τῶν βασιλευόντων προσομιλῶν, ᾧ φρίττοντες λειτουργοῦσιν ἄγγελοι, ἀφεὶς τὴν πρὸς αὐτὸν διάλεξιν, περὶ πηλοῦ καὶ

60 κόνεως καὶ ἀράχνης διαλέγῃ; Ταῦτα γάρ ἐστι τὰ παρόντα πράγματα. Καὶ πῶς οἴσεις τὴν τῆς καταφρονήσεως δίκην; τίς δέ σε τῆς τοιαύτης ἐξαιρήσεται τιμωρίας; Ἀλλὰ κακῶς, φησί, τὰ τῶν πραγμάτων καὶ τὰ τῆς πολιτείας διάκεινται καὶ πολὺς ἡμῖν περὶ τούτου ὁ λόγος, πολὺς ὁ

65 ἀγών. Καὶ τίς ἡ αἰτία; Ἡ τῶν κρατούντων, φησίν, ἀβουλία. Οὐχ ἡ τῶν κρατούντων ἀβουλία, ἀλλὰ ἡ ἡμῶν

---

41 ἀναδραμεῖν : ἐλθεῖν P ‖ 44 περινοστεῖ : κατακρατεῖ P ‖ 45 ante θεὸν add. τὸν dPV ‖ θεὸν] + λέγων P ‖ διάλεξιν : δοξολογίαν P ‖ 46 ἀναπέμποντας : ἐκπέμποντας S ἀναπέμπειν P ‖ εἶτα om. P ‖ ἀφέντες : ἀφέντας PV ‖ 47 ἀπολαβών : ἀναλαβὼν 1 καταλαβὼν S ἀπολαβεῖν P ‖ διατίθεται : διατίθεσθαι P ‖ 51 καὶ¹ : οὕτως P ‖

ce sont là des excuses, des illusions qui provoquent notre propre châtiment.

Mais en voilà assez ! Il est temps désormais de revenir rapidement à notre première exhortation et après en avoir traité en peu de mots de mettre à notre discours le terme opportun.

C'est qu'en effet, il n'y a pas ici que l'indiscipline : un mal redoutable y sévit encore. Lequel donc ? On s'est proposé de s'entretenir avec Dieu et l'on fait monter vers lui l'invocation..., puis après l'avoir abandonné et pris à part chacun son voisin, on règle les affaires de la maison, celles de l'agora, du canton, du théâtre, de l'armée, on examine comment celles-ci sont administrées et celles-là négligées, les abus par excès ou défaut dans les affaires publiques. Et en un mot on s'entretient ici de tous les problèmes généraux et particuliers. Quelle espèce de pardon mérite cette conduite ? Quand on s'entretient avec le roi de la terre, on borne ses propos au sujet qu'il peut désirer traiter et sur lequel il pose des questions, mais si l'on osait se permettre en outre une digression étrangère à son propos, on s'exposerait au dernier châtiment. Et toi qui as commerce avec le Roi des rois, lui que servent en frissonnant les anges, tu quittes l'entretien avec lui, pour t'entretenir de boue, de poussière, de toiles d'araignées ! Voilà bien les affaires de ce monde ! Et comment supporteras-tu le châtiment dû à ton mépris ? Qui te dérobera à une telle punition ? Mais, me dit-on, cela va mal pour les affaires publiques, pour l'État, et nous avons là-dessus beaucoup à dire, beaucoup à débattre. Et quelle en est la cause ? L'incurie, dit-on, des hommes au pouvoir. Ce n'est pas l'incurie des hommes au

0 ταῦτα : τοιαῦτα V ‖ 60-61 τὰ — καὶ om. P ‖ 64 διακεῖνται : ιακεῖται S ‖ 64-65 πολὺς ὁ ἀγών om. P ‖ 65 καὶ τὶς ἡ αἰτία hic inc. t

ἁμαρτία, ἡ τῶν πλημμελημάτων εἴσπραξις. Ἐκείνη τὰ ἄνω κάτω πεποίηκεν, ἐκείνη πάντα τὰ δεινὰ εἰσήγαγεν, ἐκείνη τοὺς πολέμους ἐξώπλισεν, ἐκείνη τὴν ἧτταν ἐνήργησεν.
70 Οὐκ ἄλλοθεν ἡμῖν ὁ τῶν ἀνιαρῶν ἐσμὸς ὑπερεσχέθη, ἀλλ' ἢ ἐκ ταύτης τῆς αἰτίας. Ὥστε κἂν Ἀβραάμ τις ᾖ ὁ κρατῶν, κἂν Μωϋσῆς, κἂν Δαυίδ, κἂν Σολομῶν ὁ σοφώτατος, κἂν ἁπάντων ἁμαρτωλότερος ἀνθρώπων, ἡμῶν κακῶς διακειμένων, ἀδιάφορον ἔχει τὴν πρὸς τὰ κακὰ
75 αἰτίαν.

Πῶς καὶ τίνι τρόπῳ; Ὅτι εἰ μὲν τῶν παρανομωτάτων εἴη καὶ τῶν ἀβουλήτως καὶ ἀτάκτως φερομένων, ἡ ἡμῶν ἀβουλία καὶ ἀταξία τὸν τοιοῦτον ἐκαρποφόρησεν, τὰ ἡμέτερα ἁμαρτήματα τὴν πληγὴν προεξένησεν. Τὸ γὰρ
80 κατὰ τὰς καρδίας ἡμῶν λαμβάνειν ἄρχοντας οὐδὲν ἕτερόν ἐστιν, ἀλλ' ἢ τοῦτο, ὅτι προημαρτηκότες τοιούτου τοῦ προεστηκότος ἐτύχομεν, κἄν τε τῶν ἱερωμένων ᾖ τις, κἄν
104   τε τῶν τὰς κοσμικὰς διεπόντων ἐξουσίας. Εἰ δὲ καὶ λίαν δίκαιος εἴη καὶ οὕτω δίκαιος, ὥστε μέχρι τῆς Μωϋσέως
85 ἀρετῆς ἐληλακέναι, οὐχ ἡ αὐτοῦ μόνου δικαιοσύνη τὰ ἄμετρα τῶν ὑπηκόων συγκαλύψαι δυνήσεται πταίσματα. Καὶ τοῦτο ἐξ αὐτοῦ ἄν τις ἀκριβῶς καταμάθοι τοῦ Μωϋσέως, τοῦ πολλὰ μὲν κακοπαθήσαντος ὑπὲρ τοῦ Ἰσραήλ, πολλὴν δὲ τὴν ὑπὲρ αὐτοῦ ἱκεσίαν πρὸς τὸν
90 Θεὸν ἐνστησαμένου, τοῦ τὴν ἐπηγγελμένην αὐτὸν κατα-κληρονομῆσαι γῆν· ἀλλ' ἐπεὶ ξένον ἑαυτὸν οὗτος τῆς κατασχέσεως ταῖς οἰκείαις κατέστησεν παρανομίαις, οὐκ ἴσχυσεν ἡ αὐτοῦ δέησις τὴν τοῦ Θεοῦ δικαίαν ψῆφον μεταποιῆσαι παντὸς τοῦ λαοῦ ἐν τῇ ἐρήμῳ κατεστρω-
95 μένου[c]. Καίτοι τίς τοῦ Μωϋσέως δικαιότερος; ἢ τίς

---

70 ὑπερεσχέθη : ὑπερεχέθη j ὑπερήχθη t ἐπλεόναζεν P ‖ 72-73 ὁ σοφώτατος *om.* P ‖ 73 ἁμαρτωλότερος : δικαιότερος Montf. *e cod.* I ‖ 77 καὶ τῶν ἀβουλήτως *om.* P ‖ 79 προεξένησεν tUP : προεξένησαν *cett.* ‖ 82 ἐτύχομεν : ἐτύχετε U ‖ 84 εἴη : ᾖ I ‖ 87 καταμάθοι : -μάθη tP[1] ‖ 89 ὑπὲρ *om.* U ‖ ὑπὲρ αὐτοῦ *om.* Sj ‖ 90 τοῦ : ὥστε PV ‖ 95-96 ἢ τίς παρ- *om.* P

pouvoir, mais nos péchés, le recouvrement [1] de nos dettes. Voilà qui a tout mis sens dessus dessous, voilà qui a amené tous les malheurs, voilà qui a fait éclater les guerres, voilà qui a entraîné la défaite. L'essaim des tristesses qui plane sur nous ne vient pas d'ailleurs, là en est la cause, si bien qu'Abraham serait-il au pouvoir, ou Moïse, ou David ou le sage Salomon ou le dernier des pécheurs, si nos dispositions sont mauvaises, cela ne change rien à la cause de nos maux.

Pourquoi et à quel titre ? A supposer que l'homme au pouvoir comptât parmi les pires contempteurs des lois et ceux qui se conduisent avec imprévoyance et irréflexion, c'est notre incurie, notre désordre qui ont produit pareil fruit, ce sont nos propres péchés qui ont amené le désastre. Recevoir en effet des chefs selon les dispositions de nos cœurs n'est pas autre chose que de trouver, à cause de nos péchés, un tel homme à notre tête, qu'il soit un homme du clergé ou un détenteur du pouvoir temporel [2]. Mais serait-il excessivement juste au point d'égaler Moïse en vertu, sa justice à lui seul ne pourra pas voiler les fautes démesurées de ses subordonnés. C'est ce que l'on apprendrait avec précision de Moïse lui-même, lui qui avait beaucoup souffert pour Israël, beaucoup supplié Dieu en faveur de son peuple, en vue d'obtenir pour celui-ci l'héritage de la terre promise. Eh bien ! Quand Israël se fut rendu lui-même, par ses propres prévarications, étranger à cette possession, la prière de Moïse n'a pas eu la force de modifier le juste arrêt de Dieu contre tout un peuple dont les corps ont jonché le désert [c]. Qui cependant fut plus juste que Moïse ? Qui avait

c. Cf. Nombr. 14, 20-30

1. Jean emploie un terme juridique qui signifie le recouvrement des impôts. Cf. DÉMOSTHÈNE, *Contre Timocrate*, 8. Il s'agit ici de la punition des fautes commises, dont nous sommes comptables envers Dieu.
2. Jean songe peut-être au patriarche de Constantinople, le frivole Nectaire, et à l'empereur, l'incapable Arcadius.

παρρησιαστικώτερος πρὸς τὸν Θεόν; «Ἰσχύειν» μὲν οὖν
δὴ «λέγεται δικαίου δέησις», ἀλλ᾽ «ἐνεργουμένη d»,
τουτέστι, βοηθουμένη τῇ μεταμελείᾳ καὶ ἐπιστροφῇ, ὑπὲρ
ὧν καταβάλλεται. Οἷς δὲ ἀμετανόητος καὶ ἀνεπίστροφός
100 ἐστιν ὁ τρόπος, πῶς ἂν ἐπαμῦναι δυνήσεται, αὐτῶν
ἐκείνων τοῖς ἔργοις ἀντικοπτόντων;

5. Καὶ τί λέγομεν ἐπὶ ὁλοκλήρου λαοῦ παρανομοῦντος
τοῦτο συμβαίνειν, ὅπου γε καὶ τῶν ὀλίγων ὑπηκόων
ἁμαρτία, ἢ πολλάκις καὶ τοῦ ἑνός, τὴν τῶν δικαίως
κρατούντων ὑπερακοντίζει παρρησίαν; Καὶ τοῦτο πάλιν ἐξ
5 αὐτοῦ ἄν τις κατανοήσειε τοῦ Ἰσραήλ, ὃς ὑπὸ Μωϋσέως
δημαγωγούμενος, ἡνίκα πρὸς τὴν τῶν ἀλλοφύλων
παρέβαλε γῆν καὶ τὴν πρὸς αὐτοὺς συνῆρε μάχην, πῶς
τινες τῶν αὐτοῦ μανέντες εἰς τὰς ἐκείνων γυναῖκας,
τὴν πάνδημον ἐκείνην θραῦσιν καὶ τὸν ὄλεθρον
10 κατειργάσαντο a. Ἐπὶ ἑνὸς δὲ τὸ τοιοῦτο συμβέβηκεν · ὡς
ἐπὶ Ἄχαρ τοῦ τὴν ποικίλην στολὴν ἀφελομένου τοῦ
ἀναθήματος καὶ κατὰ τοῦ λαοῦ τὴν τοῦ Θεοῦ ἐκκαύσαντος
ὀργήν. Ἀλλ᾽ ἴσως τινὲς τῶν παρόντων τὰ τῆς ἱστορίας
ταύτης ἀγνοοῦσιν. Διὰ τοῦτο δεῖ βραχέα περὶ ταύτης
15 εἰπόντα ὑπομνῆσαι μὲν τοὺς εἰδότας, διδάξαι δὲ τοὺς
ἀγνοοῦντας.

Οὗτος τοίνυν ὁ Ἄχαρ εἷς ἐτύγχανε τῶν μετὰ Ἰησοῦ
τοῦ Ναυῆ διαβάντων τὸν Ἰορδάνην, Ἰησοῦ ἐκείνου τοῦ
ψήφῳ Θεοῦ διαδόχου Μωϋσέως προκεκριμένου, τοῦ

96 τὸν om. SPV ‖ 96-97 οὖν δὴ P : om. cett. ‖ 101 ἀντικοπτόντων
U : ἀντιπραττόντων PV ἀντικοτούντων cett.

5, 1 λέγομεν : λέγωμεν P ‖ 2 γε om. tjVl ‖ 3 πολλάκις PV : om.
cett. ‖ 8 τῶν αὐτοῦ PV : αὐτοῦ Ul αὐτῶν cett. ‖ ἐκείνων SU : αὐτῶν
cett. ‖ 10 τὸ τοιοῦτο : τοῦτο PV ‖ 13 ἴσως UV : εἰκός cett. ‖ 13-
14 τινές ... ἀγνοοῦσιν : τινὰς ... ἀγνοεῖν SP ‖ 14 ταύτης¹ om. P ‖ διὰ
τοῦτο : οὐκοῦν P ‖ δεῖ : ἀναγκαῖον P ‖ βραχέα om. P.

d. Jac. 5, 16
5 a. Cf. Nombr. 25, 1-9

davantage son franc-parler avec Dieu? «Bien puissante, dit-on, est la prière du juste[d]», mais elle est rendue «efficace», c'est-à-dire secourable, par le repentir et la conversion des hommes en faveur de qui elle est adressée. Mais ceux dont le caractère ignore le repentir et la conversion, comment pourra-t-elle les secourir, quand eux-mêmes s'y opposent effectivement?

5. Et pourquoi dire que cela arrive quand tout un peuple est prévaricateur, alors que même le péché d'un petit nombre de sujets, voire souvent d'un seul individu, a plus de poids que l'assurance de princes justes? Et on le découvrirait encore dans le cas d'Israël lui-même qui sous la conduite de Moïse[1] avait fait irruption sur les terres d'un autre peuple et engagé le combat, et l'on verrait comment quelques Israélites, épris des femmes de ce pays, provoquèrent l'écrasement et la ruine générale[a]. Pareille chose est arrivée à cause d'un seul homme, ainsi à cause d'Achar qui avait soustrait à l'anathème[2] une robe chamarrée et allumé ainsi la colère de Dieu contre le peuple. Mais il en est probablement dans l'assistance qui ignorent ce point d'histoire. Aussi faut-il en parler brièvement pour le rappeler aux gens déjà au courant et en instruire les ignorants.

Notre Achar donc était au nombre de ceux qui avaient franchi le Jourdain avec Josué[3], le fils de Navé, ce Josué que Dieu avait précédemment élu comme successeur de Moïse et qui

---

1. PHILON D'ALEXANDRIE, puis GRÉGOIRE DE NYSSE ont écrit chacun une *Vie de Moïse,* où le patriarche est présenté comme un modèle de perfection, un parangon de toutes les vertus.

2. L'anathème, en hébreu *Hérem,* est un acte par lequel le vainqueur abandonne à Dieu son butin, ce qui a pour conséquence le massacre des prisonniers, voire du bétail, et le don au sanctuaire des objets précieux. Soustraire un homme, un animal ou un objet à l'anathème était un acte criminel, qui méritait la mort. *Deut. 7, 1-2; 20, 16 s.; I Sam. 15, 3-23.*

3. Josué et Jésus sont rendus en grec par le même mot.

20 εἰκόνα καὶ τύπον ἐπέχοντος τοῦ ἀληθινοῦ Σωτῆρος ἡμῶν
Ἰησοῦ Χριστοῦ. Ὥσπερ γὰρ ἐκεῖνος ἐκ τῆς ἐρήμου διὰ
τοῦ Ἰορδάνου εἰς τὴν γῆν τῆς ἐπαγγελίας τὸν λαὸν
διεβίβασεν[b], οὕτω καὶ ὁ Σωτὴρ ἡμῶν ἐκ τῆς ἐρήμου τῆς
ἀγνωσίας καὶ εἰδωλολατρείας διὰ τοῦ ἁγίου καὶ σωτη-
25 ριώδους βαπτίσματος εἰς τὴν ἄνω Ἰερουσαλὴμ ἡμᾶς
μετεποίησεν, εἰς τὴν μητέρα τῶν πρωτοτόκων, ἐν ᾗ τῆς
ἀληθινῆς καταπαύσεως ηὐτρεπίσθησαν αἱ μοναί[c], ἔνθα ἡ
ἀστασίαστος καὶ εἰρηνικὴ διατριβή. Οὗτος τοίνυν τῇ τοῦ
προστάττοντος δυνάμει τὸν λαὸν διαβιβάσας, προσέβαλε
30 τῇ Ἰεριχὼ καὶ τὴν ξένην ἐκείνην πολιορκίαν ἐνεργῶν, ἤδη
τῶν τειχῶν καταπίπτειν μελλόντων, τί φησι πρὸς τὸν
λαόν· «Ἔσται ἀνάθεμα ἡ πόλις αὕτη καὶ πάντα ὅσα ἐστὶν
ἐν αὐτῇ Κυρίῳ Σαβαώθ, πλὴν Ῥαὰβ τὴν πόρνην, περιποιήσασθε αὐτήν. Φυλάξασθε οὖν ἀπὸ τοῦ ἀναθήματος,
35 μήποτε ἐνθυμηθέντες ὑμεῖς λάβητε ἀπ' αὐτοῦ, καὶ ἐκτρί-
ψητε ἡμᾶς[d].» Ἀφιερώθη, φησίν, ἅπαντα τὰ ἐν τῇ πόλει —
τοῦτο γὰρ τὸ ἀνάθημα δηλοῖ. Μή τις οὖν νοσφίσηται τῶν
105 ἀνατεθέντων Κυρίῳ τῷ Θεῷ καὶ ἐξολοθρεύσῃ ἡμᾶς ἐκ τῆς
γῆς. Ἐπικίνδυνος ἡ ἐντολή, πολὺ τὸ τῆς ἀκριβείας τοῦ τε
40 προστάσσοντος Θεοῦ καὶ τοῦ νομοθετοῦντος Ἰησοῦ. Πῶς
γὰρ οὐκ ἦν ἐν τοσούτῳ πλήθει μὴ παραβαθῆναι τὸν νόμον
τοῦτον, πολλῶν ὄντων τῶν συνωθούντων πρὸς τοῦτο; Ἢ
γὰρ τὸ ἀστάθμητον καὶ τὸ φιλοκερδὲς τοῦ δήμου, ἢ τὸ μὴ
πάντας κατηκόους γενέσθαι τῆς προτεθείσης ἐντολῆς, ἢ ἡ

---

23 ὁ σωτὴρ ἡμῶν : ὁ ἀληθινὸς σωτὴρ καὶ κύριος U ‖ 30 πολιορκίαν
ἐκείνην ~ S ‖ 33 περιποιήσασθε : -ποιήσασθαι 1 ‖ 35 ὑμεῖς *om.* S ‖
38 ἐξολοθρεύσῃ 1 : -σει *cett.* ‖ 43 γὰρ] + τὸ ἄστατον καὶ S

b. Cf. Jos. 3, 14-17
c. Cf. Jn 14, 2-3
d. Cf. Jos. 6, 17-18

1. Le type, la figure ou encore l'exemple. Ce mot désigne les personnages
de l'Ancien Testament qui annonçaient, figuraient par avance les réalités
spirituelles du Nouveau. S. Paul recourt au sens typique ou allégorique
quand il déclare que les deux épouses d'Abraham, Agar et Sarra

offrait l'image et le type[1] de notre véritable Sauveur Jésus-
Christ. De même en effet que celui-là avait fait franchir au
peuple le Jourdain[b 2] pour passer du désert à la terre promise,
ainsi notre Sauveur nous a-t-il conduits, en nous faisant passer, par le baptême saint et salutaire, du désert de l'ignorance
et de l'idolâtrie à la Jérusalem céleste, la mère des premiers-
nés[3], où nous ont été préparés les demeures du repos véritable[c], où est le séjour de l'entente et de la paix. Après avoir
fait franchir le fleuve au peuple, par la puissance de Celui qui
le lui avait commandé, Josué attaqua Jéricho ; en pressant le
siège de cette ville ennemie, alors que les murs allaient déjà
s'écrouler, que dit-il au peuple ? « Cette ville sera anathème,
avec tout ce qu'elle renferme, pour le Seigneur Sabaoth, à
l'exception de Rahab la prostituée. Épargnez cette femme.
Prenez donc bien garde à l'anathème, de peur que, poussés par
la convoitise, vous ne dérobiez quelque chose qui soit anathème et provoquiez notre écrasement[d]. » Tout ce qui se trouve
dans la ville, dit-il, est consacré. Tel est le sens du mot « anathème ». Que personne donc ne détourne à son profit ce que le
Seigneur Dieu s'est réservé. Car alors il nous exterminera de la
terre. Périlleux était le précepte, grande la rigueur du Dieu qui
commandait et de Josué qui légiférait ! Comment en effet était-
il possible que dans une si grande multitude cette loi ne fût pas
transgressée, alors qu'il y avait tant de motifs pour y pousser ?
L'inconstance et la cupidité du peuple, ou le fait que tous
n'aient pas entendu l'ordre donné, ou les chamarrures des

---

représent l'Ancienne et la Nouvelle Alliance (*Gal.* 4, 22-25). L'*Épître aux
Hébreux* est fondée sur la typologie.

2. Allusion au passage du Jourdain à pied sec ; le peuple défilait devant
l'arche placée au milieu du fleuve.

3. Les premiers-nés étaient consacrés au Seigneur (*Ex.* 13, 1). C'est dans
ces perspectives qu'Abraham est invité à sacrifier Isaac (*Gen.* 22, 1 s.) et que
Jésus est présenté au Temple (*Lc* 2, 7). Les premiers-nés sont ici les baptisés.
Cf. W. MICHAELIS, *Der Beitrag der Septuaginta zu Bedeutunggeschichte
von* πρωτότοκος, Fetschrift Debrunner 313-320.

45 ποικιλία τῶν σκύλων καθάπερ δέλεαρ προκειμένη καὶ τοὺς
φιλοκτήμονας δελεάζουσα, εὐκόλως ἂν πρὸς τὴν παράβασιν παρώρμησεν. Ἀλλ' ὅμως ὁ νόμος οὗτος ἐτέθη καὶ
ὑπὲρ κεφαλῆς ὁ τῆς παραβάσεως αὐτοῦ κίνδυνος
ἐπεκρεμάσθη. Τί οὖν μετὰ τοῦτο; Κατέπεσεν τὰ τείχη καὶ
50 ἐν χερσὶ τῶν πολιορκούντων τὰ τῆς πόλεως ἐγένετο
πάντα. Παντὸς τοίνυν τοῦ λαοῦ τὴν ἐντολὴν ταύτην
διατηροῦντος, ἡ τοῦ ἑνὸς παράβασις εἰς ἅπαν τὸ πλῆθος
τὴν τοῦ Θεοῦ ἀνῆψεν ὀργήν. « Ἐπλημμέλησαν γάρ, φησίν,
οἱ υἱοὶ Ἰσραὴλ πλημμέλειαν μεγάλην καὶ ἐνοσφίσαντο καὶ
55 ἔλαβον ἀπὸ τοῦ ἀναθήματος καὶ ἔλαβεν Ἄχαρ υἱὸς
Χαρμεῖ ἀπὸ τοῦ ἀναθήματος καὶ ἐθυμώθη ὀργῇ Κύριος
τοῖς υἱοῖς Ἰσραήλ[e].» Καὶ μὴν εἷς ἦν ὁ πλημμελήσας. Πῶς
οὖν, φησίν, «ἐπλημμέλησαν οἱ υἱοὶ Ἰσραὴλ» καὶ «ἐθυμώθη
Κύριος τοῖς υἱοῖς Ἰσραήλ»; Ὁρᾷς πῶς ἡ τοῦ ἑνὸς
60 ἁμαρτία παντὶ τῷ λαῷ τὴν τιμωρίαν προεξένησεν; πῶς
πρὸς τὸ πλῆθος τὸν Θεὸν ἐξεπολέμωσεν; Ἐπεὶ οὖν τὸ
παράνομον ἐπράχθη καὶ οὐδεὶς ἦν ὁ συνειδώς, πλὴν
μόνου τοῦ τὰ κρύφια γινώσκοντος Θεοῦ, ἡ μὲν τιμωρία
ἔμελλεν, ὁ δὲ πράξας τοῦτο, κἂν ἐδόκει λανθάνειν, ἀλλ'
65 ὅμως ὑπὸ τοῦ συνειδότος, ὡς ὑπὸ πυρὸς κατεκαίετο.
Ἦλθε τοίνυν καὶ τῆς ἀπειλῆς ὁ καιρὸς καὶ τοῦ φανερὸν
γενέσθαι τὸ ἁμάρτημα. « Ἀπέστειλε γάρ, φησίν, Ἰησοῦς
ἄνδρας ἀπὸ Ἰεριχὼ εἰς Γαΐ. Καὶ ἀνέβησαν ἐκεῖ ὡσεὶ
τρισχίλιοι ἄνδρες καὶ ἔφυγον ἀπὸ προσώπου τῶν ἀνδρῶν
70 Γαΐ καὶ ἀπέκτειναν ἀπ' αὐτῶν τριάκοντα καὶ ἓξ ἄνδρας καὶ
ἀπεδίωξαν αὐτοὺς καὶ συνέτριψαν αὐτοὺς καὶ ἐπτοήθη ἡ
καρδία τοῦ λαοῦ καὶ ἐγένετο ὥσπερ ὕδωρ[f].»

6. Ὅρα μιᾶς ἁμαρτίας εἴσπραξιν, ὅρα πληγὴν ἀπαραμύθητον. Εἷς ἐπλημμέλησεν καὶ εἰς ἅπαντα τὸν δῆμον ὁ

_____

47 ὅμως — οὗτος : ὁ μὲν νόμος οὗτως PV ‖ ἐτέθη οὗτος ~ l ‖
49 ἐπεκρεμάσθη UPV : ἀπ- cett. ‖ κατέπεσεν PV : -έπεσον cett. ‖
50 ἐγένετο : ἐγένοντο j ‖ 59 ὁρᾷς om. S ‖ 63 μόνου : μόνον SUl ‖
64 ἀλλ' om. P ‖ 71 καὶ[1] — αὐτούς om. S.

dépouilles placées devant eux comme un appât pour attirer les
cupides, tout normalement les engageait à la transgression.
Cette loi fut néanmoins promulguée et le danger couru par sa
transgression suspendu au-dessus de leurs têtes. Qu'arriva-t-il
par la suite ? Les murailles s'écroulèrent et toutes les richesses
de la ville tombèrent aux mains des assiégeants. Alors que tout
le peuple observait cet ordre, la transgression d'un seul alluma
la colère de Dieu contre toute la multitude. «Les fils d'Israël,
est-il dit, ont commis une grande faute, ils ont détourné à leur
profit et pris ce qui tombait sous l'anathème. Achar, fils de
Charmi, a pris ce qui tombait sous l'anathème et le Seigneur
s'est emporté avec colère contre les fils d'Israël [e].» Et cependant il n'y avait qu'un transgresseur ; comment, dans ces
conditions, est-il dit : «les fils d'Israël ont commis une grande
faute», et pourquoi «le Seigneur s'est-il emporté contre les fils
d'Israël» ? Vois-tu comment le péché d'un seul a amené le
châtiment sur tout le peuple, comment il a poussé Dieu à
entrer en guerre contre la multitude ? Lors donc que fut com-
mise la transgression sans que personne ne le sût, sauf Dieu
qui connaît ce qui est caché, le châtiment fut différé, mais
l'auteur du crime tout en croyant rester inconnu était cependant consumé par ses remords comme par un feu. Mais arriva
l'heure de l'exécution de la menace, et celle de la révélation du
péché. «Josué, est-il dit, envoya de Jéricho des hommes vers
Gaï. Ils y montèrent, quelque trois mille hommes, et ils prirent
la fuite devant les gens de Gaï ; ceux-ci leur tuèrent trente-six
guerriers, les poursuivirent, les écrasèrent, et le cœur du peuple
fut terrifié et devint comme de l'eau [f].»

6. Vois ce qu'il faut payer pour un seul péché, vois le
désastre inexorable. Un seul homme a commis un manque-

e.   Jos. 7, 1
f.   Cf. Jos. 7, 2-5

θάνατος καὶ ἡ δειλία ἐπέπεσεν. Τί τοῦτο, ὦ φιλάγαθε
Δέσποτα; Σὺ εἶ μόνος δίκαιος καὶ εὐθεῖς αἱ κρίσεις σου.
5 Σὺ ἑκάστῳ κατὰ τὰ οἰκεῖα ἔργα ἀπονέμεις τὴν κρίσιν. Σὺ
ἔφης, φιλάνθρωπε, ἐν τῇ ἰδίᾳ ἕκαστον ἀποθανεῖσθαι
ἁμαρτίᾳ[a] καὶ μὴ ἄλλον ἀντιτιμωρηθήσεσθαι ἑτέρου. Τίς
οὖν αὕτη ἡ δικαία σου ψῆφος; Καλά σου τὰ πάντα,
Κύριε, καὶ λίαν καλὰ καὶ πρὸς τὸ συμφέρον ἡμῖν οἰκονο-
10 μούμενα. Λύμη τίς ἐστιν, φησίν, ἡ ἁμαρτία[b] · οὐκοῦν
ἐκπομπευέσθω διὰ τῆς τιμωρίας εἰς πάντας, ἵνα μὴ τοὺς
πάντας καταλυμήνηται, ἵνα γνόντες πόσην ἀπειλὴν μία
παράβασις ἔτεκεν, φύγωσιν τὴν ἐκ πλειόνων ἀτελεύτητον
κόλασιν. Ἰδὼν οὖν, φησίν, ὁ Ἰησοῦς τὴν ἀνυπόστατον
15 φυγήν, διέρρηξεν τὰ ἱμάτια αὐτοῦ καὶ ἔπεσεν ἐπὶ τὴν
γῆν[c], ἐκείνους τοὺς θρήνους τραγῳδῶν, οὓς ἡ θεία
σημαίνει Γραφή[d]. Τί οὖν πρὸς αὐτὸν ὁ Δεσπότης;
«Ἀνάστηθι · ἵνα τί οὕτω συμπέπτωκας; Ἡμάρτηκεν ὁ
λαός σου καὶ παρέβη τὴν διαθήκην μου καὶ οὐ μὴ
δυνήσονται οἱ υἱοὶ Ἰσραὴλ στῆναι κατὰ πρόσωπον τῶν
ἐχθρῶν αὐτῶν, ἕως ἂν ἐξάρητε τὸ ἀνάθημα ἐξ ὑμῶν
αὐτῶν[e].» Ἐκηρύχθη τοίνυν ἐν τῷ λαῷ τοῦτο, μηνύεται
ὑπὸ Θεοῦ ὁ τὴν παράβασιν πράξας, συγκατατίθεται οὗτος.
«Ἀπεκρίθη γάρ, φησίν, Ἄχαρ τῷ Ἰησοῦ καὶ εἶπεν ·
25 Ἀληθῶς ἥμαρτον ἐναντίον τοῦ Κυρίου Θεοῦ Ἰσραήλ ·
οὕτω καὶ οὕτως ἐποίησα. Εἶδον ἐν τῇ προνομῇ στολὴν
ποικίλην, λίαν καλὴν καὶ διακόσια δίδραχμα ἀργυρίου καὶ
γλῶσσαν μίαν χρυσῆν πεντήκοντα διδράχμων, καὶ
ἐνθυμηθεὶς ἔλαβον καὶ ἰδοὺ ταῦτα ἐγκέκρυπται ἐν τῇ γῇ ἐν

106

6, 5 οἰκεῖα om. P ‖ τὴν κρίσιν om. P ‖ 6-7 ἀποθανεῖσθαι ἁμαρτίᾳ
ἕκαστον ∼ S ‖ 7 ἀντι- ἑτέρου cod. : ἀντὶ ἄλλου τιμωρηθήσεσθαι Montf.
e cod.? ‖ τίς : τί 1 ‖ 9 ἡμῖν tPV : ἡμῶν cett. ‖ 10 οὐκοῦν P : om. cett.
‖ 11 ἐκπομπευέσθω : -εσθαι δεῖ Ul ‖ 21 αὐτῶν : αὐτοῦ S ‖ 22 τοῦτο]
+ καὶ P ‖ 26 προνομῇ] + τῶν σκύλων PV ‖ στολὴν : ψιλὴν
SUl στολὴν ψιλὴν Montf. ‖ 27 λίαν : μίαν jl

ment et sur tout le peuple ont fondu la mort et la panique.
Qu'est ceci, bon Maître ? Toi seul es juste et tes jugements sont
droits. Tu rends à chacun selon ses œuvres. Tu as dit, ami des
hommes, que chacun mourrait dans son propre péché[a], que
l'on ne serait pas châtié pour l'autre. Est-ce donc là ton juste
verdict ? Toutes tes œuvres sont belles, Seigneur, excessivement belles et disposées pour notre avantage. C'est une souillure, est-il dit, que le péché[b]. Qu'il soit donc livré à la risée
publique par le châtiment, de peur qu'il ne souille tout le
monde, afin qu'en apprenant quelle grande menace est le fruit
d'une seule transgression, les hommes fuient le châtiment
éternel qu'amènent plusieurs transgressions. A la vue, est-il
dit, de cette fuite éperdue, Josué déchira ses vêtements et
tomba la face contre terre[c], déclamant des chants de deuil, et
que retrace la divine Écriture[d]. Que lui répondit alors le
Maître ? «Relève-toi. Pourquoi rester ainsi prostré ? Ton
peuple a péché, il a violé mon alliance. Les fils d'Israël ne
pourront sûrement pas tenir devant leurs ennemis que vous
n'ayez enlevé l'anathème du milieu de vous[e].» Cela fut donc
publié parmi le peuple, l'auteur de la transgression est dénoncé
par Dieu, le coupable en convient. «Achar, est-il dit, répondit
en ces termes à Josué : En vérité j'ai péché devant le Seigneur,
le Dieu d'Israël, et j'ai agi de telle et telle façon. J'ai vu dans le
butin des dépouilles une robe chamarrée[1], extrêmement belle,
et deux cents didrachmes d'argent ainsi qu'un lingot d'or de
cinquante didrachmes, je les ai convoités, je les ai pris, et voi-

6   a. Cf. Sir. 23, 11 ; Éz. 18, 18-24
      b. Cf. Is. 65, 25 ; Éz. 16, 25
      c. Jos. 7, 6
      d. Cf. Jos. 7, 6-9
      e. Jos. 7, 10-12

1. La tradition manuscrite est ici partagée. La leçon ψιλήν de la Septante
a pu être modifiée par S. Jean. Ce mot désigne un tapis oriental au poil ras.
Le texte hébraïque parle d'un manteau de Shinéar.

30 τῇ σκηνῇ μου[f].» Πάντα λοιπὸν εἰς φανερὸν ἄγει, ἐπειδὴ
ἀψευδῆ τὸν ταῦτα καταμηνύσαντα ἑώρα ἀσφαλῆ τε εἶχε
τὸν ἐλέγχοντα μάρτυρα. Ὅρα δὲ τὸν ἐπονείδιστον καὶ
ὀλέθριον αὐτοῦ θάνατον · « Ἀνήνεγκε, φησίν, αὐτὸν
Ἰησοῦς εἰς φάραγγα Ἄχαρ καὶ τοὺς υἱοὺς αὐτοῦ καὶ τὰς
35 θυγατέρας αὐτοῦ καὶ τοὺς μόσχους αὐτοῦ καὶ τὰ ὑποζύγια
αὐτοῦ καὶ πάντα τὰ πρόβατα αὐτοῦ καὶ τὴν σκηνὴν αὐτοῦ
καὶ πάντα ὅσα ὑπῆρχεν αὐτῷ καὶ ἐλιθοβόλησαν αὐτὰ πᾶς
Ἰσραὴλ ἐν λίθοις[g].» Αὕτη τῆς παρανομίας ἡ ἀνταπόδοσις,
οὕτως ἡ τοῦ Θεοῦ ἀδέκαστός ἐστι δίκη.
40   Τοῦτο τοίνυν εἰδότες, οἰκείων ἁμαρτημάτων εἴσπραξιν
τὴν τῶν ἀνιαρῶν ἔφοδον λογιζώμεθα καὶ καθ᾽ ἑκάστην τὰ
ἑαυτῶν ἐξετάζοντες ἐγκλήματα, μὴ ἑτέροις, ἀλλ᾽ ἡμῖν
αὐτοῖς τὴν τούτων περιάπτωμεν αἰτίαν. Οὐ γὰρ ἡ τῶν
ἀρχόντων μόνον ἀπροσεξία, ἀλλὰ πολλῷ μᾶλλον τὰ
45 ἡμέτερα πταίσματα τὰ κακὰ ἐπεσώρευσεν. Οὕτω τοίνυν
ἐνταῦθα παραγινόμενος ἕκαστος καὶ τὰ οἰκεῖα λογιζόμενος
παραπτώματα, οὔτε ἕτερον μέμψοιτο καὶ μετὰ τῆς
προσηκούσης εὐταξίας τὴν παροῦσαν ἀναπέμψοι δοξολογίαν. Ἔστι δὲ ἡ παρ᾽ ἡμῶν ἀπαιτουμένη εὐταξία
50 τοιαύτη · πρῶτον μὲν συντετριμμένῃ καρδίᾳ προσέρχεσθαι
τῷ Θεῷ, ἔπειτα καὶ τὸ τῆς καρδίας ἦθος διὰ τοῦ
φαινομένου σχήματος ὑποδεικνύειν, διὰ τῆς στάσεως, διὰ
τῆς τῶν χειρῶν εὐταξίας, διὰ τῆς πραείας καὶ
συνεσταλμένης φωνῆς. Εὔκολον γὰρ τοῦτο καὶ παντὶ τῷ
55 βουλομένῳ δυνατόν. Πῶς οὖν εἰς πάντας κατορθω-
θήσεται; Θῶμεν ἑαυτοῖς νόμον καὶ εἴπωμεν ὅτι κοινω-
φελὴς ἐντολὴ κατεβλήθη καὶ δεῖ πάντας ἡμᾶς τῆς τοιαύτης μετασχεῖν ὠφελείας. Διὰ τοῦτο καὶ τὰς ἀτάκτους
κατασιγάσωμεν φωνὰς καὶ τὰ τῶν χειρῶν καταστείλωμεν

31 καταμηνύσαντα : μηνύσαντα P ‖ ἑώρα : εὗρεν PV ‖ ἀσφαλῆ τε :
ἐπειδὴ σφοδρὸν P ‖ 32-33 ἐπονείδιστον καὶ ὀλέθριον om. P ‖
33 θάνατον] + οἴκτιστον P ‖ 35-36 καὶ[1] — αὐτοῦ[1] om. U ‖ 41 τὴν —
ἔφοδον : τὰ ἐπαγόμενα ἡμῖν ἀνιαρά P ‖ 45 ἐπεσώρευσεν P : συνήγαγεν

à, cela se trouve caché en terre dans ma tente ^f.» Il expose tout
au grand jour, car il voyait de ces faits le dénonciateur véri-
dique et avait contre lui un témoin à charge infaillible [1] ; mais
vois la mort honteuse et terrible du coupable. «Josué, est-il dit,
conduisit vers un ravin Achar, ses fils, ses filles, ses veaux, ses
bêtes de somme et tout son bétail, sa tente et tout ce qu'il pos-
sédait, et tout Israël les lapida à coups de pierres ^g.» Telle est la
rétribution de la désobéissance à la Loi, telle est la justice
incorruptible de Dieu.

Le sachant donc, comptons comme le châtiment de nos
propres péchés l'invasion de nos malheurs et recherchons
chaque jour avec soin ce que nous avons à nous reprocher
sans en attribuer la cause à autrui mais à nous-mêmes. Ce
n'est pas seulement l'inadvertance du gouvernement, mais bien
plutôt nos propres fautes qui ont accumulé sur nous les maux.
Ainsi donc, chacun pourrait en venant ici compter ses propres
défaillances et, sans blâmer autrui, faire monter les chants de
gloire qui conviennent en se pliant à la discipline requise. Mais
voici la discipline que l'on réclame de nous : en premier lieu
s'approcher de Dieu avec un cœur contrit, puis signifier les
sentiments de notre cœur par notre tenue extérieure, la station
debout, des gestes déférents, une voix douce et contenue. Cela
est facile et tout homme en est capable. Comment donc le
redressement s'opérera-t-il pour tous ? Portons une loi pour
nous-mêmes, disons que le précepte a été édicté dans l'intérêt
commun et que nous devons tous agir dans cet intérêt. Impo-
sons donc silence aux cris confus, modérons nos gesticulations

---

1 συνεισήγαγεν cett. ‖ τοίνυν om. P ‖ 49 παρ' ἡμῶν P : om. cett. ‖
2 ὑποδεικνύειν : ἐπι- PV ‖ 53 εὐταξίας : συστολῆς P ‖ 59-60 τὰ ...
9η : τὴν ... συνήθειαν P

f.   Jos. 7, 20-21
g.   Jos. 7, 24-25

1. Dieu est à la fois le dénonciateur et le témoin.

60 ἤθη, δεδεμένας ταύτας παριστάνοντες τῷ Θεῷ καὶ μὴ τοῖς
ἀκόσμοις ἐπαιρομένας νεύμασιν. Μισεῖ γὰρ τοῦτο καὶ
ἀποστρέφεται, ὥσπερ τὸν συνεσταλμένον ἀγαπᾷ καὶ
προσίεται. « Ἐπὶ τίνα γάρ, φησίν, ἐπιβλέψω, ἀλλ' ἢ ἐπὶ τὸν
πρᾶον καὶ ἡσύχιον καὶ τρέμοντά μου τοὺς λόγους[h];»

65 Εἴπωμεν ἀλλήλοις ὅτι οὐ βούλεται αὐτῷ προσδια-
λεγομένους ἡμᾶς καὶ ἑαυτοῖς προσομιλεῖν, οὐδὲ ἀφέντας
τὴν πρὸς αὐτὸν διάλεξιν, τὰς τῶν παρόντων ἀνακινεῖν
συντυχίας καὶ τῷ βορβόρῳ τοὺς μαργαρίτας ἀναφύρειν[i].
Ὕβριν γὰρ οἰκείαν καὶ οὐ δοξολογίαν τὸ τοιοῦτον ἡγεῖται.

70 Κἄν τις βουληθείη ταύτην παραβῆναι τὴν ἐντολήν, ἐπιστο-
μίσωμεν, ὡς ἐπίβουλον τῆς ἡμετέρας σωτηρίας
ἀποδιώξωμεν, ἔξω τῶν περιβόλων τῆς ἁγίας ἐκκλησίας
ἐκβάλωμεν. Οὕτω γὰρ ποιοῦντες, τὰ μὲν πρότερα

107 ἁμαρτήματα ῥᾳδίως ἀπονιψόμεθα, αὐτὸν δὲ τὸν Δεσπότην

75 εἰς μέσον ἕξομεν μετὰ τῶν ἁγίων ἀγγέλων συγχορεύοντα
καὶ ἑκάστῳ τοὺς τῆς εὐταξίας ἀπονέμοντα στεφάνους.
Ἐπεὶ γάρ ἐστι φιλάνθρωπος καὶ μεγαλόδωρος καὶ χαίρει
ἐπὶ τῇ ἡμετέρᾳ σωτηρίᾳ, ἐπιτερπόμενος τοῖς καλοῖς ἡμῶν,
διὰ τοῦτο καὶ βασιλείαν οὐρανῶν ἐπηγγείλατο καὶ ζωῆς

80 ἀκηράτου μέθεξιν, καὶ πάντα τὰ ἀγαθὰ προητοίμασε,
βουλόμενος ἡμᾶς ἐν τούτοις κατασκηνῶσαι.

Ὧν γένοιτο πάντας ἡμᾶς ἐπιτυχεῖν χάριτι καὶ
φιλανθρωπίᾳ τοῦ Κυρίου ἡμῶν Ἰησοῦ Χριστοῦ, μεθ' οὗ
πρέπει δόξα, κράτος, προσκύνησις τῷ Πατρὶ καὶ τῷ ἁγίῳ

85 Πνεύματι, νῦν καὶ ἀεὶ καὶ εἰς τοὺς αἰῶνας τῶν αἰώνων.
Ἀμήν.

---

62 ἀποστρέφεται] + ὁ θεός P ‖ 65 ἀλλήλοις : πρὸς ἀλλήλους P
67 ἀνακινεῖν : κινεῖν P ‖ 68 ἀναφύρειν : συμ- PV ‖ 71-72 ὡς –
ἀποδιώξωμεν om. P ‖ 75 συγχορεύοντα : συμπαρόντα P ‖ 77 χαίρει
χαίρων l ‖ 78-79 post σωτηρίᾳ transp. διὰ τοῦτο P ‖ 78 καλοῖς ἡμῶν
V : ἡμῶν καλοῖς cett. ‖ 81 ἐν τούτοις κατασκηνῶσαι : δι' αἰῶνος
τρυφᾶν P ‖ 82-83 καὶ φιλανθρωπίᾳ om. P ‖ 84 πρέπει om. P ‖ κράτος
+ τιμὴ καὶ Uj ‖ προσκύνησις om. P ‖ καὶ] + ἅμα P ‖ τῷ ἁγίῳ : σὺν
τῷ ἀχράντῳ καὶ παναγίῳ καὶ ζωοποιῷ j.

et présentons à Dieu des mains jointes au lieu de les élever avec une mimique désordonnée. Dieu hait cela et s'en détourne, comme il aime et attire à lui l'homme à l'attitude modeste. «Sur qui porter mes yeux, est-il dit, sinon sur l'homme doux et tranquille, qui tremble à mes paroles[h]?» Disons-nous les uns aux autres que Dieu ne veut pas, quand nous nous entretenons avec lui, nous voir converser ensemble, ni quitter l'entretien que nous avons avec lui pour mettre sur le tapis les événements de l'actualité et jeter pêle-mêle les perles dans la boue[i]. Il tient une telle conduite pour un affront personnel, non pour une invocation. Si quelqu'un veut transgresser ce prétexte, fermons-lui la bouche, chassons-le ; il conspire contre notre salut. Jetons-le hors de l'enceinte de la sainte église. En agissant de la sorte, nous nous laverons facilement de nos péchés passés et nous aurons au milieu de nous le Maître en personne se mêlant au chœur des anges et décernant à chacun les couronnes méritées pour une telle discipline. Il est ami des hommes [1], magnifique en ses dons, et il se réjouit de notre salut, prenant plaisir à nos belles actions, c'est pourquoi il nous a promis le royaume céleste et la participation à une vie immortelle, et il nous a préparé tous les biens, dans son désir de nous voir y planter notre tente [2].

Puissions-nous tous obtenir ces biens par la grâce et l'amour que porte aux hommes notre Seigneur Jésus-Christ ; avec lui au Père et au Saint-Esprit reviennent la gloire, la puissance, l'adoration maintenant et toujours pour les siècles des siècles. Amen.

h. Is. 66, 2
i. Cf. Matth. 7, 6

1. S. Lorenz, *De progressu notionis* φιλανθρωπίας, Diss-Leipzig 1914 ; O. Weinreich, φιλάνθρωπος.
2. Réminiscence de *Jn* 1, 14.

B'

Εἰς τὸ προφητικὸν ῥητόν· «Καὶ ἐγένετο τοῦ ἐνιαυτοῦ, οὗ ἀπέθανεν Ὀζίας ὁ βασιλεύς [εἶδον τὸν Κύριον καθήμενον ἐπὶ θρόνου ὑψηλοῦ καὶ ἐπηρμένου]ᵃ», καὶ ὅτι οὐ δεῖ χρόνον, οὐδὲ στοιχεῖον ἓν παρατρέχειν τῶν [θείων] Γραφῶν.

1. Χαίρω μὲν συντρέχοντας ὑμᾶς ὁρῶν πρὸς τὴν ἀκρόασιν τῶν θείων λογίων, [καὶ τεκμήριον μέγιστον τοῦτο ποιοῦμαι τῆς κατὰ Θεὸν ὑμῶν προκοπῆς]. Ὥσπερ γὰρ τὸ πεινῆν σωματικῆς ἐστιν εὐεξίας σημεῖον, οὕτω τὸ
5 λόγων ἐρᾶν ψυχικῆς ὑγιείας σημεῖόν ἐστιν. Χαίρω μὲν οὖν διὰ τοῦτο· δέδοικα δὲ μήποτε τῆς ἐπιθυμίας ταύτης οὐδὲν ἄξιον δυνηθῶ παρασχεῖν. Οὕτω που καὶ μήτηρ ὀδυνᾶται φιλόστοργος, ὅταν ὑπομάζιον ἔχουσα παῖδα τὰς τοῦ γάλακτος πηγὰς μὴ δύνηται ἀφθόνως παρασχεῖν αὐτῷ·
10 ἀλλ' ὅμως καὶ ἐνδεῶς ἔχουσα τὸν μαστὸν ἐπιδίδωσιν, ὁ δὲ λαβὼν ἕλκει καὶ κατατείνει, καὶ τῷ στόματι κατεψυγμένην θερμαίνων τὴν θήλην, πλείω τῆς οὔσης ἐκκαλεῖται τὴν τροφήν· ἡ δὲ μήτηρ ἀλγεῖ μὲν κατατεινομένων αὐτῆς τῶν

Testes tSUjPVQ arm.
Titulus 1 τὸ : τὸ αὐτὸ Q ‖ προφητικὸν ῥητόν arm. : ῥητὸν τοῦ προφήτου Ἡσαΐου λέγον SUjQ om. tPV ‖ 1-3 καὶ — ἐπηρμένου om. Q ‖ 1-2 τοῦ ἐνιαυτοῦ : ἐν τῷ ἐνιαυτῷ PV ‖ 2-4 εἶδον — ἐπηρμενοῦ, om. PV arm. seclusi ‖ 4-5 καὶ — θείων [θείων om. arm. seclusi] Γραφῶν : καὶ ἀπόδειξις ὅτι δικαίως ἐλεπρώθη ἀναξίως θυμιάσας, ὅπερ οὐκ ἔξεστι βασιλεῦσιν, ἀλλ' ἱερεῦσι ποιεῖν Q om. Sj.

HOMÉLIE II

Sur la parole du prophète : « Il arriva en l'année où mourut le roi Ozias, que je vis le Seigneur [siégeant sur un trône élevé et sublime] [a] *», et sur le devoir de ne négliger aucune date, ni aucune lettre de l'Écriture [divine].*

1. Je me réjouis bien de vous voir accourir à l'écoute des oracles divins [et j'y trouve le plus grand signe de vos progrès dans la voie de Dieu]. Tout comme d'avoir faim est la preuve d'une bonne constitution physique, être épris de paroles signale la santé mentale. Je m'en réjouis donc, mais je crains de ne pouvoir jamais rien procurer qui réponde à ce désir. Telles sont, je pense, les souffrances d'une tendre mère, lorsqu'à l'enfant qu'elle tient à la mamelle, elle ne peut procurer une source abondante de lait ; en dépit de sa pénurie, elle donne néanmoins le sein et l'enfant le prend, le tire, le distend et de sa bouche réchauffe le mamelon glacé pour en tirer plus de nourriture qu'il n'y en a ; or la mère souffre de la distension

1, 1 μὲν tQ *arm. : om. cett.* ‖ ὁρῶν ὑμᾶς ~ t ‖ 2 τῶν θείων ογίων : τῶν γραφῶν *arm. om.* tUjQ ‖ 2-3 καὶ — προκοπῆς P : *om. cett. arm. seclusi* ‖ 4 σημεῖον *om.* SjQ ‖ 5 ἐρᾶν] + πνευματικῶν Uj ‖ ἐπιθυμίας : προθυμίας P ‖ 10 καὶ ἐνδέως *om.* t ‖ 12 τὴν [2] Uj : *om. cett.*

Tit. a. Is. 6, 1

μαζῶν, οὐκ ἀπωθεῖται δὲ τὸ παιδίον · μήτηρ γάρ ἐστιν, καί
15 πάντα ἂν ἥδοιτο παθοῦσα μᾶλλον ἢ λυπῆσαι τὸ τεχθέν. Εἰ
οὖν μητέρες περὶ τὰ ἔγγονα οὕτως εἰσὶ φιλόστοργοι,
πολλῷ μᾶλλον ἡμᾶς περὶ τὴν ὑμετέραν ἀγάπην οὕτω δια-
κεῖσθαι χρή. Τῶν γὰρ τῆς φύσεως θερμότεραι αἱ τοῦ
Πνεύματος ὠδῖνές εἰσιν. Ὥστε εἰ καὶ πολλῆς ἡμῖν πενίας
20 ἡ τράπεζα γέμει, οὐδὲ οὕτως αὐτὴν ἀποκρύψομεν, ἀλλὰ
πάντα εἰς μέσον τὰ παρ' ἡμῶν φέροντες καταθήσομεν
ὑμῖν. Εἰ δὲ μικρὰ ταῦτα καὶ εὐτελῆ, ἀλλ' ὅμως παρέχομεν.
Ἐπεὶ κἀκεῖνος ὁ τὸ τάλαντον ἐμπιστευθείς, οὐχ ὅτι μὴ
πέντε προσήνεγκε τάλαντα, διὰ τοῦτο ἐνεκαλεῖτο, ἀλλ' ὅτι
25 καὶ τὸ ἓν κατέχωσεν, ὅπερ ἔλαβεν, διὰ τοῦτο δίκην
ἔδωκεν[a]. Τὸ γὰρ ζητούμενον παρὰ Θεῷ καὶ ἀνθρώποις,
οὐκ ὀλίγα ἢ πολλὰ καταθεῖναι, ἀλλὰ μηδαμοῦ τῆς
ὑπαρχούσης δυνάμεως ἐλάττω τὴν εἰσφορὰν ἐνεγκεῖν.
Ἠκούσατε πρώην, ὅτε πρὸς τὴν ὑμετέραν ἀγάπην διαλεχ-
30 θῆναι κατηξιώθημεν, τὸν ψαλμὸν ἐκεῖνον ἀναγι-
νωσκόντων, ὃς τὸν ἁμαρτωλὸν τῶν ἱερῶν περιβόλων
ἐκβαλών, ἀγγέλοις καὶ ταῖς ἄνω δυνάμεσιν εὐφημεῖν παρεκελεύετο τὸν τῶν ὅλων Θεόν. Βούλεσθε οὖν καὶ σήμερον
108   αὐτοῦ τοῦ μυστικοῦ μέλους ἀκούσωμεν, ἐγγύς που
35 παραστάντες ἐκεῖ; Ἐμοί γε δοκεῖ.
Εἰ γὰρ ἄνθρωποι μιαροὶ χορούς ἱστάντες ἐπὶ τῆς
ἀγορᾶς, ἐν σκότει βαθεῖ καὶ ἀωρίᾳ τῶν νυκτῶν πορνικὰ
ᾄσματα καὶ κατακεκλασμένα ᾄδοντες μέλη, πᾶσαν ἀναπτε-

---

14 μαζῶν : μασθῶν S ‖ 15 ἥδοιτο παθοῦσα arm. : ἕλοιτο παθεῖν cod.
‖ 18-19 τῆς — εἰσιν : τοῦ πνεύματος θερμότεραι αἱ ὠδῖνές εἰσι παρὰ
τῶν τῆς φύσεως P ‖ 19 ἡμῖν : ὑμῖν SUV ‖ 20 ἀποκρύψομεν : -ψωμεν
SQ ἀποκαλύψομεν t ‖ 21 μέσον] + ὑμῶν P ‖ 22 εἰ δὲ μικρὰ : κἂν
μικρὰ ὄντα P ‖ ὅμως om. tQ ‖ 26 ἔδωκεν : ἐδίδου P ἔλαβεν S ‖ καὶ
ἀνθρώποις om. P ‖ 28 ἐνεγκεῖν : εἰσ- UV ‖ 29-30 διαλεχθῆναι
κατηξιώθημεν : διελεγόμεθα PV ‖ 30 ἀναγινωσκόντων] + ἡμῶν Montf.
+ ὑμῶν arm. : ἀναγινώσκοντες P ‖ 32 ἐκβαλών : ἐκβάλλων tSU ‖ καὶ
+ πάσαις P ‖ εὐφημεῖν παρεκελεύετο : ὑμνεῖν ἐδείκνυ P ‖ 34 μυστικοῦ
ἀγγελικοῦ UP ‖ ἀκούσωμεν : -σομεν j ‖ 35 Ἐμοί γε δοκεῖ : ἐμοῖ τε

de ses mamelles, mais elle ne repousse pas son petit enfant, car elle est mère et aurait plaisir à tout souffrir plutôt que de chagriner ce qu'elle a enfanté. Si donc les mères montrent une telle tendresse pour leur progéniture, combien plus devons-nous être dans ces dispositions envers Votre Amour, car les enfantements selon l'Esprit sont plus brûlants que ceux de la nature[1]. Aussi notre table a beau regorger de pauvreté[2], cependant même ainsi nous ne la dissimulerons point, mais nous apporterons en public tout ce que nous avons pour le déposer devant vous : cela a beau être mesquin et bon marché, nous le fournissons néanmoins, puisque celui qui s'était vu confier un talent n'encourut pas de reproches pour n'avoir pas rapporté cinq talents, mais c'est pour avoir enfoui l'unique talent qu'il avait reçu qu'il fut condamné[a]. Ce que recherchent Dieu et les hommes, ce n'est pas que l'on dépose peu ou prou, mais que l'on n'apporte pas une contribution en dessous de ses disponibilités. Hier, quand nous fûmes jugé digne de nous entretenir avec Votre Amour, vous avez entendu lire ce psaume[3] qui, une fois chassé le pécheur de l'enceinte sacrée, invitait les anges et les puissances d'en haut à célébrer le Dieu de l'univers. Voulez-vous donc que nous écoutions aujourd'hui le chant mystique, en nous rapprochant des anges d'une certaine manière? Je le crois pour ma part.

Si des hommes dépravés forment des chœurs sur la place publique et dans une obscurité profonde, à une heure indue de la nuit, chantent des chansons obscènes et des mélodies las-

---

δοκεῖν t ἐμοὶ δοκεῖ jQ ἐμοὶ δὴ δοκεῖ V *om.* S ‖ 37 ἀωρίᾳ jQ *arm.* : ἀωρὶ *cett.* ‖ 38 κατακεκλασμένα : κεκλασμένα jPV ‖ ἀναπτερούσι : -πετάζουσι SUjPQ

1   a. Cf. Matth. 25, 14-30

1. Réminiscence de *Gal.* 4, 19 ; *I Thess.* 2, 7-8.
2. Oxymoron. Cette pointe est familière à la Seconde Sophistique.
3. *Ps.* 148. Mais il n'y est pas question de l'expulsion des pécheurs.

ροῦσι τὴν πόλιν ἡμῶν, καὶ πρὸς ἑαυτοὺς ἐπιστρέφουσιν ·
40 ἡμεῖς τῶν ἐπουρανίων δήμων, τῶν ἄνω χορῶν τὸν
βασιλέα τοῦδε τοῦ παντὸς ἀνυμνούντων οὐ συνδρα-
μούμεθα, οὐκ ἀκουσόμεθα τῆς θείας ἐκείνης καὶ μακαρίας
φωνῆς; Καὶ τίς ἂν ἡμῖν γένοιτο συγγνώμη; Καὶ πῶς
ἔστιν ἀκοῦσαι; φησίν. Εἰς αὐτὸν ἀνελθόντας τὸν οὐρανόν,
45 εἰ δυνατόν, εἰ καὶ μὴ τῷ σώματι, ἀλλὰ τῷ φρονήματι · εἰ
καὶ μὴ τῇ παρουσίᾳ, ἀλλὰ τῇ διανοίᾳ. Τὸ μὲν γὰρ σῶμα,
γεῶδες ὂν καὶ βαρύ, κάτω πέφυκε μένειν · ἡ δὲ ψυχὴ τῆς
ἀνάγκης ταύτης ἀπήλλακται, καὶ τοῖς ὑψηλοτάτοις καὶ
τοῖς πορρωτάτοις χωρίοις θρασέως ἐφίπταται. Κἂν εἰς
50 αὐτὰς θελήσῃ τῆς οἰκουμένης τὰς ἐσχατιὰς ἐλθεῖν καὶ εἰς
τὸν οὐρανὸν ἀναβῆναι, τὸ κωλῦον οὐδέν · οὕτως αὐτῇ
κοῦφα τὰ πτερὰ τοῦ λογισμοῦ δέδωκεν ὁ Θεός. Οὐ πτερὰ
δὲ κοῦφα δέδωκε μόνον, ἀλλὰ καὶ ὀφθαλμοὺς ἐχαρίσατο
πολλῷ τοῦ σώματος ὀξύτερον βλέποντας. Ἡ μὲν γὰρ τοῦ
55 σώματος ὄψις, ἂν μὲν διὰ κενοῦ φέρηται τοῦ ἀέρος, μέχρι
πολλοῦ τοῦ διαστήματος πρόεισιν · ἂν δὲ μικρῷ προσπταίσῃ σώματι, καθάπερ ῥεῦμα φερόμενον ἀναχαιτισθέν, εἰς
τοὐπίσω πάλιν ἀποστρέφεται · οἱ δὲ τῆς ψυχῆς ὀφθαλμοί,
κἂν τοίχους, κἂν τείχη, κἂν ὁρῶν μεγέθη, κἂν αὐτὰ τῶν
60 οὐρανῶν εὕρωσιν αὐτοῖς ἀπαντῶντα τὰ καμαρώματα,
πάντα παραδραμοῦνται ῥαδίως. Ἀλλ᾽ ὅμως οὕτω καὶ
ταχυτῆτος καὶ ὀξυωπίας ἔχουσα ἡ ψυχή, οὐκ ἔστιν
αὐτάρκης πρὸς τὴν τῶν οὐρανίων κατανόησιν αὐτὴ καθ᾽
ἑαυτήν, ἀλλὰ τοῦ χειραγωγήσοντος αὐτὴν δεῖται.

39 ἐπιστρέφουσιν : ἀνα- tVQ ‖ 42 οὐκ ἀκουσόμεθα : ὥστε ἀκοῦσαι
PV ‖ 45 εἰ δυνατὸν om. tP ‖ 45-46 τῷ² – ἀλλὰ om. P ‖ 48-49 καὶ¹ –
ἐφίπταται om. P ‖ 49 τοῖς πορρωτάτοις : πορρωτάτω j τοῖς πόρρω V
‖ χωρίοις cod. : χοροῖς arm. ‖ θρασέως arm. : ῥαδίως cod. ‖ ἐφίπταται
ἐφίσταται V ‖ 52 τοῦ λογισμοῦ S arm. : τῶν λογισμῶν cett.
55 φέρηται : φαίνηται tSQ ‖ 56 προσπταίσῃ t : -πέσῃ cett.
58 ἀποστρέφεται : ἀνα- t ‖ 60 καμαρώματα arm. : σώματα cod. ‖ 63
αὐτὴ καθ᾽ ἑαυτήν om. tQ ‖ 64 χειραγωγήσοντος : -γήσαντος tQ
-γοῦντος Sj

cives, s'ils mettent en émoi toute notre ville et la rameutent vers eux, n'allons-nous pas nous autres, quand le peuple céleste, les chœurs de là-haut célèbrent le roi de tout notre univers, accourir [1], n'allons-nous pas écouter ces voix bienheureuses et divines? Sinon quel pardon obtiendrions-nous? Et comment est-il possible de les écouter? me dit-on. — En montant, si possible, au ciel même, sinon de corps du moins d'esprit, sinon par la présence du moins par la pensée. Le corps, terrestre et pesant, reste naturellement en bas, mais l'âme se trouve libérée de cette nécessité, et jusqu'aux régions les plus élevées et les plus éloignées hardiment s'envole; qu'elle veuille gagner les extrémités du monde mêmes et gravir le ciel, rien ne l'empêche tant sont légères les ailes de ses pensées, ce don de Dieu. Mais il ne lui a pas donné que des ailes légères, il l'a encore dotée d'yeux qui voient avec beaucoup plus d'acuité que ceux du corps. Car si la vue corporelle traverse un espace libre, elle porte à une grande distance, mais si elle achoppe contre un petit corps, tel un courant qui se cabre dans son élan [2], elle est refoulée en arrière; les yeux de l'âme au contraire, que ce soient des murailles, des remparts, des hauteurs montagneuses, de la voûte céleste elle-même qu'ils trouvent sur leur chemin, ils les franchiront tout facilement dans leur course. Néanmoins, tout en possédant tant de rapidité et d'acuité, l'âme n'est pas en état d'acquérir par elle-même l'intelligence des choses célestes, elle a besoin de quelqu'un qui la guide par la main. Imitons la conduite de ceux qui désirent

1. Jean reprend à dessein le terme employé au début de son discours.
2. Jean conçoit le phénomène de la vision comme un courant de lumière qui réside dans l'œil et s'écoule au travers des yeux de façon subtile et continue. Ceci rappelle le *Timée* 45 B-D, où l'on retrouve l'expression τὸ τῆς ὄψεως ῥεῦμα; en français : on porte les yeux sur, jette un regard sur... Cf. aussi THÉOPHRASTE, *De Sensibus*, c. 5.

65 Ποιήσωμεν οὖν ὅπερ οἱ τὰς βασιλικὰς αὐλὰς ἐπιθυ-
μοῦντες ἰδεῖν ποιοῦσιν. Τί δαὶ ἐκεῖνοι ποιοῦσιν ;
Ζητήσαντες τὸν τὰ κλεῖθρα τῶν θυρῶν ἐγκεχειρισμένον,
ἐκείνῳ προσέρχονται καὶ διαλέγονται καὶ ἱκετεύουσιν,
πολλάκις δὲ καὶ ἀργύριον καταβάλλουσιν, ὥστε δοῦναι
70 αὐτοῖς τὴν χάριν. Προσέλθωμεν οὖν καὶ ἡμεῖς ἑνί τινι τῶν
τὰς πύλας ἐπιτετραμμένων τὰς οὐρανίους, καὶ δια-
λεχθῶμεν, ἱκετεύσωμεν, ἀντ᾽ ἀργυρίου προαίρεσιν ἐπιδει-
ξώμεθα καὶ διάθεσιν εἰλικρινῆ. Κἂν τοῦτον ἐκεῖνος λάβῃ
τὸν μισθόν, τῆς χειρὸς ἡμᾶς λαβόμενος, πανταχοῦ περιη
75 γήσεται, οὐκ αὐτὰ δεικνὺς τὰ βασίλεια, ἀλλ᾽ αὐτὸν
καθήμενον τὸν βασιλέα, τῶν στρατευμάτων παρόντων, καὶ
τῶν ἀρχιστρατήγων παρεστώτων, τῶν μυριάδων τῶν
ἀγγελικῶν, τῶν χιλιάδων τῶν ἀρχαγγελικῶν · πάντα ἡμῖν
ἐπιδείξει μετ᾽ ἀκριβείας, ὡς ἡμῖν ἰδεῖν δυνατόν. Τίς οὖν
80 ἐστιν οὗτος ; τίς ὁ τὸ μέρος τοῦτο ἐμπεπιστευμένος, καθ᾽ ὃ
βουλόμεθα νῦν εἰσελθεῖν ; Ἡσαΐας, ὁ τῶν προφητῶν
μεγαλοφωνότατος. Οὐκοῦν ἀνάγκη τούτῳ διαλεχθῆναι.
Ἀλλ᾽ ἕπεσθε κατεσταλμένῳ ῥυθμῷ βαδίζοντες μετὰ
ἡσυχίας πολλῆς. Μηδεὶς φροντίδας ἔχων βιωτικὰς εἰσίτω,
85 μηδεὶς μετέωρος, μήτε ἐπτοημένος, ἀλλὰ ταῦτα πάντα ἔξω
πρὸ τῶν θυρῶν ἀποθέμενοι, πάντες οὕτως εἰσίωμεν. [Εἰς
βασίλεια γὰρ εἰσερχόμεθα τῶν οὐρανῶν, ἀστραπτόντων
ἐπιβαίνομεν χωρίων.] Πολλῆς τὰ ἔνδον γέμει σιγῆς καὶ
μυστηρίων ἀπορρήτων.

2. Ἀλλὰ προσέχετε μετὰ ἀκριβείας · ἡ γὰρ τῶν Γραφῶν
ἀνάγνωσις τῶν οὐρανῶν ἐστιν ἄνοιξις. «Καὶ ἐγένετο τοῦ
ἐνιαυτοῦ, οὗ ἀπέθανεν Ὀζίας ὁ βασιλεύς, εἶδον τὸν
Κύριον καθήμενον ἐπὶ θρόνου ὑψηλοῦ καὶ ἐπηρμένου[a].»
5 Εἶδες εὐγνώμονος οἰκέτου φιλοφροσύνην ; Εὐθέως ἡμᾶς

109

---

70 ἑνί τινι : ἑνί S τινι U ἕν τινι t ‖ 74 ἡμᾶς : ἡμῶν P
75 δεικνὺς : ἀναδεικνὺς tQ ‖ 86-88 εἰς — χωρίων om. arm. seclusi

voir la cour des rois. Et que font donc ces gens-là ? Ils se
mettent en quête de celui à qui on a remis les clefs des portes,
ils l'abordent, conversent avec lui, le supplient, souvent même
lui versent de l'argent, pour qu'il leur accorde cette faveur.
Abordons, nous aussi, l'un de ceux qui se sont vu confier la
garde des portes célestes, conversons avec lui, supplions-le et,
en guise d'argent, témoignons d'une intention, de dispositions
pures. Quand il aura perçu cette rétribution, il nous prendra
par la main pour nous conduire partout et mettra sous nos
yeux non seulement les appartements royaux, mais le Roi lui-
même siégeant en présence de ses armées, avec debout à ses
côtés ses maréchaux, des myriades d'anges, des milliers d'archanges. Il nous montrera tout en détail, autant que nous pouvons le voir. Quel est donc cet homme ? Quel est celui qui s'est
vu confier cette fonction, qui répond à notre désir d'entrer
maintenant ? Isaïe, le prophète à la voix retentissante. Il nous
faut donc converser avec lui. Eh bien ! suivez-le, en marchant
posément, en toute tranquillité ! Que ne pénètre ici personne
qui ait des pensées mondaines, personne qui soit excité, personne qui soit transporté de passion, mais après avoir déposé
tout cela au dehors, devant les portes, pénétrons tous
ensemble. [C'est dans le palais des cieux que nous pénétrons,
ce sont des lieux fulgurants que nous foulons.] A l'intérieur
tout est grand silence, ineffables mytères.

2. Prêtez bien attention, car la lecture des Écritures ouvre
les cieux. «Et il arriva, en l'année où mourut le roi Ozias, que
je vis le Seigneur assis sur un trône élevé et sublime[a].» As-tu
vu la bienveillance de ce sage serviteur ? Il nous a directement

---

87 βασίλεια : βασιλείαν tUVQ ‖ 88 σιγῆς *cod. :* εἰρήνης *arm.*
2, 1 μετὰ ἀκριβείας *om.* SUjQ ‖ 2 ἐγένετο] + φησί P

2   a. Is. 6, 1

παρὰ τὸν θρόνον εἰσήγαγε τὸν βασιλικόν, οὐ μακρᾶς
πρότερον περιαγαγὼν εἰσόδους, ἀλλ᾽ ὁμοῦ τε τὰς πύλας
ἀνέῳξεν, καὶ καταντικρὺ τὸν βασιλέα καθήμενον ἔδειξεν.
«Καὶ τὰ Σεραφὶμ, φησίν, εἰστήκεισαν κύκλῳ αὐτοῦ · ἓξ
10 πτέρυγες τῷ ἑνὶ καὶ ἓξ πτέρυγες τῷ ἑνί · καὶ ταῖς μὲν δυσὶ
κατεκάλυπτον τὰ πρόσωπα καὶ ταῖς δυσὶ τοὺς πόδας καὶ
ταῖς δυσὶν ἐπέταντο, καὶ ἐκέκραγον ἕτερος πρὸς τὸν
ἕτερον καὶ ἔλεγον · Ἅγιος, ἅγιος, ἅγιος, Κύριος
Σαβαώθᵇ.» Ὄντως ἅγιος, ὅτι τοσούτων καὶ τηλικούτων
15 μυστηρίων κατηξίωσε τὴν ἡμετέραν φύσιν, ὅτι τοιούτων
ἡμᾶς ἐποίησεν ἀπορρήτων κοινωνούς. Φρίκη με καὶ
τρόμος μεταξὺ ἔλαβε τῆς ᾠδῆς ταύτης. Καὶ τί θαυμαστόν,
εἰ ἐμὲ τὸν πήλινον καὶ τὸν ἀπὸ γῆςᶜ, ὅπου γε καὶ αὐτὰς
τὰς ἄνω δυνάμεις διαπαντὸς μεγίστη ἔκπληξις κατέχει;
20 Διὰ τοῦτο γοῦν ἀποστρέφουσι τὰς ὄψεις καὶ τὰς πτέρυγας
ἀντὶ τείχους προβάλλονται, τὰς ἐκεῖθεν ἀκτῖνας μὴ
φέρουσαι. Καίτοι, φησί, συγκατάβασις ἦν τὸ φαινόμενον.
Πῶς οὖν οὐκ ἤνεγκαν; Ἐμοὶ ταῦτα λέγεις; Εἰπὲ τοῖς τὴν
ἀπόρρητον καὶ μακαρίαν πολυπραγμονοῦσι φύσιν, τοῖς τὰ
25 ἀτόλμητα τολμῶσιν. Τὰ Σεραφὶμ οὐδὲ συγκατάβασιν
ἠδυνήθησαν ἰδεῖν, ἄνθρωπος δὲ ἂν τολμῴη εἰπεῖν, μᾶλλον
δὲ ἄνθρωπος εἰς νοῦν λαβέσθαι δύναιτο ἂν ὅτι τὴν φύσιν
τὴν ἀκραιφνῆ δύναται μετ᾽ ἀκριβείας ἰδεῖν καὶ σαφῶς;
Φρῖξον, οὐρανέ, ἔκστηθι, γῆ · μείζονα ταῦτα ἐκείνων τὰ

6 μακρὰς : μικρὰς tV ‖ 9 φησίν *om*. tPQ ‖ 11 κατεκάλυπτον :
ἐκάλυπτον P ‖ τὰ πρόσωπα P : τὸ πρόσωπον *cett*. ‖ 13 καὶ ἔλεγον *om*.
P ‖ 14 ὅτι *om*. tQ ‖ 15 κατηξίωσε : καταξιώσας tQ ‖ ὅτι PV : *om. cett*.
‖ 16 ἐποίησεν PV : *om. cett*. ‖ 19 μεγίστη *om*. t ‖ κατέχει : ἔχει tQ ‖
26 ἠδυνήθησαν *arm. :* ἐτόλμησαν *cod*. ‖ ἂν τολμῴη *arm. :* ἐτόλμησεν
cod. ‖ 27 λαβέσθαι : λαβεῖν SQ ‖ δύναιτο ἂν *arm. :* ἐτόλμησεν *cod*. ‖
28 τὴν ἀκραιφνῆ : τὴν καὶ τοῖς χερουβὶμ ἀθεώρητον P ‖ καὶ σαφῶς
om. P ‖ 29 ταῦτα ἐκείνων : τῶν Ἑλλήνων ταῦτα P

b. Is. 6, 2-3
c. Cf. Job 13, 12

introduits près du trône royal, sans nous y mener d'abord par
de longs couloirs, mais à peine a-t-il ouvert les portes qu'il
nous a montré en face le roi sur son trône. « Et les Séraphins,
est-il dit, se tenaient debout autour de lui. Six ailes étaient à
l'un, six à l'autre : avec deux d'entre elles ils se voilaient la
face, avec deux autres les pieds, avec les deux dernières ils
volaient et ils se criaient l'un à l'autre, ils disaient : Saint,
saint, saint le Seigneur Sabaoth [b]. » Vraiment saint pour avoir
jugé notre nature digne de si nombreux et si grands mystères et
nous avoir fait communier à ces réalités ineffables. Une hor-
reur sacrée, un tremblement me saisit au milieu de ce chant.
Quoi d'étonnant qu'il en soit ainsi pour moi, un être de boue,
né de la terre [c], quand les puissances d'en haut elles-mêmes
sont continuellement saisies du plus grand effroi ? Voilà donc
pourquoi elles détournent leurs regards et placent devant elles
leurs ailes en guise de rempart, faute de pouvoir supporter les
rayons qui émanent de là-bas. Cependant, me dit-on, le spectacle était un acte de condescendance. Comment dans ces
conditions ne l'ont-ils pas supporté ? — Tu me dis cela, à moi !
Dis-le à ceux qui ergotent sur la nature bienheureuse et
ineffable, à ceux qui osent ce que l'on n'ose pas [1]. Les Séraphins n'ont pas même supporté de voir un acte de condescendance et l'homme oserait dire, ou plutôt l'homme pourrait
concevoir la pensée qu'il peut voir avec netteté et clarté cette
nature sans mélange. Frémis, ô ciel, sois dans l'épouvante, ô
terre. Ces audaces-ci sont plus grandes que celles-là. Les

---

1. Jean vise ici les Anoméens, contre qui il a prononcé une première série
d'homélies en 386-387 et une seconde après 397. A.M. Malingrey a publié
dans les *Sources Chrétiennes* (n° 28 bis) cinq homélies *Sur l'incompréhensibilité de Dieu*. Pour Eunome, Dieu est sans doute inconnaissable dans son
essence, οὐσία, mais depuis la révélation du Christ, nous savons que
l'essence divine consiste dans le fait d'être inengendrée. Ce qui n'est plus
mystérieux. Seul Dieu le Père est Dieu, le Fils lui est donc subordonné. Nous
avons affaire, on le voit, à une erreur trinitaire.

30 τολμήματα. Ἃ μὲν γὰρ τότε ἠσέβουν ἐκεῖνοι, καὶ νῦν
ἀσεβοῦσιν οὗτοι. Τὴν γὰρ κτίσιν προσκυνοῦσιν ὁμοίως · ὃ
δὲ ἐπενόησαν οὗτοι νῦν, οὐδεὶς τῶν τότε ἀνθρώπων οὔτε
εἰπεῖν, οὔτε ἀκοῦσαι ἐτόλμησεν. Τί λέγεις; Συγκατάβασις
ἦν τὸ φαινόμενον; Ναί, ἀλλὰ Θεοῦ συγκατάβασις. Εἰ γὰρ
35 ὁ πολλὴν παρρησίαν ἔχων πρὸς τὸν Θεὸν Δανιὴλ ἄγγελον
συγκαταβάντα αὐτῷ ἰδεῖν οὐχ ὑπέμεινεν, ἀλλ' ἔπεσε καὶ
πρηνὴς ἔκειτο, τῶν συνδέσμων τοῦ σώματος αὐτοῦ
λυθέντων[d], τί θαυμαστόν, εἰ τὰ Σεραφὶμ ἐξεπλάγη, οὐκ
ἐνεγκόντα τὴν δόξαν ἐκείνην ἰδεῖν; Οὐ γὰρ τοσοῦτον
40 τοῦ Δανιὴλ πρὸς τὸν ἄγγελον τὸ μέσον, ὅσον τοῦ Θεοῦ
πρὸς τὰς δυνάμεις ἐκείνας. Ἀλλ' ἵνα μὴ καὶ ἡμεῖς ἐπὶ
πλεῖον τοῖς θαύμασι τούτοις ἐνδιατρίβοντες, εἰς θάμβος
ἀγάγωμεν ὑμῶν τὰς ψυχάς, φέρε ἐπὶ τὴν ἀρχὴν τῆς
ἱστορίας ἐπιστρέψωμεν, ἀφελεστέροις ὑμᾶς ψυχαγωγοῦντες
45 διηγήμασιν.

110 «Καὶ ἐγένετο τοῦ ἐνιαυτοῦ, οὗ ἀπέθανεν Ὀζίας ὁ
βασιλεύς[e].» Ἄξιον πρῶτον ἐπιζητῆσαι, τίνος ἕνεκεν τοὺς
χρόνους ἡμῖν ὁ προφήτης ἐπισημαίνεται · οὐ γὰρ ἁπλῶς
οὐδὲ εἰκῇ τοῦτο ποιεῖ. Τὰ γὰρ τῶν προφητῶν στόματα τοῦ
50 Θεοῦ ἐστι στόμα · τὸ δὲ τοιοῦτον στόμα οὐδὲν ἂν εἴποι
παρέργως. Μὴ τοίνυν μηδὲ ἡμεῖς παρέργως ἀκούσωμεν. Εἰ
γὰρ οἱ τὰ μέταλλα ἀνορύττοντες οὐδὲ τὰ μικρὰ ψήγματα
παρατρέχουσιν, ἀλλ' ὅταν χρυσίτιδος ἐπιλάβωνται φλεβός,

---

34 Ναί P : *om. cett.* ‖ 36 συγκαταβάντα : -βαίνοντα tQ ‖ 37 τοῦ
σώματος *arm.* : τῆς ὄψεως *cod.* ‖ 38 λυθέντων P *arm.* : παραλυθέντων
cett. ‖ [παρα]λυθέντων] + ὑπὸ τῆς δόξης ἐκείνης tPV ‖ ἐξεπλάγη :
συγκαλύπτει τὰς ὄψεις P ‖ 39 ἐνεγκόντα : φέροντα P ‖ ἰδεῖν : ὁρᾶν P ‖
43 ἀγάγωμεν : ἐμβάλωμεν P ‖ 44 ἱστορίας] + τὸν λόγον P ‖
ἐπιστρέψωμεν ... ψυχαγωγοῦντες : ἐπιστρέψαντες ... ψυχαγωγήσωμεν
P ‖ ἀφελεστέροις Q *arm.* : ταπεινοτέροις P ἀσφαλεστέροις *cett.* ‖ ὑμᾶς
P *arm.* : αὐτὴν *cett.* ‖ 47 ἐπιζητῆσαι : ζητῆσαι SP ‖ 47-48 τοὺς
χρόνους : τὸν χρόνον SUP ‖ 50 ἐστι *om.* t ‖ 51 ἀκούσωμεν tVQ :
ἀκούωμεν *cett.*

impiétés que ces gens-là[1] commettaient jadis, ceux-ci les com-
mettent encore aujourd'hui : ils adorent également la créature,
mais ce qu'ils ont imaginé aujourd'hui, nul dans le passé n'a
osé le dire, ni l'écouter. Que veux-tu dire ? Le spectacle était un
acte de condescendance. — Oui ! mais un acte de condescendance de la part de Dieu. Si celui qui avait beaucoup d'assurance devant Dieu, Daniel, ne supporta point la vue d'un ange
qui avait agi avec condescendance envers lui, s'il tomba, s'il
gisait étendu, les articulations du corps brisées[d][2], quoi d'étonnant si les Séraphins frappés d'épouvante n'ont pu supporter la
vue de cette gloire : entre Daniel et l'ange, l'écart n'est pas
aussi considérable que celui qui sépare Dieu de ces puissances.
Néanmoins de peur qu'à consacrer plus de temps à ces mer-
veilles nous ne plongions votre âme dans la stupeur, allons,
reprenons l'histoire à son début et concilions-nous vos esprits
par des récits plus simples.

« Et il arriva dans l'année où mourut le roi Ozias[e]. » Il vaut
la peine de rechercher d'abord pourquoi le prophète nous
indique les temps, car ce n'est pas bonnement et simplement
qu'il fait cela. Car la bouche des prophètes est la bouche de
Dieu[3]. Or une telle bouche ne peut rien dire à la légère. N'allons donc pas, nous non plus, écouter à la légère. Si ceux qui
déterrent le minerai ne passent pas rapidement à côté des
petites paillettes, mais quand ils ont atteint une veine d'or en

---

d. Cf. Dan. 10, 8-9
e. Is. 6, 1

1. L'expression « ces gens-là » désigne les Grecs, les païens.
2. Les manuscrits donnent tous : les ligaments des yeux. Ce qui est
étrange. Nous avons adopté le texte de la version arménienne et traduit : les
articulations du corps.
3. Cf. Jér. 1, 9.

τὰς ἴνας ἀκριβῶς περισκοποῦσιν · πόσῳ μᾶλλον ἐπὶ τῶν
55 Γραφῶν τοῦτο ποιεῖν ἡμᾶς χρή; Καίτοι γε ἐπὶ τῶν
μετάλλων σφόδρα δυσθήρατος ἡ τῶν ζητουμένων ἐστὶν
εὕρεσις. Ἐπειδὴ γὰρ καὶ τὰ μέταλλα γῆ καὶ τὸ χρυσίον
οὐδὲν ἕτερόν ἐστιν ἢ γῆ καὶ ἡ κοινωνία τῆς φύσεως τῶν
ζητουμένων κλέπτει τὰς ὄψεις, ἀλλ᾽ ὅμως οὐδὲ οὕτως
60 ἀφίστανται ἐκεῖνοι, ἀλλὰ πᾶσαν ἀκρίβειαν ἐπιδείκνυνται ·
καίτοι γε ὁρῶντες ἴσασιν, τί μὲν ὄντως γῆ, τί δὲ ὄντως
χρυσίον. Ἐπὶ δὲ τῆς Γραφῆς οὐκ ἔστιν οὕτως. Οὐ γὰρ
μετὰ τῆς γῆς ἀναμεμιγμένον πρόκειται τὸ χρυσίον, ἀλλὰ
καθαρὸν χρυσίον ἐστίν, «ἀργύριον πεπυρωμένον, δοκίμιον
τῇ γῇ[f]».
65 Οὐ γάρ ἐστι μέταλλα κατεργασίας δεόμενα αἱ Γραφαί,
ἀλλὰ θησαυρὸν ἕτοιμον παρέχουσι τοῖς ζητοῦσι τὸν
πλοῦτον τὸν ἐξ αὐτῶν. Ἀρκεῖ γὰρ παρακύψαι μόνον καὶ
πάσης ἐμπλησθέντας ὠφελείας ἀπελθεῖν · ἀρκεῖ μόνον
70 ἀνοῖξαι καὶ τῶν λίθων εὐθέως θεωρῆσαι τὰς μαρμαρυγάς.
Ταῦτα δέ μοι οὐχ ἁπλῶς εἴρηται, οὐδὲ εἰκῇ ἐξέτεινα τὸν
λόγον, ἀλλ᾽ ἐπειδή τινές εἰσιν ἄνθρωποι βάναυσοι, οἵ,
ἐπειδὰν τὰς θείας μετὰ χεῖρας λάβωσι βίβλους, εἶτα
ἀριθμὸν χρόνων ἢ κατάλογον εὕρωσι κείμενον ὀνομάτων,
75 εὐθέως παρατρέχουσιν καὶ πρὸς τοὺς ἐγκαλοῦντας
λέγουσιν · ὀνόματα μόνον ἐστὶ καὶ οὐδὲν χρήσιμον ἔχει.
Τί λέγεις; Ὁ Θεὸς φθέγγεται καὶ σὺ τολμᾷς εἰπεῖν ὅτι
οὐδὲν χρήσιμον τῶν εἰρημένων ἐστίν; Εἰ γὰρ ἐπιγραφὴν
μόνον ἴδοις ψιλήν, οὐ στήσῃ μετὰ σπουδῆς, εἰπέ μοι, καὶ
80 τὸν κείμενον ἀνερευνήσεις πλοῦτον; Καὶ τί λέγω χρόνους
καὶ ὀνόματα καὶ ἐπιγραφάς; Μάθε ὅσον ἰσχύει καὶ
στοιχείου προσθήκη ἑνὸς μόνου, καὶ παῦσαι ὁλοκλήρων

---

54 πόσῳ V : πολλῷ cett. ‖ 64 ἐστιν] + τὰ λόγια γὰρ Κυρίου, φησὶν
ὁ Δαυίδ, P ‖ 68 παρακύψαι : ἐμπλησθῆναι tQ ‖ 70 εὐθέως : εὐσεβῶς V
‖ 74 χρόνων : χρόνου SV ‖ εὕρωσι : ὁρῶσι arm. ‖ 79-80 στήσῃ ...
ἀνερευνήσεις : στῆναι ἄξιον ... ἀνερευνῆσαι P

suivent avec soin les filons, combien plus devons-nous, à propos des Écritures, en agir ainsi. Cependant, quand il s'agit du minerai, c'est après une quête pénible et malaisée que l'on découvre celui qu'on cherche. Alors en effet que le minerai est de la terre, l'or rien d'autre que de la terre et que la communauté de nature des objets recherchés trompe les regards, ces gens-là néanmoins ne renoncent pas pour autant et mettent, on le voit, tous leurs soins : ils reconnaissent assurément rien qu'à la vue ce qui est réellement de la terre, ce qui est réellement de l'or. Quand il s'agit de l'Écriture, il n'en va point ainsi. Car l'or ne se présente pas mêlé de terre, c'est un or pur, « un argent passé au feu, éprouvé pour la terre [f1] ».

Les Écritures ne sont pas un minerai qui réclame des fouilles, elles mettent, comme un trésor à la disposition des chercheurs, la richesse qu'elles recèlent. Il suffit seulement en effet de se pencher et on peut s'en aller pleinement réconforté ; il suffit seulement d'ouvrir et de contempler directement [2] le scintillement des pierres précieuses. Je n'ai point dit cela à la légère, ni sans raison prolongé mon discours, mais parce qu'il y a des rustres qui, ont-ils pris en main les livres divins, y trouvent-ils comput ou nomenclature, passent outre aussitôt et disent à qui le leur reproche : ce ne sont que des noms sans aucune utilité. — Que veux-tu dire ? Dieu fait entendre sa voix et tu oses dire qu'il n'y a aucune utilité dans ce qu'il a dit ? A la vue du simple titre d'un ouvrage, ne vas-tu pas t'arrêter plein de zèle, dis-moi, et découvrir la richesse qui s'y trouve ? Et pourquoi parler de comput, de nomenclature, de titres d'ouvrages ? Apprends quelle force possède l'addition d'une seule

f. Ps. 11, 7

1. L'expression est sibylline : « éprouvé pour la terre ». Le texte des LXX est obscur. La bible hébraïque porte « dans la terre sept fois affiné » (trad. Osty).

2. Certains manuscrits, pour εὐθέως, donnent la leçon εὐσεβῶς, pieusement, dont le *Vaticanus gr. 1526* du Xe siècle (c'est une faute d'onciale).

καταφρονῶν ὀνομάτων. Ὁ πατριάρχης ἡμῶν Ἀβραάμ —
ἡμῖν γὰρ μᾶλλον ἢ τοῖς Ἰουδαίοις προσῆκεν οὗτος —
85 Ἀβρὰμ τὸ πρῶτον ἐκαλεῖτο, ὅπερ ἑρμηνευόμενόν ἐστι
περάτης · μετὰ δὲ ταῦτα, Ἀβραὰμ μετονομασθεὶς πατὴρ
ἐγένετο πάντων τῶν ἐθνῶν[g], καὶ ἑνὸς προσθήκη στοιχείου
τοσαύτην τῷ δικαίῳ τὴν ἀρχὴν ἐνεχείρισεν. Καθάπερ γὰρ
οἱ βασιλεῖς τοῖς ἑαυτῶν ὑπάρχοις χρυσᾶς ὀρέγουσι
90 δέλτους, σύμβολον τῆς ἀρχῆς · οὕτω καὶ Θεὸς τότε τῷ
δικαίῳ ἐκείνῳ σύμβολον τῆς τιμῆς δέδωκε τὸ στοιχεῖον.

3. Ἀλλὰ περὶ μὲν ὀνομάτων ἐν ἑτέρῳ καιρῷ διηγή-
σομαι · ὅσον δὲ τῶν χρόνων τὸ κέρδος ἐστὶ γινωσκομένων καὶ ὅσον τὸ βλάβος ἀγνοουμένων, ἀναγκαῖον
εἰπεῖν. Καὶ πρῶτόν γε ἀπὸ τῶν βιωτικῶν ὑμῖν ἐπιδείξομαι
5 πραγμάτων. Αἱ διαθῆκαι καὶ τὰ γραμματεῖα τὰ περὶ γάμων,
τὰ περὶ ὀφλημάτων, τὰ περὶ τῶν ἄλλων συμβολαίων, ἐὰν
μὴ τῆς ὑπατείας τοὺς χρόνους ἄνωθεν ἔχῃ προγεγραμ-
μένους, πάσης ἔρημα τῆς οἰκείας ἐστὶ δυνάμεως. Τοῦτο
γάρ ἐστιν ἐν ἐκείνοις τὸ ἰσχυρόν, τοῦτο τὰς ἀμφισβη-
10 τήσεις ἀναιρεῖ, τοῦτο δικαστηρίων ἀπαλλάττει καὶ τοὺς
ἐχθροὺς φίλους ποιεῖ. Διὰ τοῦτο οἱ ταῦτα γράφοντες
ὥσπερ λύχνον ἐπὶ λυχνίας, οὕτως ἐπὶ τοῦ μετώπου τῶν
111   γραμμάτων προτυποῦσι τὴν ὑπατείαν, ἵνα πάντα τὰ κάτω
φαίνη γεγραμμένα. Κἂν ταῦτα ἀνέλῃς, ἀνεῖλες τὸ φῶς καὶ
15 πάντα σκότους καὶ πολλῆς ἐνέπλησας ταραχῆς. Διὰ τοῦτο

86 μετονομασθεὶς U : ὀνομασθεὶς cett. ‖ 89 ὑπάρχοις SPV : ἐπάρχοις
cett. ‖ χρυσᾶς om. Q
3, 2-3 γινωσκομένων ... ἀγνοουμένων P : γινωσκόμενον ..
ἀγνοούμενον cett. ‖ 4 ὑμῖν arm. : om. S τοῦτο cett. ‖ 12-13 τῶν
γραμμάτων cod. : τῆς διαθήκης arm. ‖ 13-14 πάντα — γεγραμμένα
arm. : πᾶσι τοῖς κάτω φαίνη cod.

g. Cf. Gen. 17, 5

1. On sait qu'à Antioche les controverses avec les Juifs étaient très vives
Jean a prononcé plusieurs discours contre eux. Cf. aussi Rom. 4, 16-17.
2. Un changement de nom marque un changement de destinée. Abram e

lettre, et cesse de mépriser des noms entiers. Notre patriarche Abraham — car il nous appartient plus qu'aux Juifs [1] — s'appelait antérieurement Abram, ce qui s'interprète émigrant. Mais par la suite il prit le nom d'Abraham, et devint le père de toutes les nations [82] : l'addition d'une seule lettre a mis entre les mains du juste un tel pouvoir. De même que les empereurs offrent à leurs préfets [3] des tablettes d'or comme symbole de leur pouvoir, ainsi Dieu a-t-il alors donné à ce juste comme symbole de sa dignité la lettre en question.

3. Mais je traiterai des noms dans une autre circonstance [4]. De l'intérêt considérable que présente la connaissance des temps et du grand préjudice qui résulte de leur ignorance, voilà ce dont il faut parler. Je vous le montrerai en commençant par les affaires temporelles. Les testaments et les contrats de mariage, les reconnaissances de dettes, les documents concernant d'autres conventions sont, faute d'avoir inscrit en tête l'époque du consulat, dépourvus de toute valeur propre. Voilà ce qui en fait la force, supprime les contestations, évite les procès, rend amis les ennemis. Aussi ceux qui rédigent ces actes font-ils figurer — comme on met une lampe sur un lampadaire [5] — le consulat en tête de l'écrit, pour éclairer tout ce qui suit. Si tu supprimes ces mots, tu supprimes la lumière et tu plonges tout dans le trouble et l'obscurité. Voilà pourquoi toute espèce

---

Abraham signifient également : il est de noble lignée, grand par son père. Mais on interprète ici Abraham par «père de multitude», *ab-hamôn :* simple assonance.

3. Sur ces dignitaires impériaux, voir L. ROBERT, *Hellenica*, IV, p. 44-46.

4. Jean a consacré quatre homélies à cette question (*PG* 51, 113-156). On sait que Philon s'est intéressé à ce problème. Voir le *De mutatione nominum*, éd. Arnaldez, in «Les œuvres de Philon» 18, Paris 1964.

5. L'usage, dans les églises, des chandeliers garnis de cierges est emprunté aux cérémonies païennes; il est attesté au IVe siècle (S. ATHANASE, *Lettre aux orthodoxes*, *PG* 25, 229) note L. BRÉHIER dans *La civilisation byzantine*, p. 241. Jean parle des lampadaires de l'église, mais peut-être aussi songe-t-il à la parabole de *Matth.* 5, 14-16.

πᾶσα δόσις καὶ λῆψις, κἂν πρὸς φίλους, κἂν πρὸς
ἐχθρούς, κἂν πρὸς οἰκέτας, κἂν πρὸς ἐπιτρόπους κα
οἰκονόμους γίγνηται, ταύτης δεῖται τῆς ἀσφαλείας, κα
πανταχοῦ καὶ μῆνας καὶ ἐνιαυτοὺς καὶ ἡμέρας κάτωθεν
20 παραγράφομεν. Εἰ οὖν ἐπὶ τῶν βιωτικῶν τοσαύτη τοῖ
πράγματος ἡ ἰσχύς, ἐπὶ τῶν πνευματικῶν πολλῷ μείζων
καὶ χρησιμωτέρα. Τὰς γὰρ προφητείας τοῦτο δείκνυσ
προφητείας. Οὐδὲ γὰρ ἄλλο τί ποτέ ἐστι προφητεία, ἀλλ
ἢ τῶν μελλόντων πραγμάτων προαναφώνησις. Ὁ τοίνυν
25 τοὺς καιροὺς ἀγνοῶν τῶν εἰρημένων ἢ τῶν ἐκβάντων, πῶς
δυνήσεται δεῖξαι τῷ φιλονεικοῦντι τὸ τῆς προφητείας
ἀξίωμα; Ἐντεῦθεν ἡμῖν καὶ ὁ πρὸς Ἕλληνας ἀγῶνες κα
νῖκαι, ὅταν πρεσβύτερα ἀποφαίνωμεν τὰ ἡμέτερα τῶν παρ
ἐκείνοις · ἐντεῦθεν ἡμῖν καὶ πρὸς Ἰουδαίους ἀποδείξεις
30 πολλαὶ περὶ τῆς ἀληθείας εἰσίν · πρὸς Ἰουδαίους τοὺς
ἀθλίους καὶ ταλαιπώρους, οἳ διὰ τὴν τῶν χρόνων ἄγνοιαν
τὸ μέγιστον σφάλμα ἐσφάλησαν. Εἰ γὰρ ἤκουσαν τοῖ
πατριάρχου λέγοντος · «Οὐκ ἐκλείψει ἄρχων ἐξ Ἰούδα
οὐδὲ ἡγούμενος ἐκ τῶν μηρῶν αὐτοῦ, ἕως ἂν ἔλθῃ ᾧ ἀπό
35 κειται[a]» καὶ εἰ παρετήρησαν μετ᾽ ἀκριβείας τοὺς τῆς
παρουσίας καιρούς, οὐκ ἔμελλον, ἐκπεσόντες τοῦ Χριστοῦ
τῷ Ἀντιχρίστῳ περιπίπτειν · καθάπερ οὖν καὶ αὐτὸς
αὐτοῖς ὁ Χριστὸς τοῦτο αἰνιττόμενος εἶπεν, ὅτι « Ἐγὼ
ἦλθον ἐν τῷ ὀνόματι τοῦ Πατρός μου, καὶ οὐκ ἐδέξασθέ
40 με · ἐὰν ἄλλος ἔλθῃ ἐν τῷ ὀνόματι τῷ ἰδίῳ, ἐκεῖνον
λήψεσθε[b].» Εἶδες πόσον παράπτωμα ἀπὸ τῆς τῶν χρόνων
γέγονεν ἀγνοίας; Μὴ τοίνυν ἀμελήσῃς ὠφελείας τοσαύτης,
Καθάπερ γὰρ ὅροι καὶ στῆλαι ἐν τοῖς ἀγροῖς τὰς μοίρας

17-18 καὶ οἰκονόμους om. SU ‖ 20 παραγράφομεν : γράφομεν Q
25 εἰρημένων arm.] + πραγμάτων cod. ‖ 29 Ἰουδαίους] + τοὺ
ἀθλίους SUj ‖ 29-30 ἀποδείξεις — Ἰουδαίους om. t ‖ 30 πολλαὶ om.
‖ 37 Ἀντιχρίστῳ : Νέρωνι arm. ‖ 38 αἰνιττόμενος P arm. : om. cett.
εἶπεν : προεῖπεν tQ ‖ 43 μοίρας arm. : ἀρούρας cod.

de transactions, qu'elles concernent des amis ou des ennemis, des serviteurs ou des gestionnaires, ou des intendants, a besoin de cette garantie, et partout nous ajoutons en dessous[1] les mois et les jours. Si telle est pour les affaires temporelles la valeur de la date, elle est pour les affaires spirituelles beaucoup plus considérable encore et plus utile. Cela signale les prophéties comme prophéties, car la prophétie n'est rien d'autre en somme que la prédiction d'événements futurs. Celui donc qui ignore le temps où les événements sont prédits ou celui où ils arrivent, comment pourra-t-il démontrer au contestataire la valeur de la prophétie? De là avec les Grecs nos débats et nos succès, quand nous leur montrons que nos traditions sont plus anciennes que les leurs; de là aussi avec les Juifs nos multiples démonstrations de la vérité, avec les Juifs ces malheureux et infortunés que l'ignorance des temps a jetés dans la plus grande aberration. Car s'ils avaient écouté le patriarche quand il disait : «Un prince ne manquera point à Juda, ni un chef sorti de ses cuisses jusqu'à l'arrivée de celui à qui est réservé (le sceptre)[a][2]», s'ils avaient observé avec soin l'époque de sa venue, ils ne se seraient pas détachés du Christ pour embrasser le parti de l'Antéchrist, comme le Christ lui-même le leur avait dit de façon allusive : «Je suis venu au nom de mon Père, et vous ne m'avez pas reçu; qu'un autre vienne en son nom propre et vous le recevrez[b].» Tu as vu quelle grande chute a été provoquée par l'ignorance des temps! Ne néglige donc pas un si grand avantage. Comme les limites et les bornes dans les champs ne permettent pas l'enchevêtrement des domaines, la

3   a.   Gen. 49, 10
      b.   Jn 5, 43

1. En dessous, i.e. de l'indication de l'année par le nom du consul. Les papyrus concernant les transactions commerciales font figurer la date en tête du document, très rarement au bas du texte, mais toujours d'un seul tenant.

2. L'oracle du patriarche Jacob se rapporte à David, mais à David comme type du Messie.

οὐκ ἐῶσι συγχεῖσθαι, οὕτως οἱ χρόνοι καὶ οἱ καιροὶ τὰ
45 πράγματα οὐκ ἐῶσιν ἀλλήλοις συμπίπτειν, ἀλλὰ
διείργοντες ἀπ᾽ ἀλλήλων αὐτὰ καὶ κατὰ τὴν προσήκουσαν
ἔκαστα διατιθέντες τάξιν, πολλῆς ἀπαλλάττουσιν ἡμᾶς
ταραχῆς. Ἄξιον τοίνυν εἰπεῖν πρὸς ὑμᾶς τίς ἦν οὗτος ὁ
Ὀζίας καὶ πότε ἐβασίλευσεν καὶ τίνων ἐβασίλευσεν καὶ
50 πόσος αὐτῷ γέγονεν ὁ τῆς ἀρχῆς χρόνος καὶ πῶς τὸν
βίον κατέλυσεν· μᾶλλον δὲ ἄξιον σιγῆσαι λοιπόν.
Ἀνάγκη γὰρ εἰς ἄπειρον πέλαγος ἱστοριῶν ἀφιέναι τὸν
λόγον. Τοὺς δὲ τοιοῦτον μέλλοντας πορεύεσθαι πέλαγος,
οὐ κεκμηκότων τῶν πλωτήρων, ἀλλ᾽ ἀκμαζόντων,
55 ἅπτεσθαι χρὴ τῆς ὁδοῦ. Διὰ τοῦτο καὶ λιμένες καὶ νῆσοι
πανταχοῦ τῆς θαλάσσης εἰσὶ πεφυτευμέναι, ἵνα καὶ
κυβερνήτης καὶ ναύτης διαναπαύηται, ὁ μὲν τὴν κώπην
ἀποτιθέμενος, ὁ δὲ τῶν οἰάκων ἐξανιστάμενος· διὰ τοῦτο
καὶ πανδοχεῖα καὶ καταγώγια πανταχοῦ τῶν ὁδῶν ἐπι-
60 νενόηται, ἵνα καὶ ὑποζύγια καὶ ὁδοιπόροι τῶν πόνων
λήγωσιν. Διὰ τοῦτο καὶ τῷ λόγῳ τῆς διδασκαλίας καιρὸς
σιωπῆς ὥρισται, ἵνα μήτε ἑαυτοὺς κατατρίβωμεν τῷ πλήθει
τῶν λεγομένων, μήτε ὑμᾶς ἀποκναίωμεν. Καὶ τούτους οἶδε
τοὺς καιροὺς καὶ Σολομῶν, οὕτω λέγων· «Καιρὸς τοῦ
65 σιγῆσαι καὶ καιρὸς τοῦ λαλῆσαι[c].»
Γενέσθω οὖν ἡμῖν καιρὸς τοῦ σιγῆσαι, ἵνα γένηται
καιρὸς τῷ διδασκάλῳ τοῦ λαλῆσαι. Τὰ μὲν γὰρ ἡμέτερα
112 ἔοικεν οἴνῳ προσφάτως τῶν ὑποληνίων ἐξαντληθέντι, τὰ
δὲ τούτου προσέοικεν οἴνῳ πεπαλαιωμένῳ καὶ γεγηρακότι,
70 πολλὴν παρέχοντι καὶ τὴν ὠφέλειαν καὶ τὴν ἰσχὺν τοῖς
δεχομένοις· καὶ τὸ τοῦ εὐαγγελίου ἐκεῖνο γέγονε
σήμερον· μετὰ τὸν ἐλάττονα γὰρ οἶνον ὁ βελτίων
εἰσκομίζεται[d]. Καὶ καθάπερ ἐκεῖνον οὐκ ἄμπελος ἔτεκε
τότε, ἀλλ᾽ ἡ δύναμις ἐποίησε τοῦ Χριστοῦ, οὕτω καὶ

49 καὶ τίνων ἐβασίλευσεν om. Q ‖ 60 ὑποζύγια καὶ ὁδοιπόροι cod. :
φορεῖς καὶ πάντα ζῷα πορευόμενα arm. ‖ 63 ἀποκναίωμεν :

mention des temps et des circonstances ne permet pas de faire coïncider les événements, mais les sépare les uns des autres, les répartit chacun selon l'ordre convenable et nous préserve d'une grande confusion. Il vaut donc la peine de vous dire qui fut cet Ozias, quand il fut roi, de qui il fut roi, quelle fut la durée de son règne, comment il termina sa vie, ou plutôt il importe désormais de se taire, car il serait nécessaire de lancer notre discours sur l'océan infini de l'histoire. Or ceux qui ont à voyager sur cet océan doivent se mettre en route avec des rameurs qui ne soient pas fatigués mais en pleine force. Voilà pourquoi rades et îles ont été partout disposées sur la mer, afin que pilote et matelot se reposent, l'un en déposant la rame et l'autre en quittant les gouvernails. Voilà pourquoi hôtelleries et relais ont été partout imaginés sur les routes, afin qu'attelages et voyageurs mettent un terme à leurs fatigues. Voilà pourquoi la parole doctrinale est entrecoupée par un temps de silence, afin de ne pas nous épuiser nous-mêmes par l'abondance des propos ni non plus vous hérisser. Ces temps favorables, Salomon les connaît, puisqu'il parle ainsi : « Il y a un temps pour se taire et un temps pour parler[c]. »

Prenons donc un temps pour nous taire, afin que le Maître ait un temps pour parler. Nos paroles ressemblent au moût que l'on vient de puiser à la cuve[1] ; et les siennes semblables à un vin vieux et vénérable qui aide et réconforte ceux qui le prennent. La parole de l'Évangile se réalise aujourd'hui, car après le vin médiocre, on sert le bon vin[d]. Tout comme ce vin n'avait pas été produit par une vigne : c'était la puissance du

---

ἀποτείνωμεν S ‖· 70 παρέχοντι : παρέχοντα S ‖ 71 δεχομένοις arm. : δεομένοις cod. ‖ 73 εἰσκομίζεται : κομίζεται t

c.   Eccl. 3, 7
d.   Cf. Jn 2, 10

1. La cuve est celle qui est sous le pressoir.

75 τούτου τὸν λόγον οὐκ ἀνθρωπίνη προχέει διάνοια, ἀλλ' ἡ
τοῦ Πνεύματος χάρις. Ἐπὶ οὖν δαψιλῆ καὶ πνευματικὰ τὰ
νάματα, μετὰ σπουδῆς ὑποδεξώμεθα, μετ' ἀσφαλείας τηρή-
σωμεν, ἵνα τούτοις ἀρδόμενοι διηνεκῶς, ὥριμον φέρωμεν
τὸν καρπὸν τῷ ταῦτα χαρισαμένῳ Θεῷ · μεθ' οὗ δόξα τῷ
80 Πατρὶ σὺν τῷ ἁγίῳ Πνεύματι εἰς τοὺς αἰῶνας. Ἀμήν.

75 προχέει : τίκτει *arm.* ‖ 79 μεθ'οὗ δόξα *arm.* : ᾧ [ᾧ πρέπει P]
δόξα τιμὴ καὶ κράτος [τιμὴ καὶ κράτος *om.* t] *cod.* ‖ 79-80 τῷ Πατρὶ
σὺν τῷ ἁγίῳ Πνεύματι *arm.* : τῷ Πατρὶ καὶ τῷ υἱῷ καὶ τῷ ἁγίῳ
Πνεύματι Q *om.* t ἅμα τῷ Κυρίῳ ἡμῶν Ἰησοῦ Χριστῷ σὺν τῷ ἁγίῳ
Πνεύματι *cett.* ‖ 80 εἰς τοὺς αἰῶνας t *arm.* : νῦν καὶ ἀεὶ καὶ εἰς τοὺς
αἰῶνας τῶν αἰώνων *cett.*

Christ qui l'avait créé, ainsi en est-il de sa parole que nous épanche non une intelligence humaine mais la grâce de l'Esprit. Puisque c'est un flot spirituel abondant, recueillons-le avec zèle, gardons-le avec soin, afin d'en être continuellement abreuvés et de produire en leur saison les fruits pour Dieu qui nous a fait cette grâce, lui à qui va la gloire, ainsi qu'au Père avec le Saint-Esprit, pour les siècles. Amen.

Γ'

Εἰς τὴν ῥῆσιν τῶν Παραλειπομένων τὴν λέγουσαν·
« Ὑψώθη ἡ καρδία Ὀζίου[a]», καὶ περὶ ταπεινοφροσύ-
νης, καὶ ὅτι χρὴ μὴ θαρρεῖν τὸν ἐνάρετον, καὶ ὅσον
κακὸν ἡ ἀπόνοια.

1. Εὐλογητὸς ὁ Θεός, καὶ ἐπὶ τῆς γενεᾶς τῆς ἡμετέρας
ἐβλάστησαν μάρτυρες, κατηξιώθημεν καὶ ἡμεῖς ἀνθρώπους ἰδεῖν ὑπὲρ Χριστοῦ σφαττομένους, αἷμα στάζοντας
ἅγιον, τὴν Ἐκκλησίαν ἅπασαν ἄρδον, αἷμα στάζοντας,
5 δαίμοσι μὲν φοβερόν, ἀγγέλοις δὲ ποθεινόν, ἡμῖν δὲ
σωτήριον. Κατηξιώθημεν ἰδεῖν ἀνθρώπους ὑπὲρ εὐσεβείας
παλαίοντας, στεφανουμένους. Οὐκ ἰδεῖν δὲ κατηξιώθημεν
μόνον, ἀλλὰ καὶ αὐτὰ τὰ σώματα τῶν ἀθλητῶν δέξασθαι,
καὶ παρ' ἑαυτοῖς τοὺς στεφανίτας ἔχομεν νῦν. Ἀλλὰ τὸν
10 μὲν περὶ τῶν μαρτύρων λόγον ἀφήσωμεν νῦν τῷ τῶν
μαρτύρων ζηλωτῇ, τῷ κοινῷ διδασκάλῳ· αὐτοὶ δὲ τὰ κατὰ

Testes tSUjrV(W)B *arm.*

Titulus 1 Εἰς τὴν ῥῆσιν r *arm.:* εἰς τὴν πρώτην SUjVB εἰς τὰ
ὑπόλοιπα τοῦ Ὀζίου t ‖ 1-3 τῶν — ὅτι *om.* t ‖ 3 χρὴ μὴ SB *arm.:*
om. t οὐ χρὴ *cett.* ‖ θαρρεῖν τὸν ἐνάρετον: ῥᾳθυμεῖν ἐν ἀρετῇ
arm. om. t ‖ 3-4 καὶ — ἀπόνοια *om.* t.

1, 1 καὶ: ὅτι καὶ Sr ‖ 3 σφαττομένους] + ἀνθρώπους SV ‖
4 ἅπασαν: πᾶσαν r *om.* B ‖ ἄρδον tB: ἄρδευον *cett.* ‖
7 παλαίοντας: πολεμοῦντας SUjB ‖ στεφανουμένους: ἐστεφ- UB ‖
8 αὐτὰ: αὐτῶν *arm.* ‖ τῶν ἀθλητῶν τὰ σώματα ~ t ‖ 10 ἀφήσωμεν
tSB: ἀφήσομεν *cett.*

Tit. a. II Chr. 26, 16

HOMÉLIE III

Sur le passage des Paralipomènes qui dit : « Le cœur d'Ozias s'exalta[a] » ; sur l'humilité, sur le devoir de l'homme vertueux de ne pas présumer de soi, sur le grand mal qu'est la présomption.

1. Dieu soit béni ! A notre époque aussi ont germé des martyrs[1] ; nous avons eu l'honneur de voir nous aussi des hommes être égorgés pour le Christ, dégoutter d'un sang sacré qui arrosait l'Église tout entière, dégoutter d'un sang terrible aux démons mais envié par les anges[2] et sauveur pour nous ; nous avons eu l'honneur de voir des hommes combattre à la lutte pour la piété, vaincre, être couronnés[3] ; et ce n'est pas de les voir seulement que nous avons eu l'honneur, mais encore de recevoir les corps mêmes de ces athlètes : nous possédons aujourd'hui chez nous les vainqueurs couronnés. Le discours sur les martyrs, laissons-le cependant à l'émule des martyrs, notre Maître à tous, et pour notre part c'est de l'histoire

---

1. Il s'agit de la persécution de Dioclétien, qui fut particulièrement sanglante en Orient et se prolongea avec quelques périodes de rémission jusqu'au printemps de 313. Les martyrs furent égorgés, σφαττομένους, ou passés par les verges, αἶμα στάζοντας, mais tous versèrent leur sang.

2. Les anges, êtres incorporels, ne peuvent verser leur sang comme les martyrs.

3. Cf. J.A. SAWHILL, *The use of athletic metaphors in the biblical homelies of St John Chrysostom*, Diss., Princeton 1928 ; Henry HARZIG, *Les thèmes de la lutte sportive chez les Pères de l'Église*, 1967, Mémoire D.E.S., Lille.

τὸν Ὀζίαν πρὸς ὑμᾶς ἐροῦμεν νῦν, παλαιὸν κατα-
βάλλοντες χρέος καὶ χρονίους ὠδῖνας ἀκροάσεως λύοντες.
Ὠδίνει γὰρ ἕκαστος ὑμῶν, εὖ οἶδ' ὅτι, τῆς ἱστορίας
15 ἀκοῦσαι ἐκείνης · καὶ τὴν ὠδῖνα ταύτην ἡμεῖς
παρετείναμεν, οὐχὶ τὴν ὀδύνην ὑμῖν ἐπιτεῖναι βουλόμενοι,
ἀλλὰ τὴν ἐπιθυμίαν αὐξῆσαι σπουδάζοντες, ὥστε ἡδίστην
ὑμῖν φανῆναι τὴν ἡμετέραν ἑστίασιν. Οἱ μὲν γὰρ εὔποροι
τῶν ἑστιατόρων, ἐὰν ἐμπεπλησμένους λάβωσι τοὺς
20 δαιτυμόνας, δύναιντ' ἂν τῇ πολυτελείᾳ τῶν παρα-
σκευασθέντων διεγεῖραι τὴν ἐπιθυμίαν αὐτοῖς · τὴν δὲ τῶν
πενήτων τράπεζαν οὐδὲν οὕτω ποιεῖ φαίνεσθαι λαμπράν,
ὡς τὸ πεινῶντας ἀπαντῆσαι τοὺς μέλλοντας μετέχειν
αὐτῆς.
25 Τίς οὖν ἐστιν Ὀζίας καὶ τίνων ἀπόγονος καὶ τίνων
βασιλεὺς καὶ πόσον ἐβασίλευσε χρόνον καὶ τί μὲν
κατώρθωσεν, τί δὲ διήμαρτεν, πῶς δὲ τὸν βίον κατέλυσεν;
Ἅπαντα ταῦτα πρὸς ὑμᾶς ἐροῦμεν νῦν, μᾶλλον δὲ ὅσα
δυνατὸν εἰπεῖν, ὥστε μὴ τῷ πλήθει καταχῶσαι τὴν μνήμην
30 ὑμῶν · ὃ γίνεται καὶ ἐπὶ τοῦ λυχνιαίου πυρός. Ἂν μὲν
γὰρ ἐκεῖ κατὰ πικρὸν ἐπιστάξῃς τῇ θρυαλλίδι τὸ ἔλαιον,
ἱκανὴν ἔδωκας τῷ πυρὶ τὴν τροφήν · ἂν δὲ ἀθρόον
καταχέῃς, καὶ τὴν οὖσαν φλόγα κατέσβεσας.

Οὗτος τοίνυν ὁ Ὀζίας[a] ἀπόγονος μὲν ἦν τοῦ Δαυίδ,
35 βασιλεὺς δὲ τῶν Ἰουδαίων · ἐβασίλευσε δὲ δύο καὶ
113 πεντήκοντα ἔτη · καὶ τὰ πρῶτα εὐδόκιμος ὤν, ὕστερον εἰς
ἁμαρτίαν κατέπεσεν. Μείζονα γὰρ τῆς οἰκείας φρονήσας
ἀξίας, ἐπεπήδησε τῇ τῆς ἱερωσύνης ἀρχῇ. Τοσοῦτόν ἐστιν
ἀπόνοια κακόν · καὶ γὰρ ἑαυτόν τινα ἕκαστον ἀγνοεῖν
40 ἀναπείθει καὶ μετὰ πολλοὺς πόνους ἅπαντα κενοῖ τῆς

16 οὐχὶ trV : οὐ cett. ‖ 17 αὐξῆσαι σπουδ- om. S ‖ 18 ἡμετέραν :
ὑμετέραν tS παρ' ἡμῶν r παρ' ὑμῶν V ‖ 21 ἐπιθυμίαν αὐτοῖς :
ὄρεξιν rV ‖ 22 φαίνεσθαι om. S ‖ 23-24 ὡς — αὐτῆς om. S ‖
30 πυρὸς : φωτὸς trV ‖ 36 εὐδόκιμος ὢν tB : εὐδοκιμήσας cett. ‖ εἰς
SUV : πρὸς cett.

d'Ozias que nous vous parlerons aujourd'hui, nous acquittant ainsi d'une vieille dette et satisfaisant votre ancien et brûlant désir d'écouter. Chacun de vous en effet, je le sais, brûle d'écouter cette histoire, et si nous avons fait durer ce brûlant désir, ce ne fut pas pour prolonger votre souffrance, mais par souci d'accroître votre désir, pour que vous parût très agréable le festin que nous vous offrons. Si de riches hôtes traitaient des convives [1] déjà rassasiés, ils pourraient par le luxe des préparatifs réveiller leur appétit, mais la table des pauvres rien ne peut la rendre splendide comme l'arrivée d'affamés en la personne de ceux qui doivent s'y asseoir.

Qui donc est cet Ozias, et de qui est-il le descendant, de qui est-il le roi et combien de temps régna-t-il, quels furent ses traits de vertu et quelles furent ses fautes, comment termina-t-il sa vie ? Tout cela nous vous le dirons maintenant, ou plutôt tout ce qu'on peut en dire sans accabler de notre prolixité votre mémoire. C'est ce qui arrive pour le feu de la lampe. A verser goutte à goutte, un peu à la fois, l'huile sur la mèche, on donne au feu un aliment suffisant ; mais à la verser tout d'un coup, on éteint même la flamme existante.

Cet Ozias [a] était un descendant de David et il était roi des Juifs. Il régna cinquante-deux ans, en jouissant d'abord d'une bonne renommée pour tomber ensuite dans le péché. Il avait conçu une trop haute opinion de sa dignité personnelle et il empiéta sur les fonctions sacerdotales. La présomption est un bien grand mal. Elle engage chacun à se méconnaître soi-même et vide, quand on s'est beaucoup dépensé, tout le trésor

---

1   a. Cf. II Chr. 26

1. Ce passage, digne de la rhétorique, abonde en termes poétiques. Notamment δαιτύμων déjà raillé par Straton, comique alexandrin (ATHÉNÉE, *Deipnos*, IX, 382 C). On retrouve cette image dans une homélie sur *II Tim.* 3, 1 (*PG* 56, 271). L'expression λόγων ἑστίατις est platonicienne, *Tim.* 27 B.

ἀρετῆς τὸν θησαυρόν. Καὶ τὰ μὲν ἄλλα κακὰ
ῥᾳθυμούντων ἡμῶν περιγίνεσθαι πέφυκεν, αὕτη δὲ
κατορθοῦσιν ἡμῖν ἐπιφύεται. Οὐδὲν γὰρ οὕτως ἀπόνοιαν
τίκτειν εἴωθεν, ὡς συνειδὸς ἀγαθόν, ἐὰν μὴ προσέχωμεν.
45 Διὰ τοῦτο καὶ ὁ Χριστὸς εἰδὼς ὅτι μετὰ τὰ κατορθώματα
ἐπεισέρχεται τοῦτο τὸ πάθος ἡμῖν τοῖς μαθηταῖς ἔλεγεν ·
«Ὅταν πάντα ποιήσητε, λέγετε ὅτι ἀχρεῖοι δοῦλοί
ἐσμεν[b].» Ὅταν γὰρ ἐπεισιέναι μέλλη τὸ θηρίον ὑμῖν, τότε
διὰ τῶν ῥημάτων τούτων, φησίν, ἀποκλείετε τὰς θύρας
50 αὐτῷ. Καὶ οὐκ εἶπεν · Ὅταν πάντα ποιήσητε, ἀχρεῖοί ἐστε,
ἀλλ' · «Ὑμεῖς λέγετε ὅτι ἀχρεῖοί ἐσμεν[b].» Εἰπέ, μὴ
φοβηθῇς, οὐ γὰρ ἀπὸ τῆς κρίσεως τῆς σῆς φέρω τὴν
ψῆφον ἐγώ. Ἄν γὰρ σὺ σαυτὸν εἴπῃς ἀχρεῖον, ἐγώ σε ὡς
χρήσιμον στεφανῶ. Οὕτω καὶ ἀλλαχοῦ φησιν · «Λέγε σὺ
55 τὰς ἀνομίας σου πρῶτος, ἵνα δικαιωθῇς[c].» Ἐπὶ μὲν γὰρ
τῶν ἔξωθεν δικαστηρίων μετὰ τὴν κατηγορίαν τοῦ
ἁμαρτάνοντος θάνατος · ἐπὶ δὲ τοῦ θείου δικαστηρίου μετὰ
τὴν κατηγορίαν τῶν ἁμαρτημάτων στέφανος. Διὸ καὶ ὁ
Σολομῶν ἔλεγε · «Μὴ δικαίου σεαυτὸν ἐνώπιον Κυρίου[d].»
60 Ἀλλ' οὐδενὸς τούτων ἤκουσεν ὁ Ὀζίας, ἀλλ'
ἐπεισῆλθεν εἰς τὸν ναὸν καὶ θυμιᾶν ἐβούλετο καὶ τοῦ
ἱερέως κωλύοντος οὐκ ἠνείχετο. Τί οὖν ὁ Θεός;
Ἐπαφῆκεν αὐτῷ λέπραν κατὰ τοῦ μετώπου, τὴν
ἀναίσχυντον κολάζων ὄψιν καὶ παιδεύων αὐτὸν ὅτι θεῖόν
65 ἐστι τὸ δικαστήριον καὶ οὐ πρὸς ἀνθρώπους ὁ πόλεμος
ἦν. Καὶ τὰ μὲν κατὰ τὸν Ὀζίαν ταῦτα. Φέρε δὴ οὖν
ἄνωθεν τὴν ἱστορίαν αὐτὴν ἐπέλθωμεν. Διὰ γὰρ τοῦτο καὶ
αὐτὸς προλαβὼν ἐν βραχεῖ διηγησάμην ὑμῖν τὰ συμβεβη-

---

42 περιγίνεσθαι : παρα- r ‖ 48 μέλλη ἐπεισιέναι ~ SUjB ‖ 52 οὐ γὰρ
rV arm. : οὐκ cett. ‖ 55 πρῶτος τὰς ἀνομίας σου ~ SUjrV ‖
56 κατηγορίαν] + καὶ ὁμολογίαν SUjB ‖ 56-57 τοῦ ἁμαρτάνοντος
arm. : τῶν ἁμαρτμάτων cod. ‖ 58 τῶν ἁμαρτημάτων om. B ‖ 61 εἰς
τὸν ναὸν : τῷ ναῷ trV   ἐν τῷ ναῷ B ‖ 65 ἀνθρώπους] + αὐτῷ SjrB ‖
66 ἦν] + αὐτῷ t ‖ οὖν : καὶ tB ‖ 67 ἐπέλθωμεν : ἀκούσωμεν arm.

de la vertu. Les autres vices surviennent naturellement quand nous nous relâchons, mais ce vice se greffe sur nos bonnes actions. Il n'est rien en effet qui produise d'ordinaire la présomption, si nous n'y prenons garde, comme une bonne conscience. Voilà pourquoi le Christ, sachant que les bonnes actions ouvrent la voie à ce sentiment, disait à ses disciples : Quand vous aurez tout fait, dites : nous sommes des serviteurs inutiles[b].» En d'autres termes : Quand le fauve va pénétrer chez vous, alors, par ces paroles, fermez-lui votre porte. Il n'a pas dit : quand vous aurez tout fait, vous êtes des inutiles ; mais bien : «Dites vous-mêmes : nous sommes des inutiles[b].» Dis-le, sans crainte, je ne porte pas mon verdict d'après ton jugement. Si tu te déclares toi, inutile, alors moi je te couronne, comme utile. Il est dit ailleurs dans le même sens : «Avoue toi-même, le premier, tes désobéissances à la Loi, pour être justifié[c][1].» Devant les tribunaux païens, en effet, après l'accusation du coupable, vient la mort, mais devant le tribunal divin, après l'accusation des fautes, vient la couronne. Voilà pourquoi Salomon disait : «Ne te justifie pas toi-même devant le Seigneur[d].»

Ozias n'écouta rien de tout cela, mais il pénétra en intrus dans le Temple ; il voulait y brûler de l'encens et s'insurgea contre le prêtre qui le lui défendait. Que fit alors Dieu ? Il le marqua de la lèpre au front, châtiant ainsi son regard effronté et lui apprenant que le tribunal était celui de Dieu et que la guerre n'était pas menée contre les hommes. Tels sont les faits en ce qui concerne Ozias. Or donc reprenons l'histoire elle-même de plus haut encore. La raison pour laquelle j'ai anticipé et vous ai sommairement raconté tous les événements, c'était

---

b. Lc 17, 10
c. Is. 43, 26
d. Sir. 7, 5

1. Cf. DOROTHÉE, *Doctrinae Diversae,* 13, 2-3 (*PG* 88, 1699).

κότα πάντα, ἵν᾽ ὅταν ἀκούητε τῆς Γραφῆς ταῦτα ἀπαγγελ-
70 λούσης, παρακολουθῆτε μετὰ ἀκριβείας αὐτοῖς. Ἀλλὰ
προσέχετε. «Καὶ ἐποίησε, φησίν, Ὀζίας τὸ εὐθὲς ἐνώπιον
Κυρίου[e].» Μεγάλην αὐτῷ διὰ τούτων ἐμαρτύρησεν
ἀρετήν. Οὐ γὰρ τὸ εὐθὲς ἐποίει μόνον, ἀλλὰ καὶ ἐνώπιον
τοῦ Θεοῦ, οὐ πρὸς ἐπίδειξιν ἀνθρώπων, καθάπερ ἐκεῖνοι οἱ
75 παρὰ τοῖς Ἰουδαίοις πρὸ τῆς ἐλεημοσύνης σαλπίζοντες, οἱ
ἐν ταῖς νηστείαις τὰ πρόσωπα ἀφανίζοντες, οἱ τὰς εὐχὰς
ἐν ταῖς ἀμφόδοις ποιούμενοι[f]. ὧν τί γένοιτ᾽ ἂν
ἀθλιώτερον, ὅταν τοὺς μὲν πόνους ὑπομένωσιν, τῆς δὲ
ἀμοιβῆς ἀποστερῶνται πάσης;

2. Τί ποιεῖς, ἄνθρωπε; ἑτέρῳ μέλλεις εὐθύνας διδόναι
τῶν πεπραγμένων καὶ ἕτερον μάρτυρα καλεῖς τῶν
γινομένων; ἕτερον ἔχεις δικαστὴν καὶ ἕτερον καθίζεις
θεατήν; Οὐχ ὁρᾷς τοὺς ἡνιόχους, οἳ τῆς πόλεως ἁπάσης
5 ἄνω καθημένης ἐν ταῖς τῶν ἵππων ἁμίλλαις, ἅπαν τοῦ
σταδίου παρατρέχοντες τὸ μέρος, ἐκεῖ φιλονεικοῦσι τὰ τῶν
ἀντιτέχνων ἅρματα καταστρέφειν, ἔνθα ἂν ἴδωσιν τὸν
βασιλέα καθήμενον, καὶ τοσούτων ὄψεων ἕνα νομίζουσιν
ἀξιοπιστότερον ὀφθαλμόν; Σὺ δὲ τὸν τῶν ἀγγέλων αὐτὸν
10 βασιλέα τοῖς σοῖς δρόμοις ἀγωνοθετοῦντα ὁρῶν, ἐκεῖνον
ἀφεὶς ἐπὶ τὰς τῶν ὁμοδούλων καταφεύγεις ὄψεις; Διά τοι
τοῦτο μετὰ τὰς μυρίας πάλας ἀστεφάνωτος ἀναχωρεῖς,
μετὰ τοὺς πολλοὺς ἱδρῶτας χωρὶς βραβείων ἀπέρχῃ πρὸς
τὸν ἀγωνοθέτην. Ἀλλ᾽ οὐκ Ὀζίας τοιοῦτος ἦν, ἀλλ᾽
15 ἐνώπιον Κυρίου τὸ εὐθὲς ἐποίει. Πῶς οὖν οὕτω μετὰ
ἀκριβείας πολιτευόμενος ὑπεσκελίσθη καὶ κατέπεσεν;
Τοῦτο γὰρ κἀγὼ θαυμάζω καὶ διαπορῶ, μᾶλλον δὲ οὐκ ἂν

114

---

69 ἀκούητε : ἀκούσητε tS ‖ 72 αὐτῷ : αὐτοῦ U ‖ 74 τοῦ Θεοῦ trV
arm. : Κυρίου cett. ‖ 79 πάσης : ἁπάσης UB.
2, 1 διδόναι : ἀποδιδόναι S ‖ 6 παρατρέχοντες : περι- t
7 ἀντιτέχνων : ἀντιπάλων B ‖ 9 δὲ] + αὐτὸν SU ‖ αὐτὸν : αὐτῶν jB
17 θαυμάζω καὶ : θαυμάζων Sj

pour qu'en écoutant l'Écriture qui les rapporte vous me suiviez avec soin. Soyez donc attentifs! «Ozias, est-il dit, fit devant le Seigneur ce qui était droit[e].» Sa grande vertu est ainsi attestée. Non seulement il faisait ce qui était droit, mais encore il le faisait devant Dieu, sans ostentation, comme ceux qui chez les Juifs sonnaient de la trompette avant de donner l'aumône, exténuaient leur visage dans les jeûnes, faisaient leurs dévotions aux carrefours[f]. Que peut-il y avoir de plus malheureux que ces gens-là, qui, tout en supportant ces fatigues, se privent de toute récompense?

2. Homme, que fais-tu là? Tu dois rendre compte de tes actions à l'un et tu cites l'autre comme témoin de ce qui se passe! Tu as l'un pour juge et tu installes l'autre comme spectateur! Alors tu ne vois pas les cochers qui, devant toute la ville assise sur les gradins supérieurs, lors des courses de chars, parcourent côte à côte toute une partie du stade, mais rivalisent pour culbuter les chars de leurs concurrents[1] là où ils voient siéger l'empereur, et qui pensent que l'on peut se fier plus à l'œil d'un seul qu'à de si nombreux regards! Mais toi qui vois le roi des anges en personne être l'arbitre de ta course, tu le quittes pour chercher refuge sous les regards de tes compagnons d'esclavage[2]? Voilà bien pourquoi, après des luttes sans nombre, tu te retires sans avoir été couronné, après beaucoup de sueurs tu t'en vas sans récompense vers l'arbitre du combat. Mais Ozias n'était point pareil : il faisait devant le Seigneur ce qui était droit. Comment donc, lui dont la conduite était scrupuleuse, a-t-il trébuché, est-il tombé? J'en suis surpris moi-même et demeure perplexe, ou plutôt, cela ne

---

e. II Chr. 26, 4
f. Cf. Matth. 6, 2.5.16

1. L'arménien entend παρατρέχουσιν dans le sens de négliger.
2. L'expression de compagnons d'esclavage ou de servitude désigne les autres chrétiens. S. Paul s'appelle volontiers lui-même l'esclave du Christ.

εἴη τοῦτο διαπορήσεως ἄξιον · ἄνθρωπος γὰρ ἦν, πρᾶγμα
πρὸς ἁμαρτίαν εὐόλισθον καὶ πρὸς κακίαν ὀξύρροπον. Καὶ
20 οὐ τοῦτο μόνον ἐστὶ τὸ χαλεπόν, ἀλλ' ὅτι καὶ ὁδὸν
στενὴν καὶ τεθλιμμένην ἐπετάγημεν ὁδεύειν, ὑπὸ κρημνῶν
ἑκατέρωθεν ἀπειλημμένην. Ὅταν οὖν καὶ προαιρέσεως
εὐκολία καὶ ὁδοῦ δυσκολία συνέλθωσιν εἰς ταὐτόν, μὴ
θαύμαζε λοιπὸν ὑπὲρ τῶν παραπτωμάτων; Καθάπερ γὰρ
25 ἐν τοῖς θεάτροις οἱ τὴν σχοῖνον τὴν κάτωθεν ἄνω
τεταμένην ἀναβαίνειν καὶ καταβαίνειν μελετῶντες, ἂν
μικρὸν παραβλέψωσιν, περιτραπέντες κατενεχθήσονται εἰς
τὴν ὀρχήστραν καὶ ἀπολοῦνται · οὕτω καὶ οἱ τὴν ὁδὸν
ταύτην ὁδεύοντες, ἂν μικρὸν ῥᾳθυμήσωσιν, κατα-
30 κρημνίζονται. Καὶ γὰρ κἀκείνης τῆς σχοίνου ἡ ὁδὸς αὕτη
καὶ στενωτέρα καὶ ὄρθιος καὶ προσάντης μᾶλλόν ἐστι καὶ
ὑψηλοτέρα πολλῷ · πρὸς γὰρ αὐτὸν ἄνω τελευτᾷ τὸν
οὐρανὸν καὶ τότε ἡμῖν σφαλερώτερα ἔσται τὰ διαβήματα,
ὅταν ἄνω καὶ πρὸς αὐτῇ γενώμεθα τῇ κορυφῇ · τοῖς γὰρ
35 ἐφ' ὕψους ἑστῶσι πολὺς ὁ τρόμος καὶ μία μόνον ἀσφάλεια
λείπεται, τὸ μὴ κατακύψαι κάτω, μηδὲ εἰς γῆν ἰδεῖν. Καὶ
γὰρ χαλεπὸς ἐντεῦθεν ὁ σκοτόδινος γίνεται. Διά τοι τοῦτο
συνεχῶς ἡμῖν ὁ προφήτης ἐπιβοᾷ λέγων · «Εἰς τὸ τέλος
μὴ διαφθείρῃς», ῥᾳθυμοῦσαν ἡμῶν τὴν ψυχὴν ἀναστέλλων
40 καὶ μέλλουσαν καταπίπτειν ἀνέχων καὶ διακρατῶν. Ἐν
ἀρχῇ μὲν γὰρ οὐ πολλῆς δεόμεθα τῆς παρακλήσεως. Τί
δήποτε; Ὅτι πᾶς ἄνθρωπος, κἂν ἁπάντων νωθέστατος ᾖ,
μέλλων ἅπτεσθαι πράγματος, πολλὴν ἐν τοῖς προοιμίοις
ἐπιδείκνυται τὴν σπουδὴν καὶ τῆς προθυμίας ἀκμαζούσης
45 καὶ τῆς δυνάμεως νεαρᾶς οὔσης ἔτι [ῥᾳδίως πρὸς τὸ
προκείμενον ἐπιβαίνει] · ὅταν δὲ τὸ πλέον τῆς ὁδοῦ

21 καὶ τεθλιμμένην *om.* SUj ‖ ὁδεύειν ἐπετάγημεν ~ SUj ‖
26 τεταμένην : ἐπι- S ‖ 27 παραβλέψωσι : περιβλέψωνται B ‖
περιτραπέντες rV *arm.* : παρα- *cett.* ‖ 30 κἀκείνης t : ἐκείνης *cett.* ‖
32 τελευτᾷ : τελεῖ S ‖ 37 χαλεπός — γίνεται B *arm.* : πολὺς ἐντεῦθεν
καὶ χαλεπὸς σκοτόδινος γίν- t πολλὴ ἐντ- καὶ χαλεπὴ γίν- ἡ

mériterait pas que nous restions perplexes. Il était homme, un
être qui glisse aisément dans le péché[1]! Un être facilement
enclin au vice. Et là ne réside pas seulement la difficulté, c'est
aussi qu'il nous a été prescrit de suivre une voie étroite et
resserrée, des deux côtés bordée de précipices. Quand donc
inclination de la volonté et difficulté de la route se conjuguent
ensemble, étonne-toi maintenant des chutes! De même que
dans les amphithéâtres, si ceux dont la pratique est de monter
et de descendre le long d'une corde tendue de bas en haut
détournent tant soit peu les yeux, ils culbuteront et seront pré-
cipités sur la piste pour y périr. Ainsi ceux qui suivent cette
route, pour peu qu'ils se relâchent, tombent dans le précipice.
Et cette route est plus étroite que cette corde, plus raide et plus
escarpée et plus élevée de beaucoup, car elle aboutit au ciel lui-
même, et nos pas seront moins assurés alors que nous serons
en haut et près du faîte. Ceux qui se tiennent debout sur un
sommet tremblent beaucoup et la seule sécurité qui leur reste
est de ne pas se pencher vers le bas, de ne pas regarder à terre,
car dès lors vous prend un dangereux vertige. Voilà pourquoi
précisément le prophète nous crie sans cesse : «Ne gâte rien
sur la fin[2]», relevant ainsi notre âme languissante, la soute-
nant et lui rendant des forces au moment de tomber. Dans les
débuts nous n'avons pas besoin de beaucoup d'encourage-
ments. Pourquoi? Parce que tout homme, serait-il le plus non-
chalant de tous, quand il va entreprendre une affaire déploie
dans les débuts une grande activité [et] avec une ardeur toute
neuve, avec ses forces encore intactes [aborde avec aisance ce
qu'il s'est proposé]. Mais alors que nous avons parcouru la

σκοτοδινία rV   χαλεπὸς ἐντ- ὁ σκοπὸς καὶ δεινὸς γίν- Uj   χαλεπὸς
μῖν ὁ κίνδυνος γίν- S ‖ 45-46 ῥᾳδίως – ἐπιβαίνει om. t arm. seclusi

1. Même image dans A Théodore II, 2, 1 (SC 117, p. 52).
2. Nous avons ici un intitulé de psaume, une simple indication mise là
pour l'exécution musicale et qui se retrouve au début des psaumes 56, 57 et
58. Il y a méprise de l'auteur.

προέλθωμεν καὶ μαρανθῇ τὰ τῆς προθυμίας ἡμῖν, τὰ δὲ
τῆς δυνάμεως ἡμῶν λήξῃ, μέλλωμεν δὲ καταπίπτειν, τότε
ἡμῖν ὁ προφήτης εὐκαίρως παρίσταται, καθάπερ βακτηρίαν
50 τινὰ τὸ ἐπίφθεγμα τοῦτο ὀρέγων καὶ λέγων · «Εἰς τὸ τέλος
μὴ διαφθείρῃς.» Καὶ γὰρ καὶ ὁ διάβολος τότε σφοδρότερον
πνεῖ. Καὶ καθάπερ οἱ τὴν θάλατταν πλέοντες πειραταί, οὐχ
ὅταν ἴδωσιν ἐξιόντα τοῦ λιμένος τὰ πλοῖα, τότε ἐπιτίθενται
— τί γὰρ αὐτοῖς ὄφελος κενὸν καταδῦσαι τὸ σκάφος; —
55 ἀλλ᾿ ὅταν ἐπανίῃ πλήρη τὸν φόρτον ἔχοντα, τότε πᾶσαν
κινοῦσι μηχανήν, οὕτω καὶ ὁ πονηρὸς δαίμων ἐκεῖνος,
ὅταν ἴδῃ πολλὰ συνειλεχότας, νηστείαν, εὐχάς
ἐλεημοσύνην, σωφροσύνην, τὴν ἄλλην ἅπασαν ἀρετήν,
ὅταν ἴδῃ γέμον ἡμῶν τὸ πλοῖον τῶν πολυτελῶν τῆς εὐσε-
60 βείας λίθων, τότε προσβάλλει, πάντοθεν διορύττων τὸν
θησαυρόν, ὥστε παρ᾿ αὐτὰ τοῦ λιμένος τὰ στόματα κατα-
115 δῦσαι τὸ σκάφος καὶ γυμνοὺς παραπέμψαι πρὸς ἐκεῖνον
τὸν λιμένα λοιπόν. Διὰ τοῦτο ὁ προφήτης προστάττει πᾶσι
λέγων · «Εἰς τὸ τέλος μὴ διαφθείρῃς.»
65 Καὶ γὰρ μετὰ τὴν τοιαύτην πτῶσιν δυσανάκλητος πάλιν
ἡ ἀνάστασις. «Ὁ γὰρ ἐλθὼν εἰς βάθος κακῶν καταφρονεῖ[a].»
Καὶ τοῖς μὲν ἐν ἀρχῇ πεσοῦσι συγγινώσκομεν ἅπαντες διὰ
τὴν ἀπειρίαν · τὸν δὲ μετὰ πολλοὺς τοὺς διαύλους
ὑποσκελισθέντα οὐκ ἄν τις ῥᾳδίως ἀξιώσειε συγγνώμης ἢ
70 ἀπολογίας · ῥᾳθυμίας γὰρ τότε τὸ πτῶμα εἶναι δοκεῖ. Καὶ
οὐ τοῦτο μόνον ἐστὶ τὸ δεινόν, ἀλλ᾿ ὅτι καὶ πολλοὶ οἱ
σκανδαλιζόμενοι τοῖς τοῦ τοιούτου πτώμασίν εἰσιν, ὥστε
καὶ ταύτῃ πάλιν ἀσύγγνωστον τὸ ἁμάρτημα γίνεται.
Ταῦτ᾿ οὖν εἰδότες, ἀκούωμεν τοῦ προφήτου καὶ εἰς τὸ

---

48 ἡμῶν om. tr ‖ 51 καὶ[2] t : om. cett. ‖ 52 πνεῖ : πολεμεῖ arm. |
57 συνειλεχότας t arm. : συνειληχότας rV συναγηοχότας SU
συνηγειοχότας B ‖ 59 ἡμῶν : ἡμῖν tr ‖ τὸ πλοῖον ἡμῖν ~ tr ‖ 62 τὸ
σκάφος om. B ‖ 63 προστάττει arm. : παραινεῖ cod. ‖ 67 τοῖς ..
πεσοῦσι arm. : τῷ ... πεσόντι cod. ‖ 68 διαύλους trV : δρόμους cett.
69 ῥᾳδίως t arm. : om. cett. ‖ 72 τοῦ τοιούτου arm. : τῶν τοιούτων
cod.

majeure partie du chemin et que s'est éteinte notre ardeur, que nos forces ont décliné, que nous allons tomber, c'est alors que le prophète se présente opportunément à nous et nous adresse, comme il nous tendrait un bâton, cette adjuration en ces termes : « Ne gâte rien sur la fin. » Le diable en effet se déchaîne alors avec plus de violence. Et comme les pirates qui sillonnent la mer n'attaquent pas les navires quand ils les voient sortir du port — quel profit pour eux de couler une embarcation vide ? — mais mettent tout en œuvre lorsque ces navires reviennent avec une pleine cargaison, ainsi cet esprit pervers, voit-il des hommes qui ont amassé jeûnes, prières, œuvres de miséricorde, tempérance, toute sorte de vertus, voit-il notre navire chargé des joyaux de la piété, c'est alors qu'il passe à l'attaque, ruinant de toutes parts le trésor, de manière à couler l'esquif au goulet même du port [1], et de nous faire désormais gagner ce port tout nus. Voilà pourquoi le prophète donne à tous cet ordre : « Ne gâte rien sur la fin. »

Après une telle chute en effet on ne répond pas facilement à l'appel à se relever. Car « celui qui est descendu aux abîmes du vice, ricane [a]. » A quiconque est tombé au début, nous pardonnons tous à cause de son inexpérience, mais celui qui a trébuché après de nombreux et longs parcours [2] on ne le jugerait pas facilement digne de pardon ni excusable, car la chute semble le fait du relâchement. Et là ne se borne pas le mal, car beaucoup se scandalisent de la chute d'un tel homme, si bien que cela aussi rend le péché indigne de pardon. Le sachant, écoutons le

2   a. Prov. 18, 3

1. Même image dans *A Théodore* I, 57 (*SC* 117, p. 53).
2. Le mot désigne le double parcours du stade, le diaule.

75 τέλος μὴ διαφθείρωμεν. Διὰ γὰρ τοῦτο καὶ ὁ Ἰεζεκιὴλ βοᾷ
λέγων · « Ἐὰν γένηταί τις δίκαιος, εἶτα μεταπεσὼν ἁμάρτῃ,
οὐ μὴ μνησθῶσιν αὐτῷ αἱ δικαιοσύναι αὐτοῦ, ἀλλ᾽ ἐν τῇ
ἁμαρτίᾳ αὐτοῦ ἀποθανεῖται[b].» Καὶ γὰρ καὶ οὗτος δέδοικεν
ὑπὲρ τοῦ τέλους. Καὶ οὐκ ἐντεῦθεν μόνον, ἀλλὰ καὶ διὰ
80 τῶν ἐναντίων δείκνυσι πολλὴν τοῦ πράγματος τὴν ἰσχὺν
οὖσαν. «Ἂν γὰρ γένηταί τις ἁμαρτωλός, φησίν, εἶτα
μεταβαλόμενος γένηται δίκαιος, οὐ μὴ μνησθῶσιν αἱ
ἁμαρτίαι αὐτοῦ · ἐν τῇ δικαιοσύνῃ αὐτοῦ ζήσεται[c].» Ὁρᾷς
καὶ ἐνταῦθα πολλὴν τοῦ τέλους αὐτὸν ποιούμενον
85 πρόνοιαν. Ἵνα γὰρ μήτε ὁ δίκαιος τῇ δικαιοσύνῃ αὐτοῦ
θαρρῶν, εἰς ῥαθυμίαν ἀποκλίνας ἀπόληται, φοβεῖ διὰ τοῦ
τέλους αὐτόν · μήτε ὁ ἁμαρτωλὸς ἀπογνοὺς ἐπὶ τοῖς
παραπτώμασι μένῃ διαπαντὸς ἐν τῷ πτώματι, ἀνίστησι διὰ
τοῦ τέλους αὐτόν. Ἥμαρτες πολλά, φησίν, ἀλλὰ μὴ
90 ἀπελπίσῃς · ἔστι γὰρ ἐπάνοδος, ἐὰν ἐναντίον τῆς ἀρχῆς
δείξῃς τὸ τέλος. Πάλιν πρὸς τὸν δίκαιον · Κατώρθωσας
πολλά, φησίν, ἀλλὰ μὴ θαρσήσῃς · συμβαίνει γὰρ καὶ
πεσεῖν, ἂν μὴ διὰ τέλους τὴν ἴσην ἔχῃς σπουδήν. Εἶδες
πῶς τοῦ μὲν τὴν ῥαθυμίαν, τοῦ δὲ τὴν ἀπόγνωσιν
ἀνεῖλεν;

3. Ἀλλ᾽ οὐδενὸς τούτων ἤκουσεν Ὀζίας · διὸ καὶ
θαρσήσας κατέπεσε πτῶμα χαλεπὸν καὶ ἀνίατον. Οὐδὲ γὰρ
ἅπαν πτῶμα ἴσον ἡμῖν ἐργάζεται τὸ τραῦμα, ἀλλὰ τῶν
ἁμαρτημάτων τὰ μὲν ὑπὸ κατάγνωσιν κεῖται μόνον, τὰ δὲ

75 βοᾷ r arm. : om. B   ἐβόα cett. ‖ 76 λέγων om. B ‖ μεταπεσὼν :
μετὰ τοῦτο πεσὼν SrV   μεταβαλόμενος arm. ‖ 77 ἀλλ᾽ SrV : om. cett.
‖ 81 οὖσαν] + εἶτα καὶ τὸ τοιούτου ἐναντίον ἐπάγει, λέγων V ‖ 81-
82 ἁμαρτωλὸς — γένηται om. r ‖ 82 μεταβαλόμενος : -βαλλόμενος tS ‖
83 ζήσεται : ἀποθανεῖται S ‖ 90 τῆς ἀρχῆς : τῇ ἀρχῇ tS ‖ 92 ἀλλὰ om.
r ‖ 93 τέλους tB arm. : τέλος cett. ‖ 94 τοῦ ... τοῦ : τῷ ... τῷ B.

3, 1 ἀλλ᾽ οὐδενὸς rV arm. : οὐδενὸς οὖν t   οὐδενὸς cett. ‖ 3 ἅπαν
[πᾶν S] πτῶμα ... ἐργάζεται : πάντα πτώματα ... ἐργάζονται B ‖ τραῦμα
t arm. : πρᾶγμα B   πτῶμα cett. ‖ 4 ἁμαρτημάτων tV : ἁμαρτιῶν cett.

prophète et ne gâtons rien sur la fin. Voilà pourquoi également Ézéchiel s'écrie : « Si quelqu'un a été juste et qu'ensuite il tombe dans le péché, il est impossible que l'on se souvienne à sa décharge de ses actes de justice ; il mourra dans son péché[b]. » Celui-là aussi craint pour la fin. Mais ce n'est pas seulement par là, mais encore par l'exemple contraire qu'il montre que l'affaire est d'importance. Il dit : « Si quelqu'un a été pécheur, mais qu'il ait ensuite changé et soit devenu juste, on ne se souviendra certainement plus de ses péchés : il vivra dans sa justice[c1]. » Tu vois ici encore le prophète se préoccuper vivement de la fin. De peur que le juste se fiant à sa justice ne tombe dans le relâchement et ne périsse, il l'effraie par l'idée de la fin ; de peur au contraire que le pécheur découragé par ses chutes ne demeure toujours prostré, il le relève par l'idée de la fin. Tu as beaucoup péché, lui dit-il, ne désespère pas néanmoins, car tu peux revenir sur tes pas, si tu te montres que la fin est contraire au commencement. S'adressant au juste, au contraire, il lui dit : « Après avoir accompli beaucoup de bonnes actions, n'en conçois pas de la hardiesse, car il arrive que l'on tombe, faute de déployer un zèle égal jusqu'à la fin. Tu as vu comment il a mis fin chez l'un au relâchement et chez l'autre au désespoir !

3. Mais Ozias n'écouta aucune de ces leçons. Aussi sa hardiesse l'entraîna-t-elle dans une chute terrible dont il ne devait pas se remettre. Toute chute en effet ne nous cause pas une égale blessure, mais parmi les péchés les uns tombent seule-

---

b. Cf. Éz. 3, 20 ; 18, 24
c. Cf. Éz. 18, 21

1. Jean résume le texte scripturaire.

5 χαλεπωτάτην δέχεται τιμωρίαν. Τοῖς γοῦν οὐκ ἀναμένουσι
τοὺς ἀδελφοὺς ἐν τοῖς κοινοῖς δείπνοις ὁ Παῦλος
ἐπιτιμῶν, οὕτως ἔλεγεν · «Τοῦτο δὲ παραγγέλλων οὐκ
ἐπαινῶᵃ.» Ὁρᾷς μέχρι καταγνώσεως ἱστάμενον τὸ ἁμάρτημα καὶ ψόγον ἔχον τὸ ἐπιτίμιον. Ἀλλ' οὐχ, ὅταν περὶ
10 πορνείας διαλέγηται, οὕτω ποιεῖ. Ἀλλὰ πῶς; «Εἴ τις τὸν
ναὸν τοῦ Θεοῦ φθείρει, φθερεῖ τοῦτον ὁ Θεόςᵇ.» Ἐνταῦθα
γὰρ οὐκ ἔστι ψόγος, οὐδὲ κατάγνωσις, ἀλλ' ἡ χαλεπω-
τάτη τιμωρία. Οἶδε καὶ ὁ Σολομῶν ἁμαρτημάτων
διαφοράς · τὴν γοῦν κλοπὴν τῇ μοιχείᾳ συγκρίνων, οὕτωσὶ
15 πῶς φησιν · «Οὐ θαυμαστόν, ἐὰν ἁλῷ τις κλέπτων ·
κλέπτει γάρ, ἵνα ἐμπλήσῃ τὴν ψυχὴν αὐτοῦ πεινῶσαν · ὁ
δὲ μοιχὸς δι' ἔνδειαν φρενῶν ἀπώλειαν τῇ ἑαυτοῦ ψυχῇ
περιποιεῖταιᶜ.» Ἁμάρτημα καὶ τοῦτο κἀκεῖνο, φησίν, ἀλλὰ
τὸ μὲν ἔλαττον, τὸ δὲ μεῖζον · ὁ μὲν γὰρ ἔχει τὴν ἀπὸ τῆς
20 πενίας πρόφασιν, οὗτος δὲ πάσης ἀπολογίας ἐστέρηται
116   Ἀλλὰ καὶ οὗτος ἔχει, φησί, τὴν ἀπὸ τῆς φυσικῆς
ἐπιθυμίας ἀνάγκην. Ἀλλ' οὐκ ἀφίησιν ἡ κληρωθεῖσα
αὐτοῦ γυνή, ἀλλ' ἐφέστηκεν ἀποστεροῦσα τῆς συγγνώμης
αὐτόν. Διὰ γὰρ τοῦτο γάμος καὶ ἀπόλαυσις ἔνθεσμος, ἵνα
25 μηδὲν ἔχῃ τούτων λέγειν ὁ ἀνήρ. Διὰ τοῦτο αὐτῷ βοηθὸς
ἐδόθη ἡ γυνή, ἵνα μαινομένην καταστέλλῃ τὴν φύσιν, ἵνα
στορέσῃ τῆς ἐπιθυμίας τὰ κύματα. Ὥσπερ οὖν κυβερνήτης
ἐν λιμένι ναυάγιον ἐργαζόμενος οὐκ ἂν τύχοι συγγνώμης
τινός, οὕτω καὶ ὁ ἄνθρωπος μετὰ τὴν ἀσφάλειαν τὴν ἀπὸ
30 τοῦ γάμου τοὺς ἑτέρου διορύττων γάμους, ἢ γυναῖκα
ἡντιναοῦν περιέργως ὁρῶν, οὐκ ἂν τύχοι τινὸς ἀπολογίας

---

11 φθείρει t arm. : φθερεῖ cett. ‖ 12 οὐδὲ κατάγνωσις om. S
16 κλέπτει — πεινῶσαν om. S ‖ τὴν ψυχὴν αὐτοῦ ἐμπλήσῃ ∼ trV ‖ 2
ἔχει B arm. : ἔχειν δοκεῖ t δοκεῖ ἔχειν cett. ‖ φυσικῆς : φύσεως S

3   a. I Cor. 11, 17
    b. I Cor. 3, 17
    c. Prov. 6, 30 et 32

ment sous le coup d'une condamnation, tandis que les autres
reçoivent le plus terrible châtiment. Ainsi par exemple ceux
qui n'attendent pas leurs frères aux repas de la communauté,
Paul les blâme en ces termes : « Voici mon avis, je ne vous loue
pas [a]. » Tu vois que la faute s'arrête à la condamnation et reçoit
un blâme pour critique. Mais Paul n'agit pas de la sorte quand
il parle de la prostitution. Comment alors ? « Si quelqu'un
détruit le temple de Dieu, Dieu détruira cet homme [b]. » Ici il ne
s'agit pas d'une critique, ni même d'une condamnation, mais
du plus terrible châtiment. Salomon aussi connaît les différences entre les péchés. Ainsi par exemple, en comparant vol
et adultère, il s'exprime à peu près en ces termes : « Il n'est pas
étonnant qu'on prenne quelqu'un à voler ; il vole pour remplir
sa vie affamée. Tandis que l'adultère, par défaut de sens, travaille à la perte de son âme [c][1]. » Cette faute-ci comme celle-là,
dit-il, est sans doute un péché, mais l'une est un petit, l'autre
un grand péché ; car si celui qui vole peut alléguer sa pauvreté, l'adultère est privé de toute excuse. Mais ce dernier, aussi, me dit-on, subit la contrainte du désir naturel. Mais une
épouse lui fut attribuée qui ne lui laisse pas cette échappatoire ;
elle se dresse en accusatrice le privant ainsi de pardon. Voilà
pourquoi sont légitimes le mariage et ses plaisirs : pour que le
mari ne puisse rien dire de tel. Voilà pourquoi la femme lui a
été donnée comme auxiliaire : afin de calmer la nature en folie,
afin d'apaiser les vagues du désir. De même donc qu'un pilote
qui fait naufrage au port ne peut mériter aucun pardon, ainsi
l'homme qui, jouissant de la sécurité du mariage, ruine les
noces d'autrui ou regarde une femme, peu importe laquelle,
avec une curiosité indiscrète, celui-là ne trouverait pour

---

1. Jean suit littéralement la *Septante,* qui a traduit par ψυχή, âme, vie, le
mot qui signifie dans le texte hébreu « estomac ». L'arménien traduit ce terme
par « personne ».

οὐ παρὰ ἀνθρώποις, οὐ παρὰ Θεῷ, κἂν μυριάκις λέγῃ τὴν
τῆς φύσεως ἡδονήν. Μᾶλλον δὲ ποία γένοιτ' ἂν ἡδονή,
ὅπου φόβος καὶ ἀγωνία καὶ κίνδυνος καὶ προσδοκία
35 τοσούτων δεινῶν, ὅπου δικαστήρια καὶ εὐθῦναι καὶ δικα-
στοῦ θυμὸς καὶ ξίφος καὶ δήμιος καὶ βάραθρον καὶ
ἀγχόνη; Πάντα τρέμει καὶ δέδοικεν ὁ τοιοῦτος, τὰς σκιάς,
τοὺς τοίχους, τοὺς λίθους αὐτούς, καθάπερ φωνὴν
ἀφιέντας · πάντας ὑφορᾶται καὶ ὑποπτεύει, τοὺς οἰκέτας,
40 τοὺς γείτονας, τοὺς φίλους, τοὺς ἐχθρούς, τοὺς πάντα
εἰδότας, τοὺς οὐδὲν εἰδότας. Μᾶλλον δέ, εἰ βούλει, καὶ
ταῦτα ἀναιρείσθω, καὶ μηδεὶς εἰδέτω τὰ τετολμημένα, ἀλλ'
ἢ μόνος αὐτὸς μετὰ τῆς ὑβριζομένης γυναικός · πῶς οἴσει
τὸν ἀπὸ τῆς συνειδήσεως ἔλεγχον, πικρὸν πανταχοῦ περι-
45 φέρων κατήγορον; Ὥσπερ γὰρ ἑαυτὸν οὐκ ἄν ποτέ τις
φύγοι, οὕτω οὐδὲ τὴν ἀπὸ τοῦ κριτηρίου ψῆφον ἐκείνου.
Τοῦτο τὸ δικαστήριον οὐ χρήμασιν διαφθείρεται, οὐ
κολακείαις ἐνδίδωσιν · θεῖον γάρ ἐστιν καὶ παρὰ Θεοῦ ταῖς
ἡμετέραις ἐνιδρυμένον ψυχαῖς. Ὄντως «ὁ μοιχὸς δι'
50 ἔνδειαν φρενῶν ἀπώλειαν τῇ ἑαυτοῦ ψυχῇ περιποιεῖται[d]».
Οὐ μὴν οὐδὲ ὁ κλέπτων κολάσεως ἀπεστέρηται, ἀλλὰ
δίδωσι μὲν δίκην, ἐλάττονα δέ.

Αἱ γὰρ συγκρίσεις οὐκ εἰς τὴν ἐναντίαν ἐξωθοῦσιν τάξιν
τὰ συγκρινόμενα, ἀλλ' ἀφιεῖσαι μένειν ἐπὶ τῆς οἰκείας
55 χώρας αὐτά, ἐλάττωσιν εἰσάγουσι καὶ ὑπεροχήν. Τάχα οὐ
συνήκατε τὸ λεχθέν · οὐκοῦν ἀνάγκη σαφέστερον εἰπεῖν.
Καλὸν ὁ γάμος, ἀλλὰ κρείττων ἡ παρθενία · οὐκ ἐπειδὴ
κρείττων ἡ παρθενία, διὰ τοῦτο κακὸν ὁ γάμος, ἀλλ' ἔλαττον μὲν ἐκείνου, καλὸν δὲ καὶ αὐτό. Οὕτω καὶ ἐνταῦθα ·

34 ἀγωνία tj arm.: ἀγών cett. ‖ 37 ἀγχόνη conieci : ἀπαγωγὴ
cod. διωγμὸς arm. ‖ 38 αὐτοὺς τοὺς λίθους ~ t ‖ 42 εἰδέτω : ἰδέτω j
μὴ ἰδέτω B ἴστω Montf. e. cod. k ‖ τετολμημένα : τολμώμενα t ‖
44 τῆς συνειδήσεως : τοῦ συνειδότος trV ‖ 44-45 πικρὸν ... κατήγορον
cod.: πικρὰν ... κατηγορίαν arm. ‖ 51 κλέπτων : κλέπτης B ‖ κολάσεως
om. B ‖ 53 συγκρίσεις : κρίσεις SB ‖ 54 ἀφιεῖσαι : ἀφεῖσαι t ‖ μένειν :
ἐμμένειν B ‖ 57-58 κρείττων (bis): κρεῖττον (bis) Sr ‖ 59-62 οὕτω —
αὐτὸ om. t

l'excuser personne ni devant les hommes ni devant Dieu, invoquât-il mille fois les plaisirs de la nature. Ou plutôt, quel plaisir peut-il exister là où se rencontrent la peur, l'angoisse, le danger, la perspective de tant de périls, là où sont les tribunaux et la reddition de comptes, la colère du juge, le glaive, le bourreau, le cul de basse-fosse, la strangulation. Tout fait craindre et trembler un tel homme : les ombres, les murailles, les pierres elles-mêmes, comme si elles criaient. Il soupçonne, il suspecte tout le monde : ses serviteurs, ses voisins, ses amis, ses ennemis, ceux qui savent tout, ceux qui ne savent rien. Ou plutôt, si tu veux, admettons que cela soit supprimé et que personne ne sache l'attentat commis, personne, sauf lui et la femme outragée, comment supportera-t-il les reproches de sa conscience, un accusateur implacable qu'il emmène partout avec lui ? De même qu'il ne peut se fuir lui-même, il ne peut non plus se dérober au verdict de ce tribunal. Car ce prétoire ne se laisse point corrompre à prix d'argent, ni séduire par les flatteries : il est divin et Dieu l'a installé dans notre âme. En vérité, « L'adultère, par défaut de sens, travaille à la perte de son âme[d]. » Celui qui vole assurément n'est pas non plus à l'abri du châtiment, mais s'il est puni, c'est moins sévèrement.

Les comparaisons en effet ne rejettent pas au rang des contraires les objets comparés ; elles les laissent à leur place propre, mais introduisent les notions de plus ou de moins. Peut-être ne saisissez-vous pas ce qui vient d'être dit ; il est donc nécessaire de reprendre plus clairement. Le mariage est bonne chose, mais la virginité est supérieure : de ce que la virginité soit supérieure il ne s'ensuit pas que le mariage soit un mal ; pour être un bien inférieur au premier, il n'en reste pas moins un bien lui aussi. Il en va de même ici : le vol est un

---

d. Prov. 6, 32

60 κακὸν ἡ κλοπή, ἀλλὰ χεῖρον ἡ μοιχεία · οὐκ ἐπειδὴ χεῖρον
ἡ μοιχεία, διὰ τοῦτο οὐ κακὸν ἡ κλοπή, ἀλλ᾽ ἔλαττον μὲν
ἐκείνου, κακὸν δὲ καὶ αὐτό. Εἶδες ἁμαρτημάτων διαφοράς ;
Ἴδωμεν οὖν ποίαν οὗτος ἁμαρτίαν ἥμαρτεν. « Ὑψώθη,
φησίν, ἡ καρδία αὐτοῦᵉ.» Χαλεπὸν τὸ τραῦμα · ἀπόνοια
65 γάρ ἐστιν, ἀπόνοια ἡ πηγὴ πάντων τῶν κακῶν. Καὶ ἵνα
συντόμως μάθῃς τοῦ νοσήματος τὴν κακίαν, ἐκεῖνο
ἄκουσον. Τὰ μὲν ἄλλα ἁμαρτήματα περὶ τὴν ἡμετέραν
στρέφεται φύσιν, ἡ δὲ ὑπερηφανία δύναμιν ἀσώματον
κατέσπασεν καὶ κατέβαλεν ἄνωθεν. Τὸν γὰρ διάβολον, οὐκ
70 ὄντα πρότερον διάβολον, τοῦτο εἶναι διάβολον ἐποίησεν.
Κἂν μὲν τὸν Ἡσαΐαν παραγάγωμεν μάρτυρα λέγοντα
οὕτω περὶ αὐτοῦ · «Εἰς τὸν οὐρανὸν ἀναβήσομαι, καὶ
ἔσομαι ὅμοιος τῷ Ὑψίστῳᶠ», οἱ τὰς ἀλληγορίας οὐχ
ἡδέως δεχόμενοι παραγράψονται τὴν μαρτυρίαν ἡμῶν · ἂν
75 δὲ τὸν Παῦλον ἐπιστήσωμεν αὐτῷ κατήγορον, οὐδεὶς
οὐκέτι λοιπὸν ἀντερεῖ. Τί οὖν ὁ Παῦλος Τιμοθέῳ γράφων ;
ὅτι τὸν ἄρτι τοῦ κηρύγματος ἁψάμενον οὐ δεῖ πρὸς τὸ
117   μέγα τῆς ἐπισκοπῆς ἄγειν ἀξίωμα, οὑτωσί πώς φησιν ·
«Μὴ νεόφυτον, ἵνα μὴ τυφωθείς, εἰς κρῖμα ἐμπέσῃ [καὶ
80 παγίδα] τοῦ διαβόλουᵍ» · ἵνα μὴ τὰ αὐτὰ ἁμαρτὼν ἐκείνῳ,
φησί, τὰ αὐτὰ αὐτῷ κολάζηται.

4. Καὶ οὐκ ἐντεῦθεν δὲ μόνον τοῦτο δῆλόν ἐστιν, ἀλλὰ

60-61 οὐκ ἐπειδὴ χεῖρον ἡ μοιχεία, δὶα τοῦτο οὐ κακὸν ἡ κλοπή W :
om. cett. ‖ 63 ἁμαρτίαν οὗτος ~ trV ‖ 69 ἄνωθεν καὶ κατέβαλεν ~ tV
‖ 69-70 οὐκ — διάβολον om. r ‖ 76 Παῦλος] + φησί rV ‖ γράφων] +
φησί S ‖ γράφων [γρ + τῷ V] Τιμοθέῳ ~ rV ‖ 77 ante ὅτι add. καὶ
δι᾽ ὧν λέγει δεικνύς r ‖ τοῦ — ἁψάμενον : τῇ πίστει προσελθόντα r ‖
78 μέγα om. r ‖ οὑτωσί πώς φησι t arm. : λέγων οὕτω SrV εἰπὼν
οὕτω φησί cett. ‖ 79-80 καὶ παγίδα om. t arm. seclusi ‖ 80 διαβόλου]
+ τοῦτ᾽ ἔστι rV ‖ 81 φησι om. r ‖ αὐτῷ : ἐκείνῳ S ‖ κολάζηται t
arm. : πείσηται cett.
4, 1 καὶ¹ om. tr ‖ τοῦτο t : om. cett.

e.   II Chr. 26, 16
f.   Cf. Is. 14, 14
g.   I Tim. 3, 6

mal, mais l'adultère est pire. Ce n'est point parce que l'adultère
est pire que le vol n'est pas un mal ; s'il est un moindre mal que
celui-là, il n'en reste pas moins un mal lui aussi. Tu as vu les
différences entre les péchés ! Voyons donc la nature du péché
qu'Ozias a commis. «Son cœur s'exalta[e]», est-il dit. La blessure est grave, car c'est la présomption, la présomption, source
de tous les maux. Pour apprendre en peu de mots la malignité
de cette maladie, écoute : les autres péchés concernent notre
nature, tandis que l'orgueil a jeté à bas une puissance incorporelle et l'a précipitée du haut du ciel. Le diable — il n'était
pas le diable auparavant —, c'est cela qui en fait le diable. Si
nous citons comme témoin Isaïe disant de ce dernier : «Je
monterai au ciel et je serai semblable au Très-haut[f]», ceux qui
répugnent aux allégories récuseront notre témoignage [1], mais si
nous produisons Paul lui-même en accusateur, personne désormais ne fera d'objection. Que dit donc Paul, quand il écrit à
Timothée, que celui qui vient d'être initié à l'évangile [2] ne doit
pas être promu au grand honneur de l'épiscopat, et voici ses
expressions «Que ce ne soit pas un nouveau converti, de peur
qu'aveuglé par l'orgueil, il n'encoure la condamnation du
diable[8]» [et ne soit par lui piégé], c'est-à-dire, de peur qu'à
commettre les mêmes fautes que celui-là il ne subisse le même
châtiment.

4. On le voit clairement non seulement par ce passage, mais

1. Le passage d'Isaïe d'où est tiré le verset précédent est une satire dirigée
contre un tyran abattu Sargon II, Sennachérib ou Nabuchodonosor. Le
prophète ne songeait pas au démon. Les auditeurs de Jean ont raison de
contester la valeur de cet argument, mais ils ne pourront rejeter le
témoignage de Paul.
2. Littéralement : d'entrer en contact avec l'Évangile. L'expression
grecque est imagée. Jean songe peut-être à un passage de *Luc* (9, 62) où
Jésus compare le nouveau converti à celui qui a mis la main à la charrue, ou
bien il se souvient du *Phédon* 65 B, τῆς ἀληθείας ἅπτεται.

καὶ ἐξ ὧν τῷ πρώτῳ πάντων ἀνθρώπων γενομένῳ συνεβούλευσεν ὁ πονηρὸς δαίμων ἐκεῖνος. Ὥσπερ γὰρ τοῖς
ἀγαθοῖς ἔθος ταῦτα τοῖς πλησίον παραινεῖν, δι᾿ ὧν αὐτοὶ
5 γεγόνασιν ἀγαθοί, οὕτω καὶ τοῖς πονηροῖς ἔθος τοιαῦτα
εἰσηγεῖσθαι τοῖς πλησίον, δι᾿ ὧν αὐτοὶ γεγόνασι φαῦλοι.
Ἐν γὰρ καὶ τοῦτο τῆς πονηρίας αὐτῶν εἶδός ἐστιν καὶ
παραμυθίαν ἡγοῦνται τῆς οἰκείας κολάσεως τὴν ἑτέρων
ἀπώλειαν. Τί οὖν διάβολος συνεβούλευσε τῷ Ἀδάμ;
10 Μείζονα τῆς οἰκείας φύσεως λαβεῖν ἔννοιαν καὶ ἰσοθεῖαν
ἐλπίσαι. Εἰ γὰρ ἐμὲ τοῦ οὐρανοῦ τοῦτο, φησίν, ἐξέβαλεν,
πολλῷ μᾶλλον τοῦτον τοῦ παραδείσου τὸ αὐτὸ τοῦτο
ἐκβαλεῖ. Διὰ τοῦτο καὶ ὁ Σολομῶν ἔλεγεν · «Ὁ Θεὸς
ὑπερηφάνοις ἀντιτάσσεται[a].» Οὐκ εἶπεν ὅτι ὁ Θεὸς
15 ὑπερηφάνους ἀφίησιν καὶ ἐγκαταλιμπάνει καὶ τῆς οἰκείας
βοηθείας γυμνοῖ, ἀλλ᾿ «Ἀντιτάσσεται», φησίν, οὐχ ὅτι
παρατάξεως αὐτῷ καὶ μάχης ἔδει πρὸς τὸν ὑπερήφανον ·
τί γὰρ ὑπερηφάνου γένοιτ᾿ ἂν ἀσθενέστερον; Ὥσπερ γὰρ
ὁ τὰς ὄψεις ἀπολέσας ἅπασι πρόκειται πρὸς τὸ κακῶς
20 παθεῖν, οὕτως ὁ ὑπερήφανος, ὁ μὴ εἰδὼς τὸν Κύριον —
«ἀρχὴ γάρ, φησίν, ὑπερηφανίας, τὸ μὴ εἰδέναι τὸν Κύριον[b]» — , καὶ ἀνθρώποις εὐάλωτός ἐστιν, τοῦ φωτὸς
ἐκπεσὼν ἐκείνου. Εἰ δὲ ἰσχυρὸς ἦν, οὐκ ἂν παρατάξεως
ἐδέησε τῷ Θεῷ πρὸς αὐτόν · ᾧ γὰρ ἡ βούλησις ἤρκεσε
25 πρὸς τὸ πάντα παραγαγεῖν, πολλῷ μᾶλλον καὶ πρὸς τὴν
ἀναίρεσιν αὐτῶν ἤρκεσεν ἄν. Τίνος οὖν ἕνεκεν, φησίν,
ἀντιτάσσεται; Ἵνα τὸ σφοδρὸν τῆς ἀπεχθείας ἐνδείξηται
τῆς πρὸς τὸν ὑπερήφανον.

---

4 ἔθος] + ἐστί Sr ‖ 6 εἰσηγεῖσθαι : διηγ- arm. ‖ 7 αὐτῶν : αὐτοῦ B ‖
ἐστιν om. S ‖ 8 ἑτέρων : ἡμετέραν t ‖ 13 Σολομῶν VB arm. : Σηράχ
cett. ‖ ὁ Θεὸς : Κύριος r ‖ 14 ὁ Θεὸς om. r ‖ 20 ὁ μὴ — Κύριον : καὶ
τὸν θεὸν μὴ εἰδὼς trV ‖ 23 ἦν tSrV : εἴη cett. ‖ 26 ἤρκεσεν ἂν arm. +
(MIX) : ἀρκεῖ cod.

4   a.   Prov. 3, 34
     b.   Cf. Sir. 10, 12

aussi par les conseils que donna cet esprit pervers à celui qui fut le premier homme. De même en effet que les gens de bien ont pour habitude de conseiller à leurs proches ce qui les a rendus bons eux-mêmes, ainsi les méchants ont pour habitude de proposer à leurs proches ce qui les a rendus pervers eux-mêmes. Un des caractères de la perversité, c'est encore celui-ci : ces gens considèrent comme une consolation de leur propre châtiment notre perdition. Quel conseil le diable a-t-il donc donné à Adam ? Celui de concevoir des pensées au-dessus de sa propre nature et d'espérer l'égalité avec Dieu[1]. Si cette prétention, se dit-il, m'a chassé du ciel, combien plus cette même prétention chassera-t-elle l'homme du paradis. Voilà pourquoi Salomon aussi disait : « Dieu se range en bataille contre les orgueilleux[a]. » Il n'a pas dit que Dieu rejette les orgueilleux et les abandonne ou les prive de son propre secours ; il est dit : « Il se range en bataille », non qu'il aurait besoin de former une ligne de bataille, ou de combattre contre l'orgueilleux. Y aurait-il un être plus faible que l'orgueilleux ? Celui qui a perdu la vue est exposé à être maltraité par tous, ainsi l'orgueilleux, celui qui ne connaît pas le Seigneur — « Le principe de l'orgueil, est-il dit, c'est de ne pas connaître le Seigneur[b] » — n'échappe pas aux prises des hommes, banni qu'il est de cette lumière. Même s'il était vigoureux, Dieu n'aurait pas besoin de ligne de bataille contre lui, car si la volonté divine a suffi pour produire toutes choses, combien suffirait-elle davantage pour leur destruction. Pourquoi donc alors est-il dit qu'il se range en bataille ? C'est afin de montrer la violence de son hostilité envers l'orgueilleux.

---

1. L'égalité avec Dieu, c'est la promesse du Tentateur dans le récit de la chute (*Gen.* 3, 5) : vous *serez* comme des dieux, ἔσεσθε ὡς θεοί. Il faut cependant faire remarquer que l'expression ἰσοθεία est un terme hellénistique employé pour désigner la divinisation des souverains.

Ὅτι μὲν οὖν χαλεπὸν τὸ τραῦμα τὸ ὑπερηφανίας καὶ ἐκ
30 τούτων, καὶ ἀλλαχόθεν πολλαχόθεν δῆλον. Εἰ δὲ
βούλεσθε, καὶ τὴν αἰτίαν αὐτὴν μάθωμεν, ἀφ' ἧς τὸ ἕλκος
ἐγένετο. Καὶ γὰρ ἔθος τῇ Γραφῇ, ἐπειδὰν μέλλῃ τινὸς
κατηγορεῖν, μὴ τὴν ἁμαρτίαν αὐτοῦ λέγειν μόνον, ἀλλὰ
καὶ αἰτίαν τῆς ἁμαρτίας διδάσκειν ἡμᾶς · ποιεῖ δὲ τοῦτο,
35 τοὺς ὑγιαίνοντας ἀσφαλεστέρους κατασκευάζουσα πρὸς τὸ
μὴ τοῖς αὐτοῖς περιπεσεῖν. Οὕτω καὶ ἰατροί, πρὸς τοὺς
κάμνοντας εἰσιόντες, καὶ πρὸ τῶν νοσημάτων ἀνιχνεύουσι
τὰς πηγάς, ὥστε ἄνωθεν ἀναστεῖλαι τὸ κακόν · ὁ γάρ, τῆς
ῥίζης μενούσης, τὰ βλαστήματα ἐκτέμνων μόνον, οὐδὲν
40 ἕτερον ἢ ματαιοπονεῖ. Ποῦ οὖν ἡ Γραφὴ καὶ τὴν ἁμαρτίαν
καὶ τὴν αἰτίαν τῆς ἁμαρτίας εἶπεν; Κατηγορεῖ τῶν πρὸ
τοῦ κατακλυσμοῦ γενομένων ἐπὶ ταῖς οὐ προσηκούσαις
ἐπιμιξίαις · καὶ ἄκουσον πῶς τίθησι τὴν αἰτίαν · « Ἰδόντες
οἱ υἱοὶ τοῦ Θεοῦ τὰς θυγατέρας τῶν ἀνθρώπων ὅτι καλαί
45 εἰσιν, ἔλαβον αὐτὰς ἑαυτοῖς εἰς γυναῖκας ᶜ.» Τί οὖν, τὸ
κάλλος τῆς ἁμαρτίας αἴτιον; Μὴ γένοιτο · τῆς γὰρ Θεοῦ
σοφίας ἔργον ἐστίν · Θεοῦ δὲ ἔργον οὐκ ἄν ποτε γένοιτο
πονηρίας αἴτιον. Ἀλλὰ τὸ ἰδεῖν; Οὐδὲ τοῦτο · καὶ γὰρ καὶ
τοῦτο τῆς φύσεως ἔργον ἐστίν. Ἀλλὰ τί; Τὸ κακῶς ἰδεῖν ·
50 τοῦτο γὰρ προαιρέσεως διεφθαρμένης ἐστίν. Διὰ τοῦτο καί
τις σοφὸς παραινεῖ λέγων · «Μὴ καταμάνθανε κάλλος
ἀλλότριον ᵈ.» Οὐκ εἶπεν · Μὴ ἴδῃς · συμβαίνει γὰρ καὶ ἀπὸ
118   τοῦ αὐτομάτου τοῦτο γενέσθαι · ἀλλὰ «Μὴ καταμάνθανε»,
φησίν, τὴν ἐκ μελέτης κατανόησιν, τὴν περίεργον ὄψιν,
55 τὴν μετὰ διατριβῆς θεωρίαν, τὴν ἀπὸ ψυχῆς διεφθαρμένης
καὶ ἐπιθυμούσης ἀναιρῶν. Καὶ τί, φησίν, ἐκ τούτου γένοιτ'
ἂν βλάβος; «Ἐκ τούτου, φησί, φιλία ὡς πῦρ ἀνακαίεται ᵉ.»

30 τούτων : τούτου r ‖ πολλαχόθεν tB arm. : om. cett. ‖ 31 τὴν] +
ἀλλαχόθεν B ‖ αὐτὴν : αὐτοῦ U αὐτῶν jB ‖ 37 πρὸ] + τῶν
νοσούντων rV ‖ 37-38 ἀνιχνεύουσι τὰς πηγάς : μανθάνουσι τὰς ἀρχάς r
‖ 40 καὶ τὴν ἁμαρτίαν om. t ‖ 49-51 ἀλλὰ — λέγων om. t ‖ 55 διατρι-
βῆς] + πονηρὰν Uj + πονηρᾶς SrV ‖ 56-57 γένοιτ' — φησί om. S

Que la blessure de l'orgueil soit funeste, on le voit par là et en beaucoup d'autres passages. Mais si vous le voulez, apprenons aussi la cause même de la blessure. L'Écriture a pour habitude, quand elle va accuser quelqu'un, non seulement de dénoncer sa faute, mais de nous apprendre aussi la cause de la faute. En agissant de la sorte, elle rend plus prudents les gens sains pour leur éviter de tomber dans les mêmes péchés. Il en est ainsi des médecins qui, visitant leurs malades, dépistent d'abord les causes de la maladie, de manière à enrayer le mal dans son principe. Se borner à retrancher les rameaux en laissant la racine, n'est rien d'autre que de se donner une peine inutile. Où donc l'Écriture parle-t-elle et du péché et de la cause du péché ? Elle accuse les hommes d'avant le déluge d'unions illégitimes. Écoute comment elle allègue le motif : « Lorsque les enfants de Dieu eurent vu que les filles des hommes étaient belles, ils les prirent pour femmes[c]. » Quoi donc ? La beauté serait-elle cause du péché ? A Dieu ne plaise ! Elle est l'œuvre de la sagesse de Dieu, et l'œuvre de Dieu ne saurait être cause de perversité ! — De la voir alors ? — Pas même cela, car cela aussi est l'œuvre de la nature. — Alors quoi ? — Jeter des regards pervers ; car cela appartient à une volonté dépravée. Voilà pourquoi un sage nous donne un conseil en ces termes : « Ne lorgne pas une beauté étrangère[d][1]. » Il n'a pas dit : Ne vois pas. Il arrive en effet que cela se produise par l'effet du hasard, mais il dit : « Ne lorgne pas », excluant par là l'observation délibérée, les regards superflus, la contemplation prolongée qui naissent d'une âme dépravée et débauchée. Mais quel dommage, me dit-on, peut-il en résulter ? « L'amour s'y allume comme le feu[e] », est-il dit. Quand le feu a pris à du foin

---

c.   Gen. 6, 2
d.   Sir. 9, 8 a
e.   Sir. 9, 8 b

1. Cf. S. Jean Chrysostome, *Les cohabitations suspectes,* I, 13, 20, éd.
. Dumortier, Paris 1955, p. 91.

Καθάπερ γὰρ τὸ πῦρ, ἐπειδὰν χόρτου τινὸς ἢ καλάμης
ἐπιλάβηται, οὐκ ἀναμένει χρόνον τινά, ἀλλ᾽ ὁμοῦ τε ἥψατο
60 τῆς ὕλης, καὶ λαμπρὰν ἀνῆψε τὴν φλόγα · οὕτω καὶ τὸ
πῦρ τῆς ἐπιθυμίας τῆς ἐν ἡμῖν, ἐπειδὰν διὰ τῶν ὀφθαλμῶν
ὄψεως εὐειδοῦς καὶ λαμπρᾶς ἅψηται, εὐθέως τὰς τῶν
ὁρώντων ἐμπίπρησι ψυχάς. Μὴ τοίνυν τὴν πρόσκαιρον
ἴδῃς ἡδονήν, τὴν ἀπὸ τῆς θεωρίας, ἀλλὰ τὴν διηνεκῆ
65 σκόπησον ὀδύνην, τὴν ἀπὸ τῆς ἐπιθυμίας. Ἡ μὲν γὰρ
μέγα τραῦμα ἐνθεῖσα ἀπεπήδησε πολλάκις · τὸ δὲ τραῦμα
οὐκ ἀποπηδᾷ, ἀλλὰ μένει καὶ ἀπόλλυσιν. Καὶ καθάπερ
ἔλαφος δεξαμένη βέλος ἐν καιρίῳ τοῦ σώματος, κἂν
ἐκφύγῃ τῶν θηρατῶν τὰς χεῖρας, οὐδὲν κερδαίνει λοιπόν,
70 οὕτω καὶ ψυχὴ δεξαμένη βέλος ἐπιθυμίας ἐξ ἀκολάστου
καὶ περιέργου θεωρίας, κἂν τὸ βέλος ἀφεῖσα ἀπέλθῃ, αὐτὴ
διαφθείρεται καὶ ἀπόλλυται, πανταχοῦ τὸν πολέμιον ὁρῶσα
καὶ ἑπόμενον ἔχουσα.

Ἀλλ᾽ ὅπερ ἔλεγον — οὐ γὰρ δεῖ μακρὰς συγχωρεῖν τοῦ
75 λόγου ποιεῖσθαι τὰς ἐκτροπάς —, ὅτι ἡ Γραφὴ καὶ τὰ
ἁμαρτήματα καὶ τὰς αἰτίας αὐτῶν λέγειν εἴωθεν · ἄκουε
γοῦν καὶ ἐνταῦθα τί φησι περὶ τοῦ Ὀζίου. Οὐ γὰρ ὅτι
ὑψώθη ἡ καρδία αὐτοῦ, τοῦτο μόνον ἡμᾶς ἐδίδαξεν, ἀλλὰ
καὶ πόθεν ὑψώθη προσέθηκεν. Πόθεν οὖν ὑψώθη ; « Ἡνίκα
80 ἴσχυσεν, φησίν, ὑψώθη ἡ καρδία αὐτοῦ[f].» Οὐκ ἤνεγκε τῆς
δυναστείας τὸ μέγεθος, ἀλλ᾽ ὥσπερ ἐξ ἀδηφαγίας μὲν
γίνεται φλεγμονή, ἐκ φλεγμονῆς δὲ τίκτεται πυρετός, εἶτα
ἐκεῖθεν θάνατος πολλάκις, οὕτω καὶ ἐνταῦθα ἀπὸ τῆς
πολλῆς τῶν πραγμάτων περιβολῆς ἀπόνοια γέγονεν. Ὅπερ
85 γὰρ ἐπὶ τῶν σωμάτων φλεγμονή, τοῦτο ἐπὶ τῶν ψυχῶν

---

58 χόρτου — ἢ om. B || 61 τῶν ὀφθαλμῶν t arm. : τῆς τῶν ὀφθ-
cett. || 62 λαμπρᾶς t arm. : λαμπροῦ κάλλους cett. || 62-63 τὰς τῶν —
ψυχάς trV arm. : ἐμπίπρησι τὴν ψυχήν cett. || 66 μέγα arm. : τὸ cod. ||
67 μένει t arm. : μένει πολλάκις cett. || 69 ἐκφύγῃ : διαφύγῃ t ||
71 ἀπέλθῃ : ἀπέλθοι r || 74-75 τοῦ λόγου : τῷ λόγῳ trV || 77 Ὀζίου :
Ὀζία jB || 80 αὐτοῦ] + τοῦτ᾽ ἔστι rV || 84 πολλῆς tjV : om. cett. ||
85 τῶν ψυχῶν : τῆς ψυχῆς t.

ou de la paille, il ne couve pas, mais dès qu'il s'attaque à la
matière il allume une flamme brillante, ainsi du feu du désir
qui est en nous, s'est-il attaqué par les yeux à une gracieuse et
brillante apparition, il enflamme aussitôt les âmes des spectateurs. Ne regarde donc pas du côté du plaisir passager, qui naît
du spectacle, mais considère la douleur prolongée qui naît du
désir. Après avoir occasionné une grande blessure, souvent le
désir disparaît aussitôt, mais la blessure ne disparaît pas aussitôt, elle demeure et nous perd. Quand une biche a reçu une
flèche dans une partie vitale de son corps, elle a beau échapper
aux mains des chasseurs, elle n'y gagne rien ; ainsi l'âme qui a
reçu le trait du désir pour avoir jeté des regards libertins et
superflus, a beau se débarrasser du trait et se retirer, elle est
elle-même corrompue et périt, car elle voit partout son ennemi
et le traîne à sa suite.

Mais comme je le disais — car il ne faut pas permettre de
faire de longues digressions —, l'Écriture a coutume d'énoncer
les péchés et leurs causes : écoute donc ce qu'elle dit ici
d'Ozias. Elle ne s'est pas contentée de nous apprendre que son
cœur s'exalta, mais elle a ajouté d'où est venue son exaltation.
D'où est donc venue son exaltation ? « Lorsqu'il devint puissant, est-il dit, son cœur s'exalta[f] » : il n'a pas supporté la grandeur de sa puissance, mais comme la gloutonnerie produit
l'inflammation, et que l'inflammation enfante la fièvre qui
entraîne souvent la mort, ainsi dans le cas présent l'embarras
des affaires produit la présomption — car ce qui est inflammation pour le corps est présomption pour l'âme —, puis la pré-

f.   II Chr. 26, 16

ἀπόνοια. Εἶτα ἐξ ἀπονοίας ἐπιθυμία τῶν οὐ προσηκόντων
αὐτῷ πραγμάτων.

5. Ταῦτα οὐχ ἁπλῶς μηκύνομεν, ἀλλ' ἵνα μηδέποτε
ζηλωτοὺς εἶναι νομίζητε [, μηδὲ μακαρίζητε] τοὺς ἐν
δυναστείαις ὄντας, εἰδότες ὅσον τοῦ πράγματος τὸ
ἐπισφαλές, ἵνα μηδέποτε τοὺς ἐν πενίᾳ καὶ ταλαιπωρίᾳ
5 ἀθλίους ἡγῆσθε, εἰδότες ὅτι πλείων ἐντεῦθεν ἡ ἀσφάλεια.
Δι' ὃ καὶ ὁ προφήτης ἐβόα λέγων · « Ἀγαθόν μοι, Κύριε,
ὅτι ἐταπείνωσάς με[a].» Ὅρα γοῦν ὅσον ἐκ τοῦ ὕψους
γέγονε τὸ κακόν. « Ὑψώθη ἡ καρδία αὐτοῦ ἕως τοῦ
διαφθεῖραι[b]», φησίν. Τί ἐστιν; « Ἕως τοῦ διαφθεῖραι;» Τῶν
10 πονηρῶν λογισμῶν οἱ μὲν οὐδὲ ὅλως ἡμῶν ἐπιβαίνουσι
τῆς ψυχῆς, ἂν πολλῇ περιφράξωμεν ἑαυτοὺς ἀσφαλείᾳ · οἱ
δὲ τίκτονται μὲν ἔνδον, ῥᾳθυμησάντων δὲ ἡμῶν, καὶ
βλαστάνουσιν · ἂν δὲ προληφθῶσιν, ἀποπνίγονται ταχέως
καὶ καταχώννυνται. Ἄλλοι καὶ τίκτονται καὶ αὐξάνονται
15 καὶ πρὸς τὰς πονηρὰς ἐκβαίνουσι πράξεις καὶ πᾶσαν ἡμῶν
τῆς ψυχῆς τὴν ὑγίειαν διαφθείρουσιν, ὅταν ἐν πολλῇ
γενώμεθα ῥᾳθυμίᾳ. Τοῦτο οὖν ἔστιν ὅπερ λέγει « Ὑψώθη ἡ
καρδία αὐτοῦ» · καὶ οὐκ ἔμεινεν ἔνδον ἡ ἀπόνοια, οὐδὲ
119 κατεσβέσθη, ἀλλ' ἐξεπήδησεν, καὶ πρὸς ἔργον ἐλθοῦσα
20 πονηρόν, πᾶσαν αὐτοῦ διέφθειρε τὴν ἀρετήν. Τὸ μὲν οὖν
μακάριον, μηδὲ ὅλως δέξασθαι τὸν πονηρὸν λογισμόν ·
ὅπερ οὖν καὶ ὁ προφήτης ἔλεγεν · «Κύριε, οὐχ ὑψώθη ἡ
καρδία μου[c].» Καὶ οὐκ εἶπεν · Ὑψώθη μέν, κατέστειλα δὲ
αὐτήν, ἀλλ' Οὐδὲ τὴν ἀρχὴν ὑψώθη, τουτέστιν, ἄβατον
25 διὰ παντὸς ἐτήρησα τῇ κακίᾳ τὴν ψυχήν. Τὸ μὲν οὖν

5, 2 μηδὲ μακαρίζητε om. S arm. seclusi. ‖ 4 ταλαιπωρίᾳ : εἰτελείᾳ
trV ‖ 6 ὁ προφήτης — λέγων : τοῦτο ἐμφαίνων ὁ Δαυῒδ λέγει r ‖
Κύριε om. rVB ‖ 11 τῆς ψυχῆς : τῇ ψυχῇ tU ‖ περιφράξωμεν :
περιφράττωμεν trV ‖ 14 καταχώννυνται : ἀπόλλυνται S ‖ αὐξάνονται :
αὔξονται t ‖ 15 ἡμῶν : ὑμῶν S ‖ 17 ἔστιν ὅπερ λέγει rV : φησίν,
πέπονθε καὶ ὁ Ὀζίας S φησιν οὗτος cett. ‖ 21 μηδὲ : μήτε UjB ‖
22 προφήτης] + δηλῶν r ‖ 23 καὶ trV : om. cett.

somption produit chez l'homme le désir de choses qui ne lui conviennent pas.

5. Nous ne prolongeons pas ce discours sans motif, mais pour que vous ne jugiez jamais dignes d'envie [ni proclamiez heureux] les gens au pouvoir, en sachant combien scabreuses sont les affaires, pour que vous ne regardiez jamais non plus comme malheureux les gens tombés dans la misère et la pauvreté, en sachant qu'ainsi plus grande est leur sécurité! Voilà pourquoi le prophète s'écriait : « Il est bon pour moi, Seigneur, que tu m'aies humilié[a]. » Vois dans ces conditions quel grand mal vient de l'exaltation. « Son cœur s'exalta, est-il dit, jusqu'à le perdre[b]. » Qu'est-ce cela? « Jusqu'à le perdre? » Parmi les pensées perverses, les unes n'envahissent absolument pas notre âme si nous nous barricadons avec force précautions, mais les autres naissent au dedans et grâce à notre relâchement y germent, mais si on les prévient, elles sont vite étouffées et enterrées. D'autres encore naissent, croissent, se transforment en actions mauvaises et ruinent toute la santé de notre âme, cela quand nous en sommes venus à un grand relâchement. C'est bien là ce qu'il veut dire : « Son cœur s'exalta. » Alors la présomption ne demeura pas au dedans et elle ne s'éteignit pas, mais elle jaillit et en vint à une œuvre mauvaise : elle ruina toute la vertu d'Ozias. C'est un bonheur que ne pas accueillir du tout une pensée mauvaise, ce que montrait précisément le prophète en disant : « Seigneur, mon cœur ne s'exalta point[c]. » Il n'a point dit : Mon cœur s'exalta mais je l'ai contenu, mais bien : il n'a même pas commencé à s'exalter, c'est-à-dire : j'ai gardé continuellement mon âme inaccessible au vice. C'est

5   a. Ps. 118, 71
      b. II Chr. 26,16
      c. Ps. 130, 1

μακάριον, τοῦτο · τὸ δὲ μετ᾽ ἐκεῖνο, ἐπεισελθόντας τοὺς
λογισμοὺς ταχέως ἀπώσασθαι καὶ μὴ συγχωρῆσαι
ἐνδιατρῖψαι πλέον, ὥστε μὴ πονηρὰν ἐν ἡμῖν ἐργάσασθαι
τὴν νομήν. Εἰ δὲ καὶ μέχρι τούτου ῥᾳθυμήσαιμεν, ἔστι διὰ
30 τὴν τοῦ Θεοῦ φιλανθρωπίαν καὶ ταύτης τῆς ῥᾳθυμίας
παραμυθία, καὶ πολλὰ παρὰ τῆς ἀγαθότητος ἐκείνης τῆς
ἀφάτου καὶ μεγάλης τοῖς τοιούτοις τραύμασι
κατεσκεύασται τὰ φάρμακα.
Ἀλλὰ φέρε λοιπὸν τὸν λόγον καταπαύσωμεν, ἵνα μὴ
35 τοῦτο, ὅπερ ἐδείσαμεν ἐν ἀρχῇ, γένηται νῦν καὶ τὸ πλῆθος
λυμήνηται τὴν μνήμην ὑμῶν. Δι᾽ ὃ καὶ διὰ βραχέων
ἀνακεφαλαιώσασθαι τὰ εἰρημένα ἀναγκαῖόν ἐστιν. Οὕτω γὰρ
καὶ αἱ μητέρες ποιοῦσιν · ἐπειδὰν ὀπώρας ἢ τραγήματα ἤ
τι τοιοῦτον εἰς τὸν παιδικὸν ἐμβάλωσι κόλπον, ὥστε μὴ
40 τῇ ῥᾳθυμίᾳ τῶν παιδίων ἐκπεσεῖν τι τῶν δοθέντων αὐτοῖς,
περιστείλασαι πάντοθεν τὸν χιτωνίσκον ὑποβάλλουσι τῇ
τῆς ζώνης ἀσφαλείᾳ. Τοῦτο καὶ ἡμεῖς ποιήσωμεν, εἰς
μῆκος ἐκταθέντα τὸν λόγον συστείλωμεν καὶ τῇ τῆς
μνήμης παρακαταθώμεθα φυλακῇ. Ἠκούσατε πῶς οὐδὲν
45 ἡμᾶς πρὸς ἐπίδειξιν ἀνθρώπων χρὴ ποιεῖν καὶ πόσον
ῥᾳθυμία κακόν, πῶς καὶ τὸν ἐν ἀκριβεῖ ζῶντα βίῳ ῥᾳδίως
ὑπεσκέλισεν. Ἔγνωτε πόσης ἡμῖν δεῖ τῆς σπουδῆς, καὶ
μάλιστα πρὸς αὐτὰ τοῦ βίου τὰ τέλη, καὶ πῶς οὔτε
ἀπογινώσκειν ἐπὶ τοῖς παραπτώμασι τὸν μεταβαλλόμενον
50 οὔτε θαρρεῖν ἐπὶ τοῖς κατορθώμασι τὸν ῥᾳθυμήσαντα χρή
Διελέχθημεν περὶ διαφορᾶς ἁμαρτημάτων ὑμῖν, περὶ τοῦ
μὴ κεχηνέναι πρὸς τὰ λαμπρὰ τῶν σωμάτων καὶ πόσον ἐκ
τούτου κακὸν ἐδείξαμεν. Τὰ περὶ ἀπονοίας εἰρημένα ὑμῖν

---

28 ἐν om. trV ‖ 35 γένηται : γένοιτο SUB ‖ πλῆθος] + τῶν
λεγομένων S ‖ 38 καὶ αἱ tSB : αἱ V   καὶ cett. ‖ 39-40 μὴ τῇ ῥᾳθυμίᾳ
μήτε ῥᾳθυμούντων t ‖ 40 ἐκπεσεῖν : ἐκπέσῃ r ‖ 43 ἐκταθέντα : ἐν
SUjB ‖ συστείλωμεν t : περι- cett. ‖ 44 παρακαταθώμεθα : -θωμεν t ‖
45 ἀνθρώπων om. UB ‖ 47 ὑπεσκέλισεν : ὑποσκελίσαι δύναιτ᾽ ἂν S ‖
49 μεταβαλλόμενον : -βαλόμενον S ‖ 50 ἐπὶ om. trV ‖ 52 σωμάτων] +
κάλλη SUj ‖ 53 ἀπονοίας : προνοίας t ‖ ὑμῖν : ἡμῖν tSrV

donc là un bonheur. Celui qui vient après, c'est de repousser vite les pensées qui se sont introduites et de ne point leur permettre d'y séjourner davantage pour trouver en nous leur triste pâture [1]. Pousserions-nous cependant le relâchement à ce point, il existe encore, grâce à l'amour que Dieu porte aux hommes, même pour ce relâchement une parole encourageante ; et ils sont nombreux les remèdes que cette grande et ineffable bonté a préparés pour de telles blessures.

Mais allons, mettons fin désormais à ce discours de peur que ne se réalise à présent ce que nous avons redouté en commençant et que sa prolixité n'accable votre mémoire. Voilà pourquoi aussi il est nécessaire de résumer en peu de mots ce qui a été dit. Ainsi en agissent les mères. Quand elles ont entassé des fruits, des friandises ou semblables gâteries dans le repli de la tunique enfantine, pour ne point voir leurs petits enfants laisser par étourderie échapper un de leurs cadeaux, elles froncent de tous côtés la courte tunique et l'assujettissent avec la ceinture par mesure de sécurité. Faisons cela nous aussi ; réduisons un discours qui s'est étendu en longueur et confions-le à la garde de votre mémoire. Vous avez entendu dire comment nous ne devons rien faire par ostentation et quel grand mal est le relâchement, combien facilement aussi il a fait trébucher celui-là même qui menait une vie régulière. Vous avez appris quel zèle il nous faut montrer, surtout à la fin de notre vie, et comment ne doit pas désespérer à cause de ses péchés celui qui change, ni s'assurer sur ses actes vertueux celui qui s'est relâché. Nous vous avons entretenus de la différence entre les péchés, de la défense de béer d'admiration devant des physiques splendides [2], et nous avons montré quel grand mal en résulte. Vous vous souvenez de nos paroles sur la

---

1. Une gradation analogue se retrouve dans PLUTARQUE, *Moralia* 445 B - 446 E, à propos de la continence et de la maîtrise de soi.
2. PLATON, *Charmide* 155 D.

μέμνησθε, τὰ περὶ τῶν πονηρῶν λογισμῶν. Ταῦτα
55 φυλάσσοντες ἀναχωρήσωμεν οἴκαδε · μᾶλλον δὲ ταῦτα
φυλάσσοντες δεξώμεθα καὶ τὴν τελειοτέραν τοῦ καλοῦ
διδασκάλου παραίνεσιν. Τὰ μὲν γὰρ ἡμέτερα, οἷα ἂν εἴη,
ἔχει τὰ τῆς νεότητος δείγματα · τὰ δὲ τούτου, οἷα ἂν ἦ,
πολιῷ κεκόσμηται τῷ φρονήματι. Καὶ τὰ μὲν ἡμέτερα
60 προσέοικε ῥύακι ῥοιζηδὸν φερομένῳ · τὰ δὲ τούτου προσέοικε πηγῇ ποταμοὺς ἀφιείσῃ μεθ᾽ ἡσυχίας πολλῆς, ἐλαίου
μᾶλλον ἢ ὑδάτων μιμουμένη τὸν δρόμον. Δεξώμεθα οὖν
τὰ νάματα, ἵνα γένηται ἐν ἡμῖν «πηγὴ ὕδατος ἁλλομένου
εἰς ζωὴν αἰώνιον[d]» · ἧς γένοιτο πάντας ἡμᾶς ἐπιτυχεῖν
65 χάριτι καὶ φιλανθρωπίᾳ τοῦ Κυρίου ἡμῶν Ἰησοῦ Χριστοῦ
μεθ᾽ οὗ τῷ Πατρὶ δόξα, ἅμα τῷ ἁγίῳ Πνεύματι, εἰς τοὺς
αἰῶνας τῶν αἰώνων. Ἀμήν.

55-56 ἀναχωρήσωμεν — φυλάσσοντες om. j ‖ 56 καλοῦ tjB arm.
om. cett. ‖ 57 εἴη : ἦ SrV ‖ 59 πολιῷ tSjV arm. : πλείω cett.
κεκόσμηται : κοσμεῖται t ‖ τῷ om. t ‖ 60 τὰ : τὸ jV ‖ 62 τὸν om. t
63 ἐν om. tS ‖ 65 χάριτι — Χριστοῦ : ἐν Χριστῷ Ἰησοῦ τοῦ Κυρίου
ἡμῶν t ‖ 66 μεθ᾽ οὗ τῷ πατρὶ δόξα t arm. : ᾧ ἡ δόξα cett. ‖ δόξα] +
τιμὴ καὶ κράτος t + καὶ τὸ κράτος SjB ‖ ἅμα τῷ ἁγίῳ Πνεύματι
arm. : om. cett. ‖ ἁγίῳ] + καὶ ἀγαθῷ t ‖ πνεύματι] + νῦν καὶ ἀεὶ και
tS.

présomption, vous avez saisi ce qui a trait aux pensées mauvaises. Conservons tout cela en revenant à la maison, ou plutôt tout en le conservant, accueillons l'exhortation plus parfaite du bon Maître. Nos paroles, quelles qu'elles puissent être, portent la marque de la jeunesse : les siennes, quelles qu'elles soient, se parent de la sagesse chenue. Les nôtres ressemblent à un torrent et à ses tourbillons, les siennes ressemblent à une source d'où sortent des fleuves au cours tranquille, et qui imite en s'épanchant l'huile plutôt que les eaux. Recevons donc ces courants, afin qu'ils deviennent en nous « une source d'eau jaillissant dans la vie éternelle[d] ». Puissions-nous tous y atteindre par la grâce et l'amour que porte aux hommes notre Seigneur Jésus-Christ, et avec lui au Père ainsi qu'à l'Esprit-Saint la gloire pour les siècles des siècles. Amen.

d. Cf. Jn 4, 14

Δ'

Εἰς τὸ ῥητὸν τοῦ προφήτου Ἡσαΐου τὸ λέγον·
«Ἐγένετο τοῦ ἐνιαυτοῦ, οὗ ἀπέθανεν Ὀζίας ὁ βασιλεύς, εἶδον τὸν Κύριον καθήμενον ἐπὶ θρόνου ὑψηλοῦ
καὶ ἐπηρμένου [a]», καὶ ἔπαινος τῆς πόλεως τῆς
Ἀντιοχείας, καὶ κατὰ κωλυόντων τὸν γάμον ἔνθεος
ἀπόδειξις.

1. Λαμπρὸν ἡμῖν τήμερον τὸ θέατρον γέγονε καὶ
120 φαιδρὸς ὁ σύλλογος. Τί ποτε ἄρα τὸ αἴτιον; Τῶν χθὲς
σπερμάτων καρπὸς ὁ σήμερον θερισμός. Χθὲς ἐφυτεύσαμεν καὶ σήμερον τρυγῶμεν. Οὐ γὰρ γῆν ἄψυχον
5 γεωργοῦμεν, ἵνα βραδύνῃ, ἀλλὰ ψυχὰς λογικάς. Οὐκ ἔστι
φύσις ἡ μέλλουσα, ἀλλὰ χάρις ἡ ταχύνουσα. Εὔτακτος
ἡμῖν ὁ λαός, φιλήκοος ὁ δῆμος. Χθὲς ἐκλήθησαν καὶ
σήμερον στεφανοῦνται. Τῆς χθὲς παραινέσεως καρπὸς ἡ
σήμερον ὑπακοή. Διὰ τοῦτο καὶ ἡμεῖς μετὰ προθυμίας τὰ
10 σπέρματα καταβάλλομεν, ὅτι καθαρὰν ὁρῶμεν τὴν
ἄρουραν οὐδαμοῦ ἄκανθαν ἀποπνίγουσαν, οὐδὲ ὁδὸν πατουμένην, οὐδὲ πέτραν ἄγονον, ἀλλὰ βαθεῖάν τινα καὶ
λιπαρὰν χώραν, ὁμοῦ δεχομένην τὰ σπέρματα καὶ τὸν

Testes tSUjrVQ(vp)
Titulus 1 Εἰς – Ἡσαΐου : εἰς τὸ προφητικὸν trV ‖ τὸ λέγον om. Q ‖
2 τοῦ ἐνιαυτοῦ : ἐν τῷ ἐνιαυτῷ trV ‖ 3-4 εἶδον – ἐπηρμένου om. t ‖
4-5 καὶ [2] – τῆς πόλεως [τῆς πό- om. Q] Ἀντιοχείας om. trV ‖ καὶ [2] –
γάμον : περὶ τῶν ἐν γάμῳ εὐδοκιμησάντων Q ‖ 6 ἀπόδειξις] + ἀπὸ
τῶν τεσσάρων λόγων τοῦ Ὀζίου οὗτος λόγος β΄ r

HOMÉLIE IV

Sur la prophétie d'Isaïe qui dit : « Il arriva dans l'an-
née où mourut le roi Ozias que je vis le Seigneur siégeant
sur un trône élevé et sublime[a] *»; éloge de la ville d'An-*
tioche et divine démonstration contre les détracteurs du
mariage.

1. Une brillante assemblée, voilà ce que nous avons
aujourd'hui, une splendide réunion. Quelle en est donc bien la
cause ? Les semences d'hier ont pour fruit la moisson d'aujour-
d'hui : hier nous avons planté et aujourd'hui nous vendan-
geons. Ce n'est pas la terre sans âme que nous cultivons, lente
à produire, mais des âmes raisonnables. Ce n'est pas la nature
avec ses délais, mais la grâce avec sa rapidité. Nous avons
des fidèles disciplinés, un peuple docile. Hier il a été convo-
qué et aujourd'hui il forme une couronne autour de nous. L'exhortation d'hier a pour fruit la docilité d'aujourd'hui. Voilà
pourquoi à notre tour nous jetons avec empressement les
semences, parce que nous voyons le champ nettoyé, et nulle
part des ronces qui étouffent, ni de chemin battu, ni des pierres
stériles, mais une terre fertile et riche accueillant les semences

1, 2 ποτε] + οὖν S ‖ 6 ἀλλὰ — ταχύνουσα *om.* t ‖ εὔτακτος :
εὔπρακτος tQ ‖ 7 φιλήκοος : φιλικός Q

Tit. a. Is. 6, 1

στάχυν ἡμῖν παρέχουσαν[a]. Ταῦτα λέγω καὶ ἀεὶ λέγων οὐ
15 παύσομαι · ὅτι ἐγκώμιον τῆς πόλεως τῆς ἡμετέρας, οὐχ
ὅτι σύγκλητον ἔχει καὶ ὑπάτους ἀριθμεῖν ἔχομεν, οὐδ' ὅτι
ἀνδριάντας πολλούς, οὐδ' ὅτι ὠνίων ἀφθονίαν, οὐδ' ὅτι
θέσεως ἐπιτηδειότητα · ἀλλ' ὅτι δῆμον ἔχει φιλήκοον καὶ
ναοὺς Θεοῦ πεπληρωμένους, καὶ ἡ Ἐκκλησία μᾶλλον
20 τρυφᾷ καθ' ἑκάστην ἡμέραν λόγον ῥέοντα καὶ πόθον
οὐδέποτε κορεννύμενον. Ἡ γὰρ πόλις οὐκ ἀπὸ τῶν οἰκοδομῶν, ἀλλὰ ἀπὸ τῶν ἐνοίκων θαυμάζεται. Μή μοι λέγε
ὅτι ἡ Ῥωμαίων πόλις μεγάλη τῷ μεγέθει · ἀλλὰ δεῖξόν μοι
ἐκεῖ οὕτω λαὸν φιλήκοον. Ἐπεὶ καὶ τὰ Σόδομα πύργους
25 εἶχεν, ἡ δὲ καλύβη τὸν Ἀβραάμ · ἀλλ' ἐλθόντες οἱ ἄγγελοι
τὰ μὲν Σόδομα παρέδραμον, ἐπὶ δὲ τὴν καλύβην κατήχθη-
σαν. Οὐ γὰρ οἴκων περιφάνειαν ἐζήτουν, ἀλλὰ ψυχῆς
ἀρετὴν περιῄεσαν[b]. Οὕτω δὴ καὶ ἄλλως ἡ ἔρημος εἶχε τὸν
Ἰωάννην, ἡ δὲ πόλις τὸν Ἡρώδην · διὰ τοῦτο ἔρημος
30 πόλεως εὐγνωμονεστέρα[c]. Τί δήποτε; Ὅτι οὐκ ἐν τοῖς
κτίσμασιν ἥ‾ προφητεία. Ταῦτα δὲ λέγω, ἵνα μηδέποτε
πόλιν ἐγκωμιάσωμεν ἀπὸ πραγμάτων καταλυομένων. Τί
μοι λέγεις οἰκοδομήματα καὶ κίονας; Ταῦτα τῷ παρόντι
συγκαταλύεται βίῳ. Εἴσελθε εἰς ἐκκλησίαν καὶ βλέπε τῆς
35 πόλεως τὴν εὐγένειαν. Εἴσελθε καὶ βλέπε πένητας ἐκ μεσο-
νυκτίων μέχρι τῆς ἡμέρας παραμένοντας, βλέπε παννυχί-

---

14 καὶ ἀεὶ t : καὶ Q   ἀεὶ καὶ cett. ‖ 16-17 οὐδ' — πολλοὺς om. S ‖
17 ἀφθονίαν om. S ‖ 20 τρυφᾷ : φαιδρὰ Q ‖ 21 οἰκοδομῶν :
οἰκοδομημάτων U ‖ 22 θαυμάζεται : χρὴ φαίνεσθαι Q   χαρακτηρίζεται
Savile e cod. k ‖ 25 ἡ δὲ — Ἀβραάμ : ὁ δὲ Ἀβραὰμ καλύβην rV ‖ ο
om. trVQ ‖ 28 περιῄεσαν] + ζητοῦντες καὶ κάλλος Montf. e cod.?
δὴ : δὲ U ‖ ἄλλως om. rV ‖ 29 διὰ τοῦτο : ἀλλ' rV ‖ ἔρημος j :
ἔρημος cett. ‖ 30 πόλεως] + ἦν tSV ‖ 32 καταλυομένων t : -μένη
cett. ‖ 34 καὶ βλέπε j : ἴδε cett.

---

1   a. Cf. Matth. 13, 1-9 ; Mc 4, 3-9 ; Lc 8, 5-8
    b. Cf. Gen. 18, 2
    c. Cf. Matth. 3, 1-6

et nous donnant en même temps l'épi [a1]. Je le dis et ne cesserai de le dire sans cesse : la gloire de notre cité, ce n'est point d'avoir un sénat et que nous puissions dénombrer des consuls, ni d'avoir de si nombreuses statues, ni des marchandises à profusion, ni un site favorable, mais d'avoir un peuple docile, des temples [2] remplis de Dieu, et l'Église tire fierté plutôt d'une parole qui s'épanche chaque jour et d'un désir jamais rassasié. On admire une ville non pour ses monuments mais pour ses habitants [3]. Ne me dis pas que la ville des Romains [4] est grande par sa superficie, mais montre-moi là-bas des fidèles aussi dociles. Alors que Sodome avait des remparts, que la cabane avait Abraham, eh bien ! les anges en arrivant passèrent près de Sodome sans s'arrêter, mais descendirent sur la cabane, car ils ne recherchaient pas le luxe des habitations, mais circulaient en quête de la vertu de l'âme [b5]. Ailleurs il en va de même : le désert avait Jean et la cité Hérode. Ainsi, un désert était plus accueillant qu'une cité [c]. Pourquoi donc ? Parce que la prophétie ne réside pas dans les édifices. Je dis cela afin que nous ne vantions jamais pareille cité pour des constructions caduques. Pourquoi me parler de monuments, de colonnades ? Cela s'écroule avec la vie présente ! Entre dans l'église et vois ce qui fait la noblesse de la cité. Entre et vois des pauvres de minuit jusqu'à l'aube y demeurer, vois les saintes veillées

1. Ce morceau de bravoure développe la parabole évangélique du semeur. La discipline à observer à l'église est ici obtenue : elle était réclamée par l'orateur de la première homélie. Est-ce la raison pour laquelle certains manuscrits placent cette homélie juste après la première ?

2. Les chrétiens sont eux-mêmes des temples de Dieu : cf. *I Cor.* 3, 16.

3. Réminiscence profane. ALCÉE, 35 D (122 Page) ; ESCHYLE, *Les Perses*, 352 ; THUCYDIDE, VII, 77.

4. La ville des Romains est-elle Constantinople, *la nouvelle Rome* ?

5. Il s'agit de l'apparition de Mambré.

δας ἱερὰς ἡμέρᾳ καὶ νυκτὶ συναφθείσας, βλέπε δῆμον
φιλόχριστον, οὔτε ἐν ἡμέρᾳ τὴν ἀνάγκην τῆς πενίας
φοβουμένους, οὔτε ἐν νυκτὶ τὴν τυραννίδα τοῦ ὕπνου.
40 Μεγάλη πόλις καὶ μητρόπολις τῆς οἰκουμένης. Πόσοι
ἐπίσκοποι, πόσοι διδάσκαλοι ἦλθον ἐνταῦθα καὶ παιδευ-
θέντες παρὰ τοῦ λαοῦ ἀναχωροῦσι καὶ τὸν νόμον τὸν
ἔμφυτον ἐντεῦθεν μεταφυτεῦσαι παρασκευάζονται ; Ἐὰν
λέγῃς μοι ἀξιώματα καὶ χρημάτων περιουσίαν, ἀπὸ τῶν
45 φύλλων τὸ δένδρον ἐπαινεῖς καὶ οὐκ ἀπὸ τοῦ καρποῦ.
Ταῦτα δὲ λέγω οὐ κολακεύων ὑμῶν τὴν ἀγάπην, ἀλλὰ τὴν
ἀρετὴν ὑμῶν ἀνακηρύττων. Μακάριος ἐγὼ δι᾿ ὑμᾶς, μακάριοι ὑμεῖς δι᾿ ἑαυτούς. Μακάριος ὁ λέγων εἰς ὦτα
ἀκουόντων[d] · οὕτως ἐγὼ μακάριος ἐγενόμην. «Μακάριοι οἱ
50 πεινῶντες καὶ διψῶντες τὴν δικαιοσύνην[e].» Ἰδὲ πῶς ὑμεῖς
μακάριοι δι᾿ ἑαυτοὺς ἐγένεσθε. Μακάριος ἀνὴρ λόγων
ἐρῶν πνευματικῶν. Τοῦτο διίστησιν ἡμᾶς τῶν ἀλόγων. Οὐ
γὰρ δὴ ἡ τοῦ σώματος ἀναλογία, οὐδὲ τὸ τρέφεσθαι, οὐδὲ
τὸ πίνειν, οὐδὲ τὸ νέμεσθαι, οὐδὲ τὸ ζῆν · ταῦτα γὰρ ἡμῖν
55 ἅπαντα κοινὰ πρὸς τὰ ἄλογα · ἀλλὰ τί διέστηκεν ἄνθρωπος τῶν ἀλόγων; Τῷ λόγῳ · διὰ τοῦτο καὶ λογικὸν ζῷόν
ἐστιν ὁ ἄνθρωπος. Ὥσπερ γὰρ τρέφεται τὰ σώματα, οὕτω
τρέφεται καὶ ἡ ψυχή · ἀλλὰ τὸ μὲν σῶμα ἄρτῳ, ἡ δὲ ψυχὴ
λόγῳ[f]. Εἰπέ μοι · Ἂν οὖν ἴδῃς ἄνθρωπον λίθον ἐσθίοντα,

121

37 ἡμέρᾳ καὶ νυκτὶ Uj : ἡμέρας καὶ νυκτὸς tS ἡμέρας καὶ νύκτας
rVQ ‖ συναφθείσας : ἀλλήλαις συν- rV ‖ 37-38 βλέπε — φιλόχριστον
SrV : om. cett. ‖ 38-39 οὔτε — ὕπνου conieci : οὔτε ἐν ἡμέρᾳ, οὔτε ἐν
νυκτὶ τὴν τυραννίδα τοῦ ὕπνου, οὔτε τὴν ἀνάγκην φοβουμένους cod. ‖
40 post πόλις transp. τῆς οἰκουμένης U ‖ 40-41 πόσοι ἐπίσκοποι om. j
‖ 42-43 τὸν ἔμφυτον : τῶν φυτῶν Q ‖ 43 μεταφυτεῦσαι παρασκευάζονται : μανθάνουσι j ‖ 50 ἰδὲ : εἶδες Montf. ‖ 51 μακάριος :
μάλιστα tjS ‖ 52-53 οὐ γὰρ δὴ : ἀλλ᾿ οὐχ rV ‖ 59 εἰπέ μοι rV : om.
cett.

d. Cf. Sir. 25, 9
e. Matth. 5, 6
f. Cf. Matth. 4,4 ; Deut. 8,3 ; Sag. 16, 26 ; Jn 4, 34

reliées au jour et à la nuit [1], vois un peuple épris du Christ, ne redoutant ni, le jour, la contrainte de la pauvreté, ni, la nuit, la tyrannie du sommeil. C'est une grande cité et la métropole du monde. Combien d'évêques, combien de docteurs y sont venus qui se retirent instruits par les fidèles et qui se préparent à transplanter la loi implantée ici. Si tu me parles de dignités, d'abondance de richesses, c'est pour son feuillage que tu loues l'arbre, et non pour ses fruits. Je dis cela, non que je veuille flatter Votre Amour, mais proclamer votre mérite. Heureux suis-je à cause de vous ; heureux êtes-vous à cause de vous-mêmes. Heureux l'orateur qui a l'oreille de son auditoire [d]. C'est cela qui m'a rendu heureux. « Heureux les affamés et les assoiffés de justice [e]. » Vois comment vous êtes devenus heureux par vous-mêmes. Heureux l'homme épris de discours spirituels ! Cela nous distingue des animaux sans raison ; ce n'est donc pas l'analogie du corps, ni la nourriture, ni la boisson, ni le séjour, ni la vie, car tout cela nous est commun avec les animaux sans raison. Qu'est-ce donc qui sépare l'homme des animaux sans raison ? La parole. C'est par là qu'il est un animal raisonnable [2]. De même en effet que le corps se nourrit, l'âme aussi se nourrit, mais le corps, c'est de pain, l'âme de parole [f]. Dis-moi, si tu vois un homme manger une pierre, pourrais-tu

----

1. Le mot παννυχίς désignait à l'origine une fête nocturne païenne. Dans l'*homélie sur les Calendes* (PG 34, 1698), Jean qualifie ces fêtes de veillées diaboliques. La veillée chrétienne comprenait douze prières et le chant des psaumes ; cf. PALLADIUS, *Histoire Lausiaque,* 32 (PG 34, 1100).

2. Jean joue sur le double sens de λόγος, parole et raison : ἀλογία signifie à la fois silence et extravagance. Il se souvient sans doute d'ISOCRATE qui, dans le discours *Sur l'échange* (253-257), développe cette idée que la parole est le seul caractère qui nous distingue des animaux. Le sophiste GORGIAS, dans son *Éloge d'Hélène* (4), émet la même opinion. Quant à l'expression λογικὸν ζῷον pour désigner l'homme, elle est stoïcienne : CHRYSIPPE. *Stoic.* 3, 95 ; MARC-AURÈLE, 8, 35 ; 9, 16 ; ÉPICTÈTE 1, 6, 12 ; 1, 9, 4 ; ARTÉMIDORE *Onirocritique* IV, 19, 253, 5 Pack.

60 ἆρα ἂν εἴποις ἄνθρωπον εἶναι; Οὕτως ἂν ἴδῃς μὴ λόγῳ
τρεφόμενον, ἀλλ᾽ ἀλογίᾳ, ἐρεῖς· Οὗτος καὶ τὸ εἶναι
ἄνθρωπος ἀπώλεσεν· ἡ γὰρ ἀνατροφὴ δείκνυσι τοῦ
ἀνθρώπου τὴν εὐγένειαν.

Ἐπειδὴ τοίνυν τὸ θέατρον ἡμῖν πεπλήρωται καὶ πάλιν
65 ἡ θάλασσα ἡ κυμαινομένη καὶ γαλήνης γέμουσα καὶ πάλιν
τὸ πέλαγος τὸ χειμαζόμενον καὶ ἑστηκός, φέρε δὴ τὸ
πλοῖον ἑλκύσωμεν, ἀντὶ τοῦ ἱστίου τὴν γλῶτταν ἀναπετά-
σαντες, ἀντὶ τοῦ ζεφύρου τοῦ Πνεύματος τὴν χάριν καλέ-
σαντες, ἀντὶ τοῦ αὐχένος καὶ πηδαλίου τῷ σταυρῷ χρώμε-
70 νοι κυβερνήτῃ. Ἡ θάλασσα μὲν γὰρ ἔχει ἁλμυρὰ ὕδατα,
ἐνταῦθα δὲ ὕδωρ ζῶν. Ἐκεῖ ἄλογα ζῷα, ἐνταῦθα δὲ ψυχαὶ
λογικαί· ἐκεῖ οἱ πλέοντες ἀπὸ θαλάσσης εἰς γῆν, ἐνταῦθα
δὲ οἱ πλέοντες ἀπὸ γῆς εἰς οὐρανὸν ὁρμίζονται· ἐκεῖ
πλοῖα, ἐνταῦθα δὲ λόγοι πνευματικοί· ἐκεῖ σανίδες ἐν τῷ
75 πλοίῳ, ἐνταῦθα δὲ λόγων συγκροτήματα· ἐκεῖ ἱστίον,
ἐνταῦθα δὲ γλῶττα· ἐκεῖ ζεφύρου αὔρα, ἐνταῦθα δὲ Πνεύματος ἐπιδημία· ἐκεῖ ἄνθρωπος κυβερνήτης, ἐνταῦθα δὲ
κυβερνήτης ὁ Χριστός. Διὰ δὴ τοῦτο τὸ πλοῖον χειμάζε-
ται, ἀλλ᾽ ὑποβρύχιον οὐ γίνεται. Ἠδύνατο μὲν γὰρ καὶ ἐν
80 γαλήνῃ πλεῖν, ἀλλ᾽ οὐκ ἀφῆκεν ὁ κυβερνήτης, ἵνα καὶ τῶν
πλεόντων τὴν ὑπομονὴν ἴδῃς καὶ τοῦ κυβερνῶντος τὴν
σύνεσιν ἀκριβῶς καταμάθῃς.

2. Ἀκουέτωσαν Ἕλληνες, ἀκουέτωσαν Ἰουδαῖοι τὰ
κατορθώματα ἡμῶν καὶ τὴν προεδρίαν τῆς Ἐκκλησίας.
Ὑπὸ πόσων ἐπολεμήθη ἡ Ἐκκλησία, ἀλλ᾽ οὐδέποτε ἐνι-
κήθη; πόσοι τύραννοι; πόσοι στρατηγοί; πόσοι βασιλεῖς;

---

60 εἴποις Sr : εἴπῃς cett. ‖ οὕτως : ὡς Q ‖ 61 ἀλλ᾽ ἀλογίᾳ : ἀλλ᾽
ἀψυχίᾳ t¹ ψυχήν Q ‖ ἐρεῖς rV : om. cett. ‖ 62 ἀνατροφή U : -στροφή
cett. ‖ 69 αὐχένος καὶ om. rV ‖ 70 κυβερνήτῃ om. rV ‖ 71 ἄλογα :
ἀλόγιστα Q ‖ 74 ἐνταῦθα – πνευματικοί om. Q ‖ 77 ἐπιδημία : χάρις
Q ‖ 81-82 ἴδῃς ... καταμάθῃς : ἴδῃ ... καταμάθῃ trVQ.

dire que c'est un homme ? De même, si tu le vois ne pas se
nourrir de parole mais de silence, tu diras : cet homme a perdu
son humanité, car le mode d'alimentation montre la noblesse
de l'homme.

Lors donc que notre enceinte est remplie, que la mer
retrouve l'embellie, que l'océan en proie à la tempête retrouve
le calme, eh bien ! mettons à l'eau notre vaisseau, déployons
notre langue en guise de voile, appelons la grâce de l'Esprit en
guise de zéphyr, prenons pour pilote la croix en guise de timon
et de gouvernail [1]. La mer en effet a des eaux salées, ici c'est de
l'eau vive [2]. Il y a là des animaux sans raison, ici des âmes raisonnables ; là-bas les navigateurs vont mouiller de la mer à la
terre, ici les navigateurs le font de la terre au ciel ; là-bas des
embarcations, ici des discours spirituels ; là-bas la membrure
de l'embarcation, ici des agencements de discours ; là-bas une
voile, ici une langue ; là-bas le souffle du zéphyr, ici la venue
de l'Esprit ; là-bas un homme comme pilote, ici pour pilote le
Christ. Aussi le navire est battu par la tempête, mais il n'est
pas submergé. Il pouvait naviguer aussi par beau temps, mais
le pilote ne l'a pas permis, afin que l'on voie la patience des
navigateurs et que l'on sache exactement l'intelligence du
pilote.

2. Qu'ils apprennent, les Grecs, qu'ils apprennent, les Juifs,
nos actes de vertu et la préséance de l'Église. Combien de gens
ont fait la guerre à l'Église, sans que jamais elle ait été vaincue ! Combien de tyrans ! Combien de généraux ! Combien de

---

1. Le timon et le gouvernail forment une croix par leur assemblage. Le
Christ est le pilote de l'Église, comme la divinité du *Politique* de PLATON
272 E) est pilote de l'univers, mais celle-ci lâche les commandes du
ouvernail.

2. Souvenir de *Jn* 4, 14 ; 7, 37-39.

5 Αὔγουστος, Τιβέριος, Γάϊος, Κλαύδιος, Νέρων, ἄνθρωποι
λόγοις τετιμημένοι, δυνατοί, τοσαῦτα ἐπολέμησαν ἀκμὴν
νεάζουσαν, ἀλλ᾽ οὐκ ἐξερρίζωσαν· ἀλλ᾽ οἱ μὲν πολεμήσαντες σεσίγηνται καὶ λήθῃ παραδέδονται, ἡ δὲ πολε-
μηθεῖσα τὸν οὐρανὸν ὑπεραίρει. Μὴ γάρ μοι τοῦτο ἴδῃς
10 ὅτι ἐν γῇ ἕστηκεν ἡ Ἐκκλησία, ἀλλ᾽ ὅτι ἐν οὐρανῷ πολι-
τεύεται; Πόθεν τοῦτο δῆλον; Δείκνυσι τῶν πραγμάτων ἡ
ἀπόδειξις. Ἐπολεμήθησαν ἕνδεκα μαθηταὶ καὶ ἡ οἰκου-
μένη ἐπολέμει· ἀλλ᾽ οἱ πολεμηθέντες ἐνίκησαν καὶ οἱ
πολεμήσαντες ἀνῃρέθησαν· τὰ πρόβατα τῶν λύκων περιε-
15 γένοντο. Εἶδες ποιμένα τὰ πρόβατα ἐν μέσῳ τῶν λύκων
ἀποστέλλοντα[a], ἵνα μηδὲ τῇ φυγῇ τὴν σωτηρίαν πορί-
σωνται; Ποῖος ποιμὴν τοῦτο ἐργάζεται; Ἀλλ᾽ ὁ Χριστὸς
τοῦτο ἐποίησεν, ἵνα σοι δείξῃ ὅτι οὐ κατὰ ἀκολουθίαν τῶν
πραγμάτων, ἀλλ᾽ ὑπὲρ φύσιν καὶ ἀκολουθίαν τὰ κατορθώ-
20 ματα γίνεται. Ἡ γὰρ Ἐκκλησία οὐρανοῦ μᾶλλον ἐρρί-
ζωται. Ἀλλ᾽ ἴσως ἀπόνοιάν μου καταγινώσκει ὁ Ἕλλην·
ἀλλ᾽ ἀναμενέτω τῶν πραγμάτων τὴν ἀπόδειξιν καὶ μανθα-
122   νέτω τῆς ἀληθείας τὴν ἰσχύν. Πῶς; εὐκολώτερον τὸν
ἥλιον σβεσθῆναι ἢ τὴν Ἐκκλησίαν ἀφανισθῆναι. Τίς
25 ταῦτα, φησίν, ὁ κηρύττων; Ὁ θεμελιώσας αὐτήν· «Ὁ
οὐρανὸς καὶ ἡ γῆ παρελεύσονται, οἱ δὲ λόγοι μου οὐ μὴ
παρέλθωσιν[b].» Ταῦτα οὐ μόνον εἶπεν, ἀλλὰ καὶ ἐπλή-
ρωσεν· διὰ τί γὰρ μᾶλλον οὐρανοῦ μείζονα αὐτὴν ἐθε-
μελίωσεν; Οὐρανοῦ γὰρ τιμιωτέρα ἡ Ἐκκλησία. Διὰ τ

2, 5 Αὔγουστος − Νέρων *om.* rV ‖ 10 ἡ ἐκκλησία *om.* Q ‖ 10
20 ἀλλ᾽ ὅτι − Ἐκκλησία *om.* tS ‖ 12 ἕνδεκα : οἱ ἕνδεκα U ‖ 13 ἀλλ
οἱ rV : οἱ Q οἱ δὲ *cett.* ‖ 18-19 τῶν − ἀκολουθίαν *om.* Q ‖
20 γίνεται : γίνονται Uj ‖ 23 εὐκολώτερον : εὔκολον Q ‖ 23-24 *pos*
εὐκολώτερον *transp.* σβεσθῆναι rV ‖ 25 ὁ κηρύττων *om.* rV ‖
28 μείζονα *om.* Q ‖ 29 οὐρανοῦ γὰρ τιμιωτέρα : τιμ- γὰρ οὐρ- ~
S ὅτι οὐρ- τιμ- ~ r ‖ 29-30 διὰ τί − ἐκκλησίαν : διὰ γὰρ τὴν ἐκ-
οὐρανός S

rois, Auguste, Tibère, Caligula, Claude, Néron [1]! des hommes
célébrés par des discours, puissants, lui ont fait la guerre et si
souvent, quand elle était dans la fleur de sa jeunesse, et ils ne
l'ont pas déracinée, mais sur les auteurs de la guerre, on garde
le silence, ils ont été livrés à l'oubli ; et elle à qui on fit la guerre
dépasse les cieux ! N'as-tu point vu que l'Église se tient sur la
terre mais qu'au ciel est sa cité [2]? Comment le prouver ? On le
montre en exposant les faits. Onze disciples furent en butte à la
guerre et c'était l'univers qui la menait. Eh bien ! les victimes
de la guerre furent les vainqueurs et les auteurs de la guerre
furent détruits. Les brebis ont triomphé des loups. As-tu vu un
berger envoyer ses brebis au milieu des loups [a], pour qu'elles
ne puissent même pas trouver leur salut dans la fuite ? Quel
berger fait cela ? Eh bien ! le Christ l'a fait, pour te montrer
que ce n'est pas selon le cours des choses, mais de façon surna-
turelle, contre le cours des choses, que se produisent les actes
de vertu. L'Église en effet a de plus profondes racines que le
ciel. Mais peut-être que le Grec me taxe de présomption ; qu'il
attende plutôt la démonstration des faits et qu'il apprenne à
connaître la force de la vérité. Comment cela ? Il serait plus
facile de voir s'éteindre le soleil que disparaître l'Église. Qui
fait, me dit-on, cette proclamation ? Son fondateur. «Le ciel et
la terre passeront, mais mes paroles ne passeront pas [b].» Il ne
s'est point contenté de le dire, mais il l'a accompli. Pourquoi,
en effet, lui a-t-il donné de plus grandes assises qu'au ciel ?
Parce que l'Église a plus de prix que le ciel. Pourquoi le ciel ?

2   a. Cf. Matth. 10, 16 ; Lc 10, 3
    b. Matth. 24, 35

1. Si l'authenticité de la IV[e] homélie était incontestable, cette
énumération serait manifestement une glose, mais si, comme nous le
pensons, cette authenticité peut être contestée pour diverses raisons, rien
n'empêche de voir dans cette liste même une preuve supplémentaire de
plagiat. Cf. Introduction, p. 13 s.

2. Réminiscence de *Éphés.* 2, 19 ; *Phil.* 3, 20.

30 οὐρανός; Διὰ τὴν Ἐκκλησίαν, οὐχ ἡ Ἐκκλησία διὰ τὸν
οὐρανόν. Ὁ οὐρανὸς δὲ διὰ τὸν ἄνθρωπον, οὐκ ἄνθρωπος
διὰ τὸν οὐρανόν. Καὶ ἐξ ὧν αὐτὸς ἐποίησεν, δῆλον.
Οὐράνιον γὰρ σῶμα οὐκ ἀνέλαβεν ὁ Χριστός. Ἀλλ' ἵνα
μὴ μηκύναντες τὸν λόγον, πάλιν χρεωσταὶ ἀναχωρήσωμεν
35 σήμερον — ἴστε γὰρ ὅσαπερ χθὲς ὑπεσχόμεθα —, καταβαλεῖν ἕτοιμοι σήμερον. Διὰ γὰρ τοὺς ἀπολειφθέντας ἀνεβαλόμην. Ἐπειδὴ οὖν οἱ ἀπολειφθέντες τὰ ἑαυτῶν ἐπλήρωσαν καὶ τὴν παρουσίαν ἡμῖν τὴν ἑαυτῶν ἐχαρίσαντο
πεπληρωμένην τράπεζαν τῶν ἀναλωμάτων, φέρε δή, τὰ
40 ὄψα παραθῶμεν, ὄψα οὐχ ἕωλα · εἰ γὰρ καὶ χθεσινὰ ἦν,
ἀλλ' οὐ γίνονται ἕωλα. Τί δήποτε; Οὐκ ἔστι κρέα, ἵνα
διαφθαρῇ, ἀλλὰ νοήματα διηνεκῶς ἀνθοῦντα. Τὰ μὲν γὰρ
κρέα φθείρεται · σῶμα γάρ ἐστιν · τὰ δὲ νοήματα μένοντα
εὐωδέστερα καθίστανται.
45 Τί οὖν ἦν, ἃ χθὲς εἰρήκαμεν; Καὶ γὰρ καὶ ἡμεῖς χθὲς
ἀπελαύσαμεν τραπέζης καὶ οἱ ἀπολειφθέντες οὐκ ἐζημιώθησαν. «Καὶ ἐγένετο τοῦ ἐνιαυτοῦ, οὗ ἀπέθανεν Ὀζίας
ὁ βασιλεύς, εἶδον τὸν Κύριον καθήμενον ἐπὶ θρόνου
ὑψηλοῦ καὶ ἐπηρμένου ᶜ.» Τίς ταῦτά φησιν; Ἡσαΐας, ὁ
50 θεωρὸς τῶν Σεραφίμ, ὁ γάμῳ ὁμιλήσας καὶ τὴν χάριν μὴ
σβέσας. Καὶ προσεσχήκατε τῷ προφήτῃ, ἀλλ' ἀκούσατε

33 οὐράνιον γὰρ : οὐρανοῦ Q οὐρανὸς rV ‖ ὁ χριστός : ὥσπερ ὁ
χριστός rV om. Q ‖ 34 μηκύναντες : μηκύνοντες r ‖ 36 ἕτοιμοι
σήμερον rV : ἑτοιμάσομεν t ἑτοιμάσωμεν cett. ‖ ἀνεβαλόμην : -
βαλλόμην Sj ‖ 37 ἐπειδὴ : ἐπεὶ Q ‖ 38 τὴν παρουσίαν ... τὴν : τῇ
παρουσίᾳ ... τῇ Sr ‖ 39-40 πεπληρωμένην — παραθῶμεν : φέρε δὴ τὰ
ὄψα παραθῶμεν καὶ πεπληρωμένην δείξωμεν τῶν ἐδεσμάτων rV ‖
40 χθεσινὰ : χθιζὰ rV ‖ 41 οὐ — δήποτε om. tS ‖ 44 εὐωδέστερα :
νεαρώτερα rV ‖ 45-47 καὶ γὰρ — ἐζημιώθησαν om. rV ‖ 51 ἀλλ'
ἀκούσατε Sr : καὶ ἠκούσατε cett.

1. On retrouve la même image chez PLUTARQUE, Amatorius 764 A.
2. Dans la IIIᵉ homélie 1, 22, Jean parle de traiter à sa table... oratoire ses
auditeurs. L'image remonte à PLATON, République 352 B. Mais ici l'orateur

Pour l'Église, non l'Église pour le ciel. Le ciel est pour
l'homme, non l'homme pour le ciel. Et, par ce que le Christ a
fait lui-même, c'est clair, car il n'a pas pris un corps céleste.
Mais de peur que, en prolongeant notre discours, nous nous
retirions encore débiteurs[1] aujourd'hui — car vous savez
toutes nos promesses d'hier —, nous voici prêts à verser notre
dû aujourd'hui. C'est à cause des absents que j'avais différé,
mais puisque ces absents ont rempli leur devoir et nous ont
gratifiés de leur présence, une table remplie d'aliments coûteux[2], eh bien! servons des mets de choix, des mets non éventés, car bien qu'ils soient d'hier ils ne sont pas éventés. Pourquoi donc? Parce qu'il ne s'agit pas de viandes pour qu'elles
soient avariées, mais de pensées toujours florissantes; car les
viandes s'avarient, car elles sont un corps, tandis que les pensées deviennent avec la durée plus odoriférantes.

Qu'avons-nous donc dit hier? Hier en effet nous avons aussi
profité d'un repas, sans préjudice pour les absents. «Il arriva
dans l'année où mourut le roi Ozias que je vis le Seigneur siégeant sur un trône élevé et sublime[c].» Qui dit cela? Isaïe, le
contemplateur[3] des Séraphins, celui qui a usé du mariage, sans
avoir éteint la grâce. Vous avez prêté attention au prophète; eh

---

c. Is. 6, 1

nous présente son auditoire comme la table même «remplie d'aliments
coûteux» et ajoute qu'il va leur servir des mets de choix, τὰ ὄψα, une
expression que l'on retrouve dans PLATON, *République* 372 E, avec
l'acception de dessert, et dans XÉNOPHON, *Mémorables* 1, 3, 5, avec celle
d'assaisonnements. La métaphore est assez singulière pour avoir provoqué
une réfection malheureuse, qui figure dans toute une classe de manuscrits (cf.
apparat critique), mais bouleverse l'ordre de la phrase. On fera remarquer
d'ailleurs que πεπληρωμένην... ἀναλωμάτων répond à ἐπλήρωσαν... τὰ ὄψα.
A.M. MALINGREY (lettre personnelle du 30-10-77) suggère ceci : «Les
auditeurs ont *dressé* la table *à grands frais* par leur présence. Jean, à son
tour, va la *charger* de mets».

3. Le mot θεωρός désignait un député des États grecs aux jeux et
cérémonies panhelléniques.

τοῦ προφήτου καὶ σήμερον · «Ἔξελθε, σὺ καὶ Ἰασοὺφ ὁ
υἱός σου^d.» Ἀναγκαῖον καὶ ταῦτα μὴ παραδραμεῖν.
«Ἔξελθε, σὺ καὶ ὁ υἱός σου.» Υἱὸν εἶχεν ὁ προφήτης;
55 Οὐκοῦν εἰ υἱόν, καὶ γυναῖκα, ἵνα μάθῃς ὅτι οὐ φαῦλον ὁ
γάμος, ἀλλὰ κακὸν ἡ πορνεία. Ἀλλ' ἐπειδὴ πολλοῖς τισι
διαλεγόμεθα καὶ λέγομεν · Διὰ τί μὴ ὀρθῶς ζῇς, διὰ τί μὴ
τὸν βίον ἀκριβῆ ἐπιδείκνυσαι; Πῶς δύναμαι, φησίν, ἐὰν
μὴ ἀποτάξωμαι γυναικί, ἐὰν μὴ ἀποτάξωμαι παιδίοις, ἐὰν
60 μὴ ἀποτάξωμαι πράγμασιν; Διὰ τί; Μὴ κώλυμα ὁ γάμος;
βοηθός σοι δέδοται ἡ γυνή, μὴ ἐπίβουλος. Ὁ προφήτης
οὐ γυναῖκα εἶχεν; Καὶ οὐκ ἐγένετο κώλυμα τοῦ Πνεύματος ὁ γάμος · ἀλλὰ καὶ ὡμίλει τῇ γυναικὶ καὶ προφήτης
ἦν. Ὁ Μωϋσῆς οὐ γυναῖκα εἶχεν^e; Ἀλλ' ὅμως καὶ πέτρας
65 διέρρηξεν^f καὶ ἀέρα μετέβαλεν^g καὶ Θεῷ διελέγετο^h καὶ
θεήλατον ὀργὴν ἀνέστειλενⁱ. Ὁ Ἀβραὰμ οὐχὶ γυναῖκα
εἶχεν; Καὶ πατὴρ ἐγένετο ἐθνῶν πολλῶν^j καὶ τῆς Ἐκκλησίας · τὸν γὰρ Ἰσαὰκ υἱὸν εἶχεν. Οὐχ οὗτος αὐτῷ ἐγένετο
κατορθωμάτων ὑπόθεσις; Οὐκ ἀνήνεγκε τὸ παιδίον, τὸν
70 καρπὸν τοῦ γάμου^k; οὐκ ἐγένετο καὶ πατὴρ καὶ φιλό-
θεος; οὐκ ἦν ἰδεῖν ἱερέα ἐξ οἰκείων σπλάγχνων γενόμενον; ἱερέα καὶ πατέρα; φύσιν νικωμένην καὶ εὐλάβειαν

56 ἀλλ' ἐπειδὴ : ἐπειδὴ δὲ rV ‖ τισι om. rV ‖ 58 τὸν om. Ur ‖ 58-
59 ἐὰν – γυναικι om. U ‖ 59 ἐὰν¹ – παιδίοις om. S ‖ 62-63 τοῦ – ὁ
γάμος rV : τοῦ πν. ἡ χάρις tSUjQ τῆς τοῦ πνεύματος χάριτος U² ‖
64 εἶχεν Q : ἔσχεν cett. ‖ ἀλλ' ὅμως rV : om. cett. ‖ 65 διέρρηξεν S :
ἔρρηξεν cett. ‖ 66 ἀνέστειλεν : ἀπ- t ‖ 67 εἶχεν: ἔσχεν Ujr ‖ πολλῶν
rV : om. cett. ‖ ἐκκλησίας] + τὸν τύπον rV ‖ 68 οὐχ οὗτος αὐτῷ rV :
καὶ αὐτὸς cett.

d. Is. 7, 3
e. Cf. Nombr. 12, 1
f. Cf. Ex. 17, 1-6
g. Cf. Ex. 10, 21-22
h. Cf. Ex. 19, 3-8
i. Cf. Ex. 32, 7-14
j. Cf. Gen. 17, 4
k. Cf. Gen. 22, 1-19

bien ! écoutez le prophète aujourd'hui encore. «Sors, toi et ton
fils Iasouph [d] [1].» Il est nécessaire de ne point effleurer ce point :
«Sors, toi et ton fils.» Il avait donc un fils, le prophète ? Un fils,
et par conséquent une épouse; ceci afin que tu saches que le
mariage n'est point chose vile, alors que la prostitution est un
mal. Cependant, lorsque nous conversons avec bien des gens,
et que nous disons : Pourquoi ne mènes-tu pas une existence
droite ? Pourquoi ne montres-tu pas de la rigueur dans ton
genre de vie ? on nous répond : Comment le pourrai-je, à
moins de délaisser mon épouse, de délaisser mes petits enfants,
de délaisser mes affaires ? — Pourquoi ? Le mariage est-il un
obstacle ? C'est une aide qui t'est donnée dans ton épouse, non
un piège ! Le prophète n'avait-il pas d'épouse ? Et cela ne fut
pas un obstacle à l'Esprit. Il avait même des rapports avec son
épouse et il était prophète. Moïse n'avait-il pas une épouse [e] ?
Et cependant il fit éclater les rochers [f], il changea l'atmos-
phère [g], il conversait avec Dieu [h], il suspendit la colère divine [i].
Abraham n'avait-il pas une épouse ? Et il devint le père de
nations nombreuses [j] et de l'Église. Il eut pour fils Isaac [2].

Celui-ci ne devint-il pas pour lui le principe d'actes de vertu ? N'a-t-il point offert en sacrifice son petit enfant, le fruit de
son mariage [k] ? Ne devint-il pas à la fois un père et un ami de
Dieu ? Ne pouvait-on pas voir un prêtre naître de ses propres
entrailles [3] ? Un prêtre et un père ? la nature vaincue et la piété

---

1. Notons que, dans son *Commentaire sur Isaïe* (*PG* 56, 70), Jean
interprète *Iasub* comme un nom commun : *reste,* et voit dans le mot *fils* un
terme qui désigne le peuple juif.

2. Dans les perspectives d'une activité salvatrice continue de Dieu, Isaac
nous est proposé comme l'esquisse d'une réalité dont l'Église est l'accomplissement. Cf. *Lexicon für Theologie und Kirche* 10, 422-423.

3. L'expression est alambiquée. Abraham devient prêtre et sacrificateur
malgré son cœur de père.

κρατοῦσαν; σπλάγχνα πατούμενα καὶ κατορθώματα εὐσεβῆ
περιγινόμενα; καὶ τὸν πατέρα λυόμενον καὶ φιλόθεον
75 στεφανούμενον; οὐκ εἶδες ὅλον φιλόπαιδα καὶ φιλόθεον;
μήτι ἐκώλυσεν ὁ γάμος; Τί δαί; ἡ μήτηρ τῶν Μακ-
καβαίων οὐχὶ γυνὴ ἦν¹; οὐχὶ ἑπτὰ δέδωκεν παῖδας τὸν
χορὸν τῶν ἁγίων; οὐκ εἶδεν αὐτοὺς μαρτυρήσαντας; οὐχ
εἰστήκει καθάπερ ὅρος μὴ σαλευομένη; οὐχ εἰστήκει καθ'
80 ἕκαστον αὐτῶν μαρτυροῦσα, καὶ μήτηρ μαρτύρων καὶ
ἑπτάκις ἐμαρτύρησεν; Βασανιζομένων γὰρ ἐκείνων, αὐτὴ
τὴν πληγὴν ἐδέχετο. Οὐδὲ γὰρ ἀπαθῶς οὕτω τὰ γινόμενα
ἔφερεν· μήτηρ γὰρ ἦν καὶ τῆς φύσεως ἡ ὕβρις τὴν
οἰκείαν δύναμιν ἐπεδείκνυτο· ἀλλ' οὐκ ἐνικᾶτο. Θάλασσα
85 γὰρ ἦν καὶ κύματα· ἀλλ' ὥσπερ ἡ θάλασσα μαινομένη
καταλύεται, οὕτω καὶ ἡ φύσις ἐγειρομένη τῷ φόβῳ τοῦ
Θεοῦ ἐχαλινοῦτο. Πῶς αὐτοὺς ἤλειψεν; πῶς αὐτοὺς ἔθρε-
ψεν; πῶς ἑπτὰ ναοὺς τῷ Θεῷ παρέστησεν, ἀνδριάντας
χρυσοῦς, μᾶλλον δὲ καὶ χρυσοῦ τιμιωτέρους; 3. Οὐδὲ γὰρ
τοιοῦτον ἀπολάμπει χρυσός, οἷον ψυχὴ μαρτύρων.

Εἰστήκει ὁ τύραννος καὶ ὑπὸ μιᾶς γυναικὸς ἡττώμενος
ἀνεχώρει. Ἐκεῖνος ὅπλοις ἐπολιόρκει καὶ αὕτη προθυμίᾳ
5 περιεγένετο· ἐκεῖνος κάμινον ἀνῆψεν καὶ αὕτη
τὴν ἀρετὴν τοῦ Πνεύματος· ἐκεῖνος στρατόπεδον ἐκίνει
καὶ αὕτη πρὸς ἀγγέλους μεθωρμίζετο· ἑώρα κάτω τὸν
τύραννον καὶ ἐνενόει τὸν ἄνω βασιλεύοντα· ἑώρα τὰς
κάτω βασάνους καὶ ἠρίθμει τὰ ἄνω βραβεῖα· ἑώρα τὴν
10 παροῦσαν κόλασιν καὶ ἐνενόει τὴν μέλλουσαν ἀθανασίαν
[Διὸ καὶ ὁ Παῦλος ἔλεγεν· «Μὴ σκοπούντων ἡμῶν τὰ

---

76 δαί SU : δὲ cett. ‖ 77 παῖδας δέδωκεν ∼ S ‖ 77-78 τὸν χορὸν
τῷ χορῷ tSj ‖ 79 σαλευομένη : σαλευόμενον S ‖ 83 ἔφερεν : ἐδέχετο
SU ἦν Q.
3, 1 οὐδὲ γὰρ rV : ὅτι γὰρ οὐ cett. ‖ 2 ἀπολάμπει rV : om. cett.
μαρτύρων] + πρόσεχε U προσέχετε S ‖ 11 διὸ − ἔλεγε Montf.
seclusi ‖ 11-12 μὴ − βλεπόμενα cod. : seclusi

1. Cf. II Macc. 7, 1-41

triomphante, le cœur piétiné et les actes de piété vainqueurs, le
père brisé et l'ami de Dieu couronné? N'as-tu point vu un
homme aimer totalement son enfant et son Dieu? Le mariage
fut-il un obstacle? Mais quoi? La mère des Maccabées n'était-
elle point une épouse[1]? N'a-t-elle point donné sept enfants, le
chœur des saints[1]? Ne les a-t-elle point vu martyriser? Ne se
tenait-elle pas debout sans vaciller[2], comme une montagne?
Ne se tenait-elle pas debout martyrisée en chacun d'eux? Et
mère de martyrs et sept fois martyrisée? Quand ils étaient tor-
turés, c'était elle qui recevait les coups. Ce n'était pas stoï-
quement qu'elle supportait ce qui se passait, car elle était mère,
et la violence faite à la nature manifestait sa puissance propre,
mais elle, elle n'était pas vaincue. C'était la mer et ses vagues,
mais comme la mer en furie s'apaise, de même aussi la nature
qui se réveillait était bridée par la crainte de Dieu. Comment
avait-elle oint ces athlètes? Comment les avait-elle élevés?
Comment offrit-elle sept temples à Dieu[3], sept statues d'or et
plus précieuses même que l'or? 3. C'est que l'or en effet n'a
pas un éclat comparable à celui de l'âme des martyrs.

Le tyran s'était dressé et vaincu par une seule femme il bat-
tait en retraite; celui-là l'investissait avec ses armes et celle-ci
en triompha avec son courage; celui-là alluma la fournaise et
celle-ci la vertu de l'Esprit; celui-là mettait en branle une flotte
et celle-ci allait jeter l'ancre auprès des anges[4]; elle voyait ici-
bas le tyran et songeait à Celui qui règne là-haut; elle voyait
les tortures d'ici-bas et comptait les couronnes d'en haut; elle
voyait le châtiment présent et songeait à l'immortalité future.
[C'est pourquoi Paul disait aussi: «Si nous ne regardons pas

---

1. «Donner un chœur» est une expression technique. Cf. PLATON, Rép.
383 C.
2. Le Par. gr. 661 compare à une montagne creusée de mines,
μεταλλευόμενον, cette mère minée par la souffrance!
3. Réminiscence de I Cor. 3, 16.
4. EURIPIDE, Médée v. 442.

βλεπόμενα, ἀλλὰ τὰ μὴ βλεπόμενα[a].»] Μή τι κώλυμα ὁ
γάμος ἐγένετο; Τί δαὶ ὁ Πέτρος, ἡ κρηπὶς τῆς Ἐκκλησίας, ὁ μανικὸς ἐραστὴς τοῦ Χριστοῦ, ὁ ἀπαίδευτος τῷ
15 λόγῳ καὶ ῥητόρων περιγενόμενος, ὁ ἀμαθὴς καὶ φιλο-
σόφων ἀποφράξας στόματα, ὁ τὴν ἑλληνικὴν θρησκείαν
καθάπερ ἀράχνην διαλύσας, ὁ τὴν οἰκουμένην περιδρα-
μών, ὁ σαγηνεύσας τὴν θάλασσαν καὶ ἁλιεύσας τὴν οἰκουμένην, οὐκ εἶχε καὶ οὗτος γυναῖκα; Ναί, εἶχεν. Ὅτι δὲ
20 ἔσχεν, ἄκουσον τοῦ εὐαγγελιστοῦ. Τί δέ φησιν; «Εἰσῆλθεν
ὁ Ἰησοῦς πρὸς τὴν πενθερὰν Πέτρου πυρέσσουσαν[b].»
Ὅπου πενθερά, ἐκεῖ καὶ γυνή · ὅπου γυνή, ἐκεῖ καὶ
γάμος. Τί δαὶ ὁ Φίλιππος; οὐ τέσσαρας θυγατέρας εἶχεν[c];
Ὅπου δὲ τέσσαρες θυγατέρες, ἐκεῖ καὶ γυνὴ καὶ γάμος. Τί
25 τοίνυν ὁ Χριστός; Ἀπὸ παρθένου μέν, ἀλλ᾽ εἰς γάμον
παρεγένετο καὶ δῶρον εἰσήνεγκεν · «Οὐκ ἔχουσιν γάρ,
φησίν, οἶνον[d]» · καὶ τὸ ὕδωρ οἶνον ἐποίησεν, τῇ παρθενίᾳ
τὸν γάμον τιμῶν, τῇ δωρεᾷ τὸ πρᾶγμα θαυμάζων · ἵνα μὴ
βδελύσσῃ τὸν γάμον, ἀλλὰ μισῇς τὴν πορνείαν. Τῷ ἐμῷ
30 κινδύνῳ ἐγγυῶμαί σου τὴν σωτηρίαν, κἂν γυναῖκα ἔχῃς.
Πρόσεχε σεαυτῷ. Γυνὴ ἐὰν εὔχρηστος ᾖ, βοηθός σού
ἐστιν. Τί οὖν ἂν μὴ ᾖ εὔχρηστος; Ποίησον αὐτὴν
εὔχρηστον. Μὴ οὐκ ἐγένοντο καλαὶ γυναῖκες καὶ κακαί,
ἵνα μὴ ἔχῃς πρόφασιν; Ποταπὴ ἡ τοῦ Ἰὼβ ἦν; Ἡ δὲ
35 Σάρρα καλὴ ἦν[e]. Δείξω σοι γυναῖκα φαύλην καὶ πονηράν.
Οὐκ ἔβλαψεν τὸν ἄνδρα ἡ γυνὴ τοῦ Ἰὼβ · πονηρὰ ἦν καὶ

13 δαὶ S : δὲ cett. ‖ 15 περιγενόμενος tSU : περιγινό- cett. ‖
16 θρησκείαν : σοφίαν Montf. ‖ 19-20 οὐκ — εὐαγγελιστοῦ rV : om.
cett. ‖ 22 ὅπου[1] + δὲ S ‖ 23 δαὶ S : δὲ cett. ‖ εἶχεν : ἔσχεν rV ‖
25 τοίνυν : οὖν SV ‖ 28 θαυμάζων : ἐπαίρων S ‖ 29 μίσῃς : μισήσῃς
SU ‖ 31 ᾖ r : ἐστι cett. ‖ 33 μὴ] + γὰρ rV ‖ καὶ κακαὶ : θέλεις; δείξω
σοι γυναῖκα καλὴν rV ‖ 34 ποταπὴ — ἦν om. rV ‖ 35-36 δείξω —
ἄνδρα : ἀλλ᾽ rV

le visible mais l'invisible[a].»] Son mariage fut-il un obstacle?
Mais quoi? Pierre, le fondement de l'Église[1], l'amant fou du
Christ, le rustre qui l'a emporté même sur les orateurs par
l'éloquence, l'ignorant qui a fermé la bouche même aux philo-
sophes, celui qui a déchiré comme toile d'araignée les rites helléniques, celui qui a couru le monde, celui qui a traîné sa seine
dans la mer et pêché le monde[2], cet homme n'avait-il pas
d'épouse? Oui! Il en avait. Qu'il en ait eu, écoute l'évangéliste.
Que dit-il? «Jésus entra chez la belle-mère de Pierre, brûlante
de fièvre[b].» Mais où il y a belle-mère, il y a aussi épouse; où il
y a épouse, il y a aussi mariage. Mais quoi? Philippe n'a-t-il
pas eu quatre filles[c]? Mais où il y a quatre filles, il y a aussi
épouse et mariage. Et le Christ alors? Il est bien né d'une
vierge, mais il parut à un mariage et y a apporté un présent.
«Ils n'ont point de vin» est-il dit[d]. Et de l'eau il fit du vin,
honorant le mariage par la virginité, le faisant valoir par son
présent, ceci pour que tu n'exècres pas le mariage, mais haïsses
la prostitution. A mes risques et périls, je me porte garant de
ton salut, même si tu as une épouse. Examine ton cas. Si ta
femme est dévouée, elle est pour toi une aide. Mais quoi, si elle
n'est pas dévouée. — Rends-la dévouée. N'y a-t-il pas eu
d'excellentes comme de mauvaises femmes, ce qui t'ôte tout
prétexte. — De quel genre était celle de Job? — Mais Sarra
était excellente[e]. Je te montrerai une femme mesquine et
vicieuse. — La femme de Job n'a-t-elle point nui à son mari?
Elle était vicieuse et mesquine et elle lui a conseillé de blas-

3   a. Cf. II Cor. 4, 18
    b. Cf. Mc 1, 29-30
    c. Cf. Actes 21, 8-9
    d. Jn 2, 3
    e. Cf. Tob. 8, 4-14

1. Cf. *Gal.* 2, 9.
2. Cf. *Matth.* 13, 47-50; *Lc* 5, 1-11.

124 φαύλη καὶ γὰρ βλασφημεῖν αὐτῷ συνεβούλευσεν[f]. Τί οὖν;
ἔσεισεν τὸν πύργον; κατήνεγκεν τὸν ἀδάμαντα; περιεγένετο τῆς πέτρας; ἐξέκρουσεν τὸν στρατιώτην; διέτρη-
40 σεν τὸ σκάφος; ἐξερρίζωσεν τὸ δένδρον; Οὐδὲν τούτων·
ἀλλ᾿ ἐκείνη προσέκρουσεν, καὶ ὁ πύργος ἀσφαλέστερος
ἐγίνετο· αὐτὴ τὰ κύματα ἤγειρεν, καὶ τὸ πλοῖον οὐ κατε-
ποντίζετο, ἀλλ᾿ ἐξ οὐρίας ἔπλεεν· ὁ καρπὸς αὐτοῦ ἐτρυ-
γήθη, καὶ τὸ δένδρον οὐκ ἐσαλεύθη· τὰ φύλλα ἔπεσεν, καὶ
45 ἡ ῥίζα ἔμενεν ἀσάλευτος. Ταῦτα λέγω, ἵνα μηδεὶς
προφασίσηται κακίαν γυναικός. Φαύλη ἐστίν; Διόρθωσον
αὐτήν. Ἀλλά, φησίν, ἀπὸ παραδείσου με ἐξέβαλεν[g]. Ἀλλὰ
καὶ εἰς οὐρανούς σε ἀνήνεγκεν. Ἡ αὐτὴ μὲν φύσις,
διάφορος δὲ ἡ γνώμη. Ἀλλ᾿ ἡ τοῦ Ἰὼβ φαύλη; Ἀλλ᾿ ἡ
50 Σωσάννα καλή[h]. Ἀλλ᾿ ἡ Αἰγυπτία ἀκόλαστος[i]; Ἀλλ᾿ ἡ
Σάρρα κοσμία. Εἶδες ἐκείνην; Βλέπε καὶ ταύτην· ἐπεὶ καὶ
ἐν ἀνδράσιν οἱ μὲν φαῦλοι, οἱ δὲ σπουδαῖοι. Καλὸς ὁ
Ἰωσήφ, οἱ δὲ πρεσβύτεροι ἀκόλαστοι. Εἶδες πανταχοῦ
κακίαν καὶ ἀρετήν, μὴ τῇ φύσει ταῦτα κρινόμενα, ἀλλὰ τῇ
55 γνώμῃ διαιρούμενα. Μή μοι προφάσεις;
Ἀλλ᾿ ἐπὶ τὰ χρέα καὶ τὴν καταβολὴν σπεύδωμεν. «Καὶ
ἐγένετο τοῦ ἐνιαυτοῦ, οὗ ἀπέθανεν Ὀζίας ὁ βασιλεύς[j].»
Μέλλω λέγειν διὰ τί ὁ προφήτης ἐπισημαίνεται τὸν
καιρόν· ἐζητοῦμεν γὰρ χθές, τί δήποτε τῶν προφητῶν
60 ἁπάντων τὸν καιρὸν τῆς ζωῆς τῶν βασιλέων εἰωθότων

37 καὶ γὰρ βλασφημεῖν Q : βλασφημεῖν tj   βλασφημεῖν γὰρ rV   καὶ
βλασφημεῖν SU ‖ συνεβούλευσεν : -εβούλευεν Q   -βουλεύει t ‖ οὖν] +
ἔβλαψεν τὸν ἄνδρα rV ‖ 39 ἐξέκρουσεν rV : ἔκρουσεν cett. ‖ 40 τὸ[1] –
ἐξερρίζωσεν om. S ‖ 44 καὶ[1] – ἐσαλεύθη om. r ‖ 45 ἔμενεν : ἔμεινεν
Q ‖ 46 διόρθωσον : διόρθωσαι jQ ‖ 47 ἀλλὰ[1]] + αὕτη SU ‖
48 ἀνήνεγκεν j : εἰσήγαγεν rV   ἤγαγεν S   εἰσήνεγκεν cett. ‖ 54 μὴ –
ἀλλά om. r ‖ 55 προφάσεις] + ἐπίφερε SU   προφασίζου V ‖ 56 τὰ –
σπεύδωμεν : τὸ προκείμενον ἐπανέλθωμεν rV ‖ 58 μέλλω λέγειν om. rV
‖ 58-80 μέλλω – στρατιώτης om. j ‖ 59 ἐζήτουμεν : ζήτουσι tQ ‖ 60-

phémer[f]. Alors quoi ? A-t-elle ébranlé la tour ? A-t-elle ployé
l'acier ? A-t-elle triomphé du roc ? A-t-elle bousculé le soldat ?
A-t-elle troué l'embarcation ? A-t-elle déraciné l'arbre ? Rien
de tout cela, mais elle a donné des coups de bélier et la tour en
devenait plus stable ; elle a soulevé les flots et le navire ne som-
brait pas, mais naviguait par bon vent ; ses fruits furent ven-
dangés et le cep ne vacilla pas ; son feuillage tomba, mais la
racine demeurait inébranlable. Je dis cela pour que personne
ne prenne prétexte de la méchanceté de son épouse. Elle est
perverse ? Corrige-la ! — Mais elle m'a chassé du paradis[g]. —
Mais elle t'a fait monter au ciel. La nature est la même, mais
différente est la pensée. — Mais l'épouse de Job était perverse.
— Mais Suzanne était bonne épouse[h]. — Mais l'Égyptienne
était impudique[i]. — Mais Sarra était une honnête femme. Tu as
vu celle-là ? Regarde également celle-ci, car chez les hommes
aussi les uns sont des gens vils et les autres d'honnêtes gens.
Joseph était chaste et les vieillards libidineux. Tu as vu que
partout vice et vertu ne se jugent pas d'après le sexe, mais
qu'on les discerne d'après la pensée. Pas de prétextes !

Eh bien ! hâtons-nous d'en venir à notre dette et à son paiement : « Il arriva en l'année où mourut le roi Ozias[j]. » Je vais
dire pourquoi le prophète signale l'époque ; nous recherchions
hier en effet pourquoi précisément, alors que tous les prophètes
ont coutume de parler de l'époque de la vie des rois, et notre

61 εἰωθότων λέγειν S : λέγόντων rV δηλούντων U om. tQ
ἱστορούντων Montf.

f. Cf. Job 2, 9-10
g. Cf. Gen. 3, 1-24
h. Cf. Dan. 13, 19-23
i. Cf. Gen. 39, 7-20
j. Is. 6, 1

λέγειν, καὶ αὐτοῦ τούτου, ἐνταῦθα τὸ ἔθος ἐλύθη · καὶ οὐ
λέγει · ἐν ταῖς ἡμέραις Ὀζίου, ἀλλ' ἐν τῇ τελευτῇ Ὀζίου.
Τοῦτο λῦσαι βούλομαι σήμερον. Εἰ γὰρ καὶ πολὺ τὸ
καῦμα, ἀλλὰ μείζων ἡ δρόσος τοῦ λόγου · εἰ γὰρ βιάζεται
65 τὸ σῶμα μαλακιζόμενον, ἀλλ' ἀκμάζουσα ἡ ψυχὴ εὐφραίνεται. Μή μοι λέγε καῦμα καὶ ἱδρῶτα · ἐὰν ἱδρώσῃς τῷ
σώματι, σμήχεις σου τὴν διάνοιαν. Οἱ παῖδες οἱ τρεῖς ἐν
καμίνῳ ἦσαν καὶ οὐδὲν ἔπασχον, ἀλλ' ἡ κάμινος δρόσος
ἐγένετο ᵏ. Ὅταν ἐννοήσῃς ἱδρῶτα, ἐννόει καὶ τὸν μισθὸν
70 καὶ τὴν ἀμοιβήν. Καὶ γὰρ κολυμβητὴς ἄνθρωπος δι' οὐδὲν
ἄλλο κατατολμᾷ εἰς τὸ βάθος ἑαυτὸν καταβαλεῖν τῶν
ὑδάτων ἢ διὰ μαργαρίτας, τοῦ πολέμου τὴν ὑπόθεσιν.
Ἀλλ' οὐ τὴν ὕλην διαβάλλω, ἀλλὰ τὴν ἀκόλαστον
γνώμην. Καὶ σύ, ἵνα λάβῃς θησαυρὸν ἀνελλιπῆ καὶ
75 φυτεύσῃς ἄμπελον ἐν τῇ ψυχῇ σου, οὐκ ἀνέχῃ καύματος,
οὐδὲ ἱδρῶτος; Οὐχ ὁρᾷς τοὺς ἐν θεάτρῳ καθημένους, πῶς
ἱδροῦσιν καὶ γυμνῇ τῇ κεφαλῇ τὴν ἀκτῖνα δέχονται, ἵνα
γένωνται θανάτου αἰχμάλωτοι, ἵνα πόρνης δοῦλοι; Εἰς
ἀπώλειαν ἐκεῖνοι κάμνουσιν, καὶ σὺ εἰς σωτηρίαν ἐκλύῃ;
80 Ἀθλητὴς εἶ καὶ στρατιώτης. Μὴ τοίνυν κάμνε πρὸς τοὺς
κινδύνους, ἀλλ' εὐψύχως διάφερε τοὺς ἀγῶνας. Τίς οὖν
ἐστιν ὁ Ὀζίας ἐκεῖνος καὶ διὰ τί τὴν τελευτὴν αὐτοῦ
ταύτην εἶπεν; Οὗτος ὁ Ὀζίας βασιλεὺς ἦν καὶ ἀνὴρ
δίκαιος καὶ πολλοῖς κομῶν τοῖς κατορθώμασιν · ἀλλ'
85 ὕστερόν ποτε εἰς ἀπόνοιαν ἦλθεν, εἰς ἀπόνοιαν, τὴν
μητέρα τῶν κακῶν, εἰς ἀλαζονείαν, τὸν θόρυβον τῶν
νοσούντων, εἰς ὑπερηφανίαν, τὴν ἀπώλειαν τοῦ διαβόλου.
Οὐδὲν γὰρ ἀπονοίας χεῖρον · διὰ τοῦτο καὶ τὸν λόγον

61 καὶ αὐτοῦ τούτου om. rV ‖ τούτου] + ἐπισημαινομένου Q ‖
ἔθος : ἔλεος t ‖ 61-62 ἐλύθη· καὶ οὐ λέγει : οὐκ ἐφύλαξεν, οὐδ' εἶπεν
rV ‖ καὶ² — Ὀζίου² : αὐτὸς τὴν τελευτὴν τοῦ Ὀζίου προστίθησιν S ‖
65 ἀκμάζουσα ... εὐφραίνεται : ἀκμάζει ... εὐφραινομένη S ‖
77 ἱδροῦσιν : ἱδρῶσιν UQ ‖ 79 κάμνουσιν] + καὶ οὐκ ἀπαγορεύουσιν
rV ‖ 80-81 μὴ — ἀγῶνας rV : om. cett. ‖ 86-87 τὸν — νοσούντων jQ :

prophète aussi [1], la coutume fut ici interrompue. Il ne dit pas :
« Dans les jours d'Ozias », mais « à la mort d'Ozias ». C'est le
problème que je veux résoudre aujourd'hui. Quoique la chaleur soit vraiment brûlante, la rosée de la parole néanmoins
l'emporte, car si l'on fait violence au corps amolli, eh bien
l'âme, en pleine vigueur, se réjouit. Ne me parle pas de chaleur brûlante ni de sueur : si tu sues du corps, tu t'éponges
l'âme. Les trois enfants étaient dans la fournaise, mais ils
n'éprouvaient rien, et la fournaise devint rosée [k]. Quand tu
penses à la sueur, pense aussi au salaire et à la compensation.
Et en effet le plongeur n'a l'audace de se jeter dans les eaux
profondes que pour des perles, l'enjeu de son combat. Je n'in-
crimine pourtant pas la matière, mais la pensée cupide. Et toi
pour t'emparer d'un trésor inépuisable [2] et planter une vigne
dans ton âme [3] tu ne supportes ni chaleur brûlante, ni sueur !
Ne vois-tu pas comment les gens assis au théâtre suent, et sur
leur tête nue reçoivent les rayons du soleil, pour devenir cap-
tifs de la mort, pour devenir les esclaves d'une prostituée ?
C'est pour leur perte que ceux-là souffrent, et toi tu te relâches
pour ton salut ! Tu es un athlète et un soldat. Ne te lasse donc
pas d'affronter les dangers et soutiens avec cœur les combats
jusqu'au bout. Quel est donc cet Ozias et pourquoi Isaïe a-t-il
parlé de la mort de ce prince ? Notre Ozias était un roi, un
homme juste et riche d'actes de vertu, mais par la suite il en
vint à la présomption, à la présomption mère des maux, à la
forfanterie, délire des malades, à l'orgueil, perdition du diable.
Rien de pis en effet que la présomption. Voilà pourquoi nous y

---

τῶν θόρυϬον νοσ- t τῶν τὸν θόρυϬον νοσ- S τῶν θορύϬῳ νοσ-
U τὸν βόθυνον τῶν νοσ- αὐτήν rV

k. Cf. Dan. 3, 49-50

1. Cf. *Is.* 7, 1 ; *Jér.* 1, 2 ; *Os.* 1, 1 ; *Amos* 1, 1 ; par contre *Is.* 14, 28.
2. Cf. *Lc* 12, 33. Un trésor qui ne vous fera pas défaut après la mort.
3. Cf. *Is.* 5, 1-2.

125 ἅπαντα εἰς τοῦτο κατηναλώσαμεν χθές, τὴν ἀπόνοιαν
90 καθαιροῦντες καὶ τὴν ταπεινοφροσύνην διδάσκοντες.

4. Εἴπω σοι πόσον ἀγαθὸν ταπεινοφροσύνη καὶ πόσον
κακὸν ἀπόνοια ; Ἁμαρτωλὸς δίκαιον ἐνίκησεν, ὁ τελώνης τὸν φαρισαῖον, καὶ ῥήματα ἔργων περιεγένοντο. Πῶς
ῥήματα ; Ὁ τελώνες λέγει · «Ὁ Θεός, ἱλάσθητί μοι τῷ
5 ἁμαρτωλῷ.» Ὁ φαρισαῖος λέγει · «Οὐκ εἰμὶ ὡς οἱ πολλοὶ
τῶν ἀνθρώπων ἅρπαξ ἢ πλεονέκτης.» Ἀλλὰ τί ; «Νηστεύω
δὶς τῆς ἑβδομάδος, ἀποδεκατῶ μου τὰ ὑπάρχοντα[a].» Ὁ
φαρισαῖος ἔργα ἔδειξε δικαιοσύνης · ὁ τελώνης ῥήματα
εἶπε ταπεινοφροσύνης, καὶ λόγοι ἔργων περιεγένοντο καὶ ὁ
10 τοσοῦτος θησαυρὸς ἐξεφυσήθη καὶ ἡ τοσαύτη πενία εἰς
πλοῦτον μετεβλήθη. Ἦλθον δύο πλοῖα ἔχοντα γόμον ·
εἰσῆλθον ἀμφότερα εἰς τὸν λιμένα · ἀλλ᾽ ὁ μὲν τελώνης
καλῶς τῷ λιμένι προσωρμίσθη, ὁ δὲ φαρισαῖος ναυάγιον
ὑπέμεινεν, ἵνα μάθῃς πόσον κακὸν ἡ ἀπόνοια. Δίκαιος εἶ ;
15 Μὴ ταπεινώσῃς τὸν ἀδελφόν σου. Κομᾷς κατορθώμασιν ;
Μὴ ὀνειδίσῃς τῷ πλησίον καὶ ὑποτέμῃς σου τὸ ἐγκώμιον.
Ὅσον μέγας εἶ, τοσοῦτον ταπείνου σαυτόν. Καὶ πρόσεχε
μετ᾽ ἀκριβείας τί λέγω, ἀγαπητέ. Μᾶλλον ὁ δίκαιος ὀφείλει
φοβεῖσθαι τὴν ἀπόνοιαν ἢ ὁ ἁμαρτωλός — τοῦτο καὶ χθὲς
20 εἶπον, καὶ τήμερον λέγω διὰ τοὺς χθὲς ἀπολειφθέντας —
διότι ὁ ἁμαρτωλὸς ἔχει τὸ συνειδὸς κατηγοροῦν αὐτοῦ καὶ
ἀνάγκη ταπεινοφρονεῖν αὐτόν, ὁ δὲ δίκαιος ἐπαίρεται
κατορθώμασιν. Ὥσπερ οὖν ἐπὶ τῶν πλοίων, οἱ μὲν ἔχοντες
κενὸν πλοῖον οὐ δεδοίκασι πειρατῶν σύστημα — οὐ γὰρ
25 ἔρχονται διατρῆσαι τὸ πλοῖον τὸ μηδὲν ἔχον —, οἱ δὲ
φόρτου γέμον ἔχοντες πλοῖον δεδοίκασι πειρατάς — ὁ γὰρ

90 τὴν *om.* tSUj.
4, 2 ἐνίκησεν] + ὅπου tQ ‖ 3 πῶς : ποῖα S ‖ 5 πολλοὶ SQ : λοιποὶ
cett. ‖ 6 ἅρπαξ : ἅρπαγες rV ‖ ἢ — τί : ἄδικοι μοιχοὶ ἢ καὶ ὡς οὗτος ὁ
τελώνης rV ‖ 7 τῆς ἑβδομάδος : τοῦ σαββάτου rV ‖ 9 λόγοι ...
περιεγένοντο : λόγος ... περιεγένετο Q ‖ 12 μὲν SrV : *om. cett.* ‖ 16 τῷ
πλησίον : τὸν πλησίον rV ‖ 18 τί λέγω Q : *om.* S τῷ λόγῳ *cett.* ‖

avons consacré hier tout notre discours, en cherchant à détruire la présomption et enseigner l'humilité.

4. Que je te dise le grand bien qu'est l'humilité et le grand mal qu'est la présomption! Un pécheur a vaincu un juste, le publicain le pharisien, des mots l'emportèrent sur des actes. Comment des mots? Le publicain dit : «Ô Dieu, aie pitié du pécheur que je suis!» Le pharisien dit : «Je ne suis pas comme le grand nombre, un homme rapace, avide.» Mais quoi? «Je jeûne, deux fois la semaine, je donne la dîme de mes biens[a].» Le pharisien exhiba des œuvres de justice; le publicain prononça des mots d'humilité et des paroles l'ont emporté sur des œuvres, et un si grand trésor a été dilapidé et une si grande pauvreté s'est convertie en richesse. Deux navires arrivèrent avec leur cargaison, tous deux entrèrent au port, mais le publicain accosta convenablement, tandis que le pharisien subit un naufrage, afin que tu apprennes le grand mal qu'est la présomption. Tu es juste? Ne rabaisse pas ton frère. Tu es riche d'actes de vertu, ne va pas insulter ton voisin et te priver d'éloge radicalement. Plus tu es grand, plus il te faut t'abaisser. Écoute avec attention ce que je vais dire, mon cher. Le juste, plus que le pécheur, doit redouter la présomption. Cela, je l'ai dit hier, et je le dis aujourd'hui pour les absents d'hier. C'est que le pécheur a sa conscience qui l'accuse, et il est forcé d'avoir d'humbles sentiments, tandis que le juste se glorifie de ses actes de vertu. De même pour les navires, les occupants d'un navire vide ne craignent pas de bande de pirates, car on ne vient pas saborder un navire qui n'a rien, tandis que les occupants d'un navire chargé d'une cargaison craignent des

---

ἀγαπητέ *om.* Q ‖ 19-20 χθὲς εἶπον — τοὺς *om.* t ‖ 20 χθές *om.* Q ‖ 21-22 κατηγοροῦν — αὐτόν jrV : ἀνάγκη ταπεινοφροσύνης *cett.* ἀνάγκη ταπεινόν *Montf.* ‖ 26 φόρτου — πλοῖον : φόρτου γόμον ἔχ-πλοῖον tQ φόρτου γόμον ἔχ- S φόρτον ἔχ- rV

4   a. Lc 18, 11-13

πειρατὴς ἐκεῖ ἀπέρχεται, ὅπου χρυσός, ὅπου ἄργυρος,
ὅπου λίθοι τίμιοι —, οὕτω καὶ ὁ διάβολος οὐκ εὐκόλως
ἐπηρεάζει τῷ ἁμαρτωλῷ, ἀλλὰ τῷ δικαίῳ, ὅπου πλοῦτος
30 πολύς. Ἐπειδὴ πολλάκις ἡ ἀπόνοια ἐξ ἐπιβουλῆς τοῦ
διαβόλου, νήφειν ἀναγκαῖον. Ὅσον μέγας εἶ, τοσοῦτον
ταπείνου σαυτόν. Ὅταν ἀναβῇς εἰς τὸ ὕψος, ἀσφαλισθῆναι χρείαν ἔχεις, ἵνα μὴ πέσῃς. Διὸ καὶ ὁ Κύριος ἡμῶν
λέγει · «Ὅταν πάντα ποιήσητε, λέγετε ὅτι Ἀχρεῖοι δοῦλοί
35 ἐσμεν[b].»

Τί μέγα φρονεῖς, ἄνθρωπος ὤν, τῆς γῆς συγγενής,
ὁμοούσιος τῇ τέφρᾳ, τὰς ἐν τῇ φύσει, τὰς ἐν τῇ γνώμῃ,
τὰς ἐν τῇ προαιρέσει τῶν πραγμάτων μεταβολὰς μὴ
λογιζόμενος; Σήμερον πλούσιος, αὔριον πένης · σήμερον
40 ὑγιαίνων, αὔριον νοσῶν · σήμερον χαίρων, αὔριον λυπού-
μενος · σήμερον ἐν δόξῃ, αὔριον ἐν ἀτιμίᾳ · σήμερον ἐν
νεότητι, αὔριον ἐν γήρᾳ. Μὴ ἵσταταί τι τῶν ἀνθρωπίνων;
ἀλλ᾽ ὥσπερ τῶν ποταμίων ῥευμάτων μιμεῖται τὸν δρόμον.
Ὁμοῦ τε γὰρ ἐφάνη, καὶ σκιᾶς εὐκολώτερον ἡμᾶς κατα-
45 λιμπάνει. Τί οὖν μέγα φρονεῖς, ἄνθρωπε, ὡς καπνὸς ἢ
ματαιότης; «Ἄνθρωπος γὰρ ματαιότητι ὡμοιώθη[c].» «Ὡσεὶ
καπνὸς αἱ ἡμέραι αὐτοῦ[d].» «Ἐξηράνθη ὁ χόρτος, καὶ τὸ
ἄνθος αὐτοῦ ἐξέπεσεν[e].» Ταῦτα λέγω, οὐχ ὡς τὴν οὐσίαν
ἐξευτελίζων, ἀλλὰ τὴν ἀπόνοιαν χαλινῶν. Καὶ γὰρ «μέγα

27 ἐκεῖ ἀπέρχεται : ἐκεῖνος ἔρχεται S ‖ 30 ἐπειδὴ : ἐπεὶ οὖν rV om.
S ‖ πολλάκις : πολλαχόθεν rV om. S ‖ 30-31 ἡ ἀπόνοια — διαβόλου : ἡ
ἀπόνοια ἢ [ἡ Q] ἐπιβουλὴ τοῦ διαβόλου tQ ἡ ἐπιβουλὴ τοῦ διαβόλου
rV om. S ‖ 31 διαβόλου] + ἐξ ἀπονοίας ἁμαρτήματα τίκτονται · διὰ
τοῦτο S ‖ 32 ἀσφαλισθῆναι : ἀσφαλείας S ‖ 33-34 διὸ — λέγει om. r ‖
33 ἡμῶν : ἡμῖν V ‖ 37-39 τὰς[1] — λογιζόμενος Q : ἕν τε φύσει, ἕν τε
γνώμῃ καὶ τῇ προαιρέσει τῶν πραγμάτων cett. ‖ 44 εὐκολώτερον :
εὐκοπώ- tQ ταχύ- rV ‖ 45-46 ὡς καπνὸς ἢ [ἡ Q] ματαιότης :
ματαιότητι ἐοικὼς rV ‖ 46 ὡμοιώθη] + καὶ πάλιν · ἄνθρωπος rV ‖
47 καπνὸς : χόρτος UrV ‖ αὐτοῦ] + ὡσεὶ ἄνθος τοῦ ἀγροῦ, οὕτως
ἐξανθήσει rV

pirates, car le pirate va là où est l'or, où est l'argent, où sont les pierres précieuses, de même aussi le diable n'est pas enclin à menacer le pécheur, mais le juste, là où la richesse est grande. Puisque donc la présomption vient des embûches du diable, il est nécessaire de rester vigilant. Plus tu es grand, plus il te faut t'abaisser. Quand tu gravis une hauteur, tu as besoin d'avoir le pied assuré, afin de ne pas tomber. Voilà pourquoi notre Seigneur nous dit : « Quand vous aurez tout fait, dites : Nous sommes des serviteurs inutiles[b]. »

Pourquoi t'enorgueillir, alors que tu es homme, apparenté à la terre, consubstantiel à la cendre et que tu ne réfléchis pas aux changements qui s'opèrent dans ta nature, dans ta pensée, dans tes décisions pratiques[1] ? Aujourd'hui riche, demain pauvre ; aujourd'hui bien portant, demain malade ; aujourd'hui joyeux, demain triste ; aujourd'hui dans la gloire, demain dans l'ignominie ; aujourd'hui en pleine jeunesse, demain dans la vieillesse. Y a-t-il choses humaines qui soient stables ? Mais elles imitent en quelque sorte le cours des eaux d'un fleuve. A peine ont-elles paru que plus facilement que l'ombre elles nous abandonnent. Pourquoi t'enorgueillir, ô homme, fumée ! vanité[2] ! « L'homme en effet a été assimilé à la vanité[c] » et « ses jours sont comme la fumée[d]. » « L'herbe s'est flétrie et sa fleur est tombée[e]. » Je dis cela non que je déprécie la substance, mais parce que je réfrène la présomption. « C'est une grande chose en effet que l'homme, et un être de prix que le miséricor-

b. Lc 17, 10
c. Ps. 143, 4
d. Ps. 101, 4 ; 102, 15
e. Is. 40, 7

1. Dans la 41ᵉ homélie sur les *Actes,* ces revirements de la volonté sont présentés au contraire comme une preuve de la liberté morale du sujet (*PG* 59, 312).
2. L'auteur cite librement plusieurs passages scripturaires.

50 ἄνθρωπος, καὶ τίμιον ἀνὴρ ἐλεήμων ͬ.» Ἀλλ᾿ ὁ Ὀζίας
οὗτος βασιλεὺς ὢν καὶ τὸ διάδημα περικείμενος, ἐπειδὴ
δίκαιος ἦν, ἐφρόνησέν ποτε μέγα καὶ φρονήσας μέγα καὶ
μεῖζον τῆς ἀξίας, εἰσῆλθεν εἰς τὸ ἱερόν. Καὶ ἄκουε πῶς ·
Εἰσῆλθεν εἰς τὰ ἅγια, φησί, τῶν ἁγίων, εἶτα λέγει, βούλο-
55 μαι θυμιᾶσαι ᵍ. Βασιλεὺς ὢν ἱερωσύνης ἀρχὴν ἁρπάζει.
Βούλομαι, φησί, θυμιᾶσαι, ἐπειδὴ δίκαιός εἰμι. Ἀλλὰ μένε
ἔσω τῶν οἰκείων ὅρων · ἄλλοι ὅροι βασιλείας καὶ ἄλλοι
ὅροι ἱερωσύνης · ἀλλ᾿ αὕτη μείζων ἐκείνης. Οὐ γὰρ ἀπὸ
τῶν φαινομένων φαίνεται βασιλεύς, οὐδὲ ἀπὸ τῶν
60 πεπηγμένων αὐτῷ λίθων, καὶ οὗ περίκειται χρυσίου, ὀφείλει
κρίνεσθαι ὁ βασιλεύς. Οὗτος μὲν γὰρ τὰ ἐπὶ τῆς γῆς
ἔλαχεν οἰκονομεῖν · ὁ δὲ τῆς ἱερωσύνης θεσμὸς ἄνω
κάθηται. «Ὅσα ἂν δήσητε ἐπὶ τῆς γῆς, ἔσται δεδεμένα ἐν
τῷ οὐρανῷ ͪ.» Ὁ βασιλεὺς τὰ ἐνταῦθα πεπίστευται, ἐγὼ τὰ
65 οὐράνια · ἐγὼ ὅταν εἴπω, τὸν ἱερέα λέγω. Μὴ οὖν, ἂν ἴδῃς
ἱερέα ἀνάξιον, τὴν ἱερωσύνην διάβαλλε · οὐ γὰρ τὸ
πρᾶγμα διαβάλλειν δεῖ, ἀλλὰ τὸν κακῶς τῷ καλῷ κεχρημένον · ἐπεὶ καὶ ὁ Ἰούδας προδότης ἐγένετο, ἀλλ᾿ οὐ
κατηγορία τῆς ἀποστολῆς τοῦτο, ἀλλὰ τῆς ἐκείνου
70 γνώμης · οὐκ ἔγκλημα τῆς ἱερωσύνης, ἀλλὰ τῆς κακῆς
γνώμης.

5. Καὶ σὺ τοίνυν μὴ τὴν ἱερωσύνην διάβαλλε, ἀλλὰ τὸν
κακῶς τῷ καλῷ κεχρημένον. Ἐπεὶ ὅταν σοί τις διαλέ-

---

51 καὶ — περικείμενος *om.* r ‖ 53 ἄκουε πῶς rV : τί φησιν *cett.* ‖
54 φησί rV : *om. cett.* ‖ εἶτα rV : καὶ *cett.* ‖ 55 ἱερωσύνης ἀρχὴν :
ἱερωσύνην S ‖ ἁρπάζει : ἁρπάζων tQ ‖ 60 οὗ ... χρυσίου jrV : ᾧ ...
χρυσίῳ *cett.* ‖ 61 οὗτος μὲν γὰρ : ἀλλ᾿ οὗτος rV ‖ 62 ἔλαχεν οἰκ-:
οἰκνομεῖ t ‖ 65 οὐράνια : ἐπουράνια Q ‖ 66 διάβαλλε : διάβαλε S ‖
67 διαβάλλειν : διαβαλεῖν j ‖ 68 ἐγένετο : ἐγίνετο r ‖ 70 γνώμης] + τὸ
ἀνάξιον r ‖ 70-71 οὐκ — γνώμης *om.* S ‖ 70 ἔγκλημα] + τὸ ἀνάξιον
V ‖ 70-71 τῆς κακῆς γνώμης rV : τὸ κακὸν τῆς γνώμης *cett.*
5, 1 διάβαλλε : διάβαλε SU ‖ ἀλλὰ] + τὸν ἱερέα rV

dieux [f]. » Mais cet Ozias, en roi qu'il était et ceint du diadème, conçut, parce qu'il était juste, de l'orgueil, et avec un orgueil plus grand que sa dignité pénétra dans le temple. Écoute comment il agit. Il pénétra, est-il dit, dans le Saint des Saints [g][1] puis il déclara : Je veux offrir l'encens. Tout roi qu'il était, il usurpe alors les pouvoirs du sacerdoce [2]. Je veux, dit-il, offrir l'encens, puisque je suis juste. — Eh bien ! reste dans ton propre domaine ; autre est le domaine de la royauté, autre le domaine du sacerdoce. Mais celui-ci est plus grand que celle-là. Car ce ne sont point les apparences qui manifestent un roi ; ce ne sont point non plus les pierreries fixées sur lui et l'or qui l'entoure qui doivent faire décider qu'il est le roi. Le roi en effet a eu en partage d'administrer les choses de la terre, tandis que les droits du prêtre sont établis là-haut. « Tout ce que vous délierez sur la terre, sera délié dans le ciel [h]. » Au roi sont confiées les choses d'en bas, à moi les choses célestes. Quand je dis moi, je dis le prêtre. Ne va donc pas à la vue d'un prêtre indigne décrier le sacerdoce, car il ne faut pas décrier la fonction, mais celui qui remplit mal sa belle fonction. Sans doute Judas est devenu un traître. Cependant il n'y a point là une accusation contre l'apostolat, mais contre la pensée de cet homme, une plainte à porter contre le sacerdoce, mais contre la pensée mauvaise.

5. Et toi ne décrie donc pas le sacerdoce, mais celui qui a mal rempli sa belle fonction. Lors donc qu'on te dit dans une

---

f. Prov. 20, 6
g. II Chr. 26, 16
h. Matth. 18, 18

1. Le texte des *Chroniques* parle du Temple et non du Saint des Saints, et à bon droit puisque l'autel des parfums ne s'y trouvait pas.
2. Le roi accomplissait en fait les fonctions sacerdotales normales, *III Rois* 8, 64, *IV Rois* 6, 13, mais le chroniste que suit Jean en juge d'après la législation sacerdotale postérieure : *1 Chr.* 23, 13.

γηται καὶ λέγῃ · Εἶδες τόνδε τὸν χριστιανόν; εἰπέ · Ἀλλ'
ἐγὼ οὐ περὶ προσώπων, ἀλλὰ περὶ πραγμάτων σοι διαλέ-
5 γομαι. Ἐπεὶ πόσοι ἰατροὶ δήμιοι ἐγένοντο καὶ δηλητήρια
δεδώκασιν ἀντὶ φαρμάκων; Ἀλλ' οὐ τὴν τέχνην διαβάλλω, ἀλλὰ τὸν κακῶς τῇ τέχνῃ χρησάμενον. Πόσοι
ναῦται κατεπόντισαν πλοῖα; Ἀλλ' οὐχ ἡ ναυτιλία, ἀλλ' ἡ
κακὴ γνώμη ἐκείνων. Ἐὰν ᾖ χριστιανὸς φαῦλος, μὴ τοῦ
10 δόγματος κατηγόρει καὶ τῆς ἱερωσύνης, ἀλλὰ τὸν ἀπὸ
ῥᾳθυμίας φαῦλον γενόμενον μέμφου, μᾶλλον δὲ μὴ
μέμφου, ἀλλ' ὥστε μεταβάλλεσθαι αὐτὸν εὔχου καὶ
δάκρυε. Ὁ βασιλεὺς σώματα ἐμπιστεύεται, ὁ δὲ ἱερεὺς
ψυχάς · ὁ βασιλεὺς λοιπάδας χρημάτων ἀφίησιν, ὁ δὲ
15 ἱερεὺς λοιπάδας ἁμαρτημάτων · ἐκεῖνος ἀναγκάζει, οὗτος
παρακαλεῖ · [ἐκεῖνος ἀνάγκη, οὗτος γνώμη ·] ἐκεῖνος ὅπλα
ἔχει αἰσθητά, οὗτος ὅπλα πνευματικά · ἐκεῖνος πολεμεῖ
πρὸς βαρβάρους, ἐμοὶ πόλεμος πρὸς δαίμονας. Μείζων ἡ
ἀρχὴ αὕτη · διὰ τοῦτο ὁ βασιλεὺς τὴν κεφαλὴν ὑπὸ χεῖρας
20 τοῦ ἱερέως ἄγει καὶ πανταχοῦ ἐν τῇ Παλαιᾷ ἱερεῖς βασιλέας ἔχριον. Ἀλλ' ὁ βασιλεὺς ἐκεῖνος τὰ ἴδια σκάμματα
ὑπερβὰς καὶ τὸ μέτρον τῆς βασιλείας διαπηδήσας προσθεῖ-
ναι ἐπεχείρησεν καὶ εἰσῆλθεν εἰς τὸ ἱερὸν μετὰ αὐθεντίας,
θυμιᾶσαι θέλων. Τί οὖν ὁ ἱερεύς; « Οὐκ ἔξεστί σοι, Ὀζία,
25 θυμιᾶσαι[a].» Ὅρα παρρησίαν, φρόνημα ἀδούλωτον, γλῶσσαν
οὐρανοῦ ἁπτομένην, ἐλευθερίαν ἀχείρωτον, ἀνθρώπου τὸ
σῶμα καὶ ἀγγέλου τὸ φρόνημα, χαμαὶ βαδίζοντα καὶ ἐν
οὐρανῷ πολιτευόμενον. Εἶδε τὸν βασιλέα καὶ οὐκ εἶδε τὴν

3 εἰπέ : εἶπον tQ εἰπών Sr ‖ 4 σοι om. tS ‖ 5 ἐπεὶ om. rV ‖
7 χρησάμενον : κεχρημένον rV ‖ 8 ναυτιλία] + κακόν V ‖ 9 ἐὰν : κἂν
j ‖ 10-13 τὸν — δάκρυε rV : τοῦ κακῶς τῷ καλῷ κεχρημένου t · τὸν
κακῶς τῷ καλῷ κεχρημένον cett. ‖ 14 λοιπάδας [λει- t] χρημάτων :
χρημάτων ζημίαν rV ‖ 15 λοιπάδας [λει- t] ἁμαρτημάτων :
ἁμαρτημάτων βάρη rV ‖ 16 ἐκεῖνος — γνώμη seclusi. ‖ 17 ἐκεῖνος
[οὗτος S] πολεμεῖ : ἐκείνῳ πόλεμος V ‖ 18 δαίμονας] + ὥστε rV ‖
20 βασιλέας : βασιλεῖς rV ‖ 24 θυμιᾶσαι : θῦσαι V ‖ 27 χαμαὶ : ἐπὶ γῆς
rV

conversation : Tu as vu notre chrétien ? — Dis : Eh bien ! moi,
ce n'est pas des personnes, mais des choses que je parle. Combien de médecins en effet sont devenus des bourreaux et ont
donné des poisons au lieu de remèdes ! Eh bien ! je ne décrie
pas leur art, mais celui qui a mal usé de son art. Combien de
marins ont coulé leur navire ! Eh bien ! la navigation n'est pas
en cause, mais les mauvais calculs de ces gens-là. Si un chrétien est vil, n'accuse pas la doctrine et le sacerdoce, mais
blâme celui qui par relâchement s'est avili, ou plutôt ne le
blâme pas, mais en vue de sa conversion prie et pleure. Le roi
s'est vu confier les corps, le prêtre les âmes ; le roi remet le reliquat des dettes, le prêtre le reliquat des péchés[1]. Celui-là
contraint, celui-ci exhorte, [celui-là par la contrainte, celui-ci
par la pensée]. Celui-là dispose d'armes visibles, celui-ci
d'armes spirituelles ; celui-là fait la guerre aux barbares, à moi
la guerre contre les démons. C'est un plus grand pouvoir que
celui-ci. Voilà pourquoi le roi courbe la tête sous les mains du
prêtre, et partout dans l'Ancien Testament les prêtres don-
naient l'onction aux rois. Mais ce roi-là, dépassant ses propres
bornes et franchissant les limites de sa royauté[2], entreprit
d'ajouter à ses prérogatives et, pénétrant de son propre chef
dans le temple, voulut offrir l'encens. Que fit alors le prêtre :
«Il ne t'est point permis, Ozias, d'offrir l'encens[a].» Vois un
franc-parler, une fierté qu'on ne peut asservir, un langage
proche du ciel, une liberté sans contrainte, le corps d'un
homme, la fierté d'un ange, quelqu'un qui foule la terre et qui
est citoyen du ciel. Il a vu le roi et il n'a pas vu la pourpre ; il a

---

5   a. Cf. II Chr. 26, 18

1. Nous adoptons la leçon λοιπάδας. On pourrait voir ici une allusion à
Matth. 18, 27. Toutefois dans ses *Homélies sur saint Matthieu*
(homélie 61, 3 ; *PG* 58, 592) Jean recourt au terme classique ἄφεσις.
2. On retrouve le même mot σκάμμα dans la VIᵉ homélie : cf. p. 218, n. 3.

πορφύραν · εἶδε τὸν βασιλέα καὶ οὐκ εἶδε τὸ διάδημα. Μή
30 μοι λέγε τὴν βασιλείαν, ὅπου παρανομία. «Οὐκ ἔξεστί σοι,
βασιλεῦ, θυμιᾶσαι εἰς τὰ ἅγια τῶν ἁγίων[a] ·» ὑπερβαίνεις τὰ
σκάμματα, τὰ μὴ δεδομένα ζητεῖς · διὰ τοῦτο καὶ ἃ ἔλαβες
ἀπολεῖς. «Οὐκ ἔξεστί σοι θυμιᾶν, ἀλλὰ τοῖς ἱερεῦσιν[a].» Οὐκ
ἔστι σὸν τοῦτο, ἀλλ' ἐμόν. Μὴ ἥρπασά σου τὴν πορφυ-
35 ρίδα; Μὴ ἁρπάσῃς μου τὴν ἱερωσύνην. «Οὐκ ἔξεστί σοι
θυμιᾶν, ἀλλ' ἢ τοῖς ἱερεῦσι τοῖς υἱοῖς Ἀαρών[a].» [Μετὰ
πολὺν χρόνον, μετὰ τὴν τελευτὴν Ἀαρὼν τοῦτο ἐγένετο.]
Καὶ διὰ τί οὐκ εἶπεν · Τοῖς ἱερεῦσι, μόνον, ἀλλ' ἐμνημόνευσεν καὶ τοῦ πατρός; Συνέβη ἐν ἐκείνῳ τῷ χρόνῳ
40 τοιοῦτόν τι γενέσθαι. Δαθὰν γὰρ καὶ Ἀβειρὼν καὶ Κορὲ
ἐπανέστησαν τῷ Ἀαρών · ἠνοίχθη ἡ γῆ καὶ κατέπιεν
αὐτούς · ἦλθε πῦρ ἄνωθεν καὶ κατέκαυσεν αὐτούς[b].
Βουλόμενος οὖν αὐτὸς ἀναμνῆσαι τῆς ἱστορίας ἐκείνης,
ὅτι καί ποτε ἐπηρέασαν τὴν ἱερωσύνην, ἀλλ' οὐχ ἡττήθη,
45 ἀλλ' ἐπῆλθε πλῆθος καὶ ὁ Θεὸς αὐτοὺς ἠμύνατο[c]. «Οὐκ
ἔξεστί σοι θυμιᾶν, ἀλλ' ἢ τοῖς ἱερεῦσι τοῖς υἱοῖς Ἀαρών[d].»
Οὐκ εἶπεν · Ἐννόησον τί ὑπέμειναν οἱ τότε ταῦτα
ποιήσαντες · οὐκ εἶπεν · Ἐννόησον ὅτι ἐκάησαν οἱ ἐπα-
ναστάντες, ἀλλ' εἶπε τὸν ἐκδικηθέντα Ἀαρὼν καὶ εἰς
50 ἀνάμνησιν αὐτὸν τῆς ἱστορίας ἤνεγκεν, μονονουχὶ τοῦτο
λέγων · Μὴ τόλμα τὰ τοῦ Δαθάν, ἵνα μὴ πάθῃς τοιαῦτα
οἷα ἐπὶ τοῦ Ἀαρών. Ὁ δὲ βασιλεὺς Ὀζίας οὐκ ἠνέσχετο,
ἀλλὰ τῇ ἀπονοίᾳ φυσιούμενος ἐπεισῆλθεν εἰς τὸ ἱερόν,
ἀνεπέτασεν τὰ ἅγια τῶν ἁγίων, θέλων θυμιᾶσαι. Τί οὖν ὁ

127

31 εἰς − ἁγίων om. rV ‖ 33 θυμιᾶν : θυμιᾶσαι S ‖ 33-34 οὐκ[2] −
ἐμόν om. Q ‖ 34 μὴ : οὐχ r ‖ 36 θυμιᾶν : θυμιᾶσαι Montf. ‖ ἱερεῦσι] +
μόνον SU ‖ 36-37 μετὰ − ἐγένετο om. vp seclusi ‖ 40 καὶ[1] − Κορὲ
om. tQ ‖ 41 ἐπανέστησαν rV : ὑπερανέστη tQ ὑπερανέστησαν
SUj κατεπανέστησαν Montf. e cod. k ‖ τῷ : τοῦ Montf. e cod. k ‖
45 ἀλλ' − πλῆθος om. rV ‖ ἐπῆλθε : ἀπῆλθε tQ ‖ αὐτοὺς rV : αὐτός
SU αὐτὸ tQ αὐτῷ j ‖ ἠμύνατο] + λέγει Q ‖ 49 ἐκδικηθέντα :
ἐκδικήσαντα Q ‖ 50 ἀνάμνησιν : ὑπόμνησιν S ‖ ἤνεγκεν : ἤγαγε rV ‖
50-51 μονονουχὶ − λέγων rV : om. cett.

vu le roi et il n'a pas vu le diadème. Ne me parle pas de royauté, là où il y a transgression. «Il ne t'est pas permis, ô roi, d'offrir l'encens, en venant dans le Saint des Saints.» Tu outrepasses tes limites, tu recherches ce qui ne t'a point été donné. Voilà pourquoi, tu perdras encore ce que tu as reçu. «Il ne t'est point permis d'offrir l'encens, cela revient aux prêtres[a].» Ce n'est pas ton affaire, mais la mienne. Ai-je ravi ta pourpre ? Ne me ravis pas mon sacerdoce. «Il ne t'est pas permis d'offrir l'encens, mais cela revient aux prêtres, les fils d'Aaron[a].» [Ce fut bien plus tard, après la mort d'Aaron que cela se produisit.] Et pourquoi n'a-t-il pas dit seulement : Aux prêtres, mais fait mention encore de leur père ? C'est qu'il était arrivé en ce temps-là un fait analogue. Dathan, en effet, Abiron et Coré s'étaient soulevés contre Aaron ; la terre s'entrouvrit et les engloutit, un feu vint du ciel et les consuma[b]. Désireux donc de lui rappeler cette histoire, que l'on avait alors aussi attenté au sacerdoce, sans qu'il ait eu le dessous, mais que survint la multitude et que Dieu l'avait châtiée[c][1]. «Il ne t'est pas permis, dit-il, d'offrir l'encens, mais cela revient aux prêtres, les fils d'Aaron[d].» Il n'a pas dit : Songe à ce que subirent alors les auteurs de cet acte; il n'a pas dit : Songe que furent brûlés les révoltés, mais il a parlé d'Aaron qui avait été vengé et le porta à se souvenir de cette histoire, comme s'il lui disait : N'aie point l'audace de Dathan, pour ne pas subir un sort pareil au sien, du temps d'Aaron. Cependant le roi Ozias ne s'arrêta point; mais enflé de présomption, il pénétra dans le temple, et écarta le voile du Saint des Saints, dans son désir d'offrir l'en-

---

b. Cf. Nombr. 16 ; 26, 10 ; Deut. 11, 6 ; Ps. 106, 16-18 ; Sir. 45, 18
c. Cf. Nombr. 17, 6-14
d. Cf. II Chr. 26, 18

1. Le récit des *Nombres* fait mention de la révolte et du châtiment de Dathan, mais aussi de l'insurrection populaire qui suivit et que Dieu réprima.

55 Θεός; Ἐπεὶ οὖν οὐ καλῶς ὁ ἱερεὺς κατεφρονήθη καὶ
λόγος ἱερωσύνης ἐπατεῖτο καὶ οὐδὲν ἠδύνατο οὐκέτι ὁ
ἱερεύς — ἱερέως γὰρ ἐλέγχειν ἐστὶ μόνον καὶ παρρησίαν
ἐπιδείκνυσθαι, οὐχ ὅπλα κινεῖν, οὐδὲ ἀσπίδας ἁρπάζειν,
οὐδὲ δόρυ σείειν, οὐδὲ τόξον τείνειν, οὐδὲ βέλος πέμπειν,
60 ἀλλὰ μόνον ἐλέγχειν καὶ παρρησίαν ἐπιδείκνυσθαι —,
ἐπειδὴ οὖν ἤλεγχεν ὁ ἱερεύς, οὐκ εἶξε δὲ ὁ βασιλεύς, ἀλλὰ
ὅπλα ἐκίνει καὶ ἀσπίδας καὶ δόρατα καὶ περιουσίᾳ
ἐκέχρητο τῇ ἑαυτοῦ, ὁ ἱερεύς, ὥσπερ δικαιολογούμενος
πρὸς τὸν Θεόν, φησίν · Ἐγὼ τὸ ἐμαυτοῦ ἐποίησα, οὐδὲν
65 πλέον δύναμαι, βοήθησον αὐτὸς ἱερωσύνη πατουμένη ·
νόμοι ἀδικοῦνται, θεσμοὶ ἀνατρέπονται. Τί οὖν ὁ
φιλάνθρωπος; Κολάζει τὸν τολμητήν, καὶ εὐθέως ἐξήνθησε
λέπρα εἰς τὸ μέτωπον αὐτοῦ[e]. Ὅπου ἡ ἀναισχυντία, ἐκεῖ
καὶ ἡ τιμωρία. Εἶδες φιλανθρωπίαν τῆς τοῦ Θεοῦ τιμω-
70 ρίας; Οὐ κεραυνὸν ἀφῆκεν, οὐ γῆν ἔσεισεν, οὐ συνετάρα-
ξεν τὸν οὐρανόν, ἀλλὰ ἐξήνθησεν ἡ λέπρα, οὐκ ἐν ἄλλῳ
τόπῳ ἀλλ᾽ ἐπὶ τοῦ μετώπου, ἵνα τῆς κολάσεως τὸ
τρόπαιον φορῇ, ἵνα ὡς ἐν στήλῃ γράμματα ᾖ κείμενα.
Οὐδὲ γὰρ δι᾽ αὐτὸν ἐγένετο, ἀλλὰ διὰ τοὺς μετὰ ταῦτα.
75 Δυνάμενος γὰρ ἀξίως τὴν τιμωρίαν ἐπαγαγεῖν, οὐκ
ἐπήνεγκεν, ἀλλὰ καθάπερ νόμος ἐν ὑψηλῷ τόπῳ τινὶ
λέγων · Μὴ ποιεῖτε τοιαῦτα, ἵνα μὴ πάθητε τοιαῦτα.
Ἐξήει νόμος ἔμψυχος καὶ τὸ μέτωπον φωνὴν ἠφίει

---

60 ἀλλὰ — ἐπιδείκνυσθαι om. rV ‖ 61 ἤλεγχεν : ἤλεγξεν rV ‖ 63-
64 ὥσπερ — θεόν rV : om. cett. ‖ 65 δύναμαι, βοήθησον : δύναμαι
βοηθῆσαι Q ‖ αὐτὸς] + ὡς οἶδας rV ‖ 67 κολάζει τὸν τολμητὴν rV :
om. cett. ‖ 67—68 ἐξήνθησε λέπρα : λέπραν ἐξανθῆσαι ποιεῖ rV ‖ 72-
73 τῆς κολάσεως τὸ τροπαῖον cod. : τὴν κόλασιν τὸ πρόσωπον Montf.
e cod. k ‖ 73 φορῇ : φέρῃ tjQ ‖ 74 ταῦτα : Δαθάν SUj ‖ 75 ἀξίως : ἐν
ἄλλῳ μέρει rV ‖ 76 ἐπήγεγκεν : ὑπήνεγκεν tQ ἤνεγκεν S ποιεῖ rV ‖
ἀλλὰ] + ἐν τῷ μετώπῳ, ἵνα ᾖ rV ‖ νόμος] + ἐκεῖτο SUj ‖ 77 ποιεῖτε :
ποιῆτε VQ ‖ 78 ἠφίει rV : ἀφίησι cett.

e. Cf. II Chr. 26, 19

cens. Que fit alors Dieu ? Comme le prêtre avait été méprisé indignement et la parole du sacerdoce bafouée, que le prêtre ne pouvait rien de plus — car il ne revient au prêtre que de faire des reproches, de manifester de l'assurance, non d'agiter des armes, de saisir un bouclier, de brandir une lance, de tendre un arc, de lancer un trait mais seulement de faire des reproches et de manifester de l'assurance —, lors donc que le prêtre faisait des reproches et que le roi n'avait pas cédé, mais agitait des armes, des boucliers, des lances et avait usé de sa supériorité, le prêtre comme s'il plaidait sa cause devant Dieu dit : J'ai fait mon devoir pour ma part, et ne puis rien de plus, viens toi-même au secours du sacerdoce bafoué, les lois humaines sont transgressées, les lois divines violées. Que fit alors l'ami des hommes ? Il châtie l'audacieux et soudain la lèpre bourgeonna sur le visage de ce dernier [e]. Où est l'impudence, là aussi est la punition. Tu as vu la douceur de la punition de Dieu ? Il n'a pas lancé la foudre, il n'a pas ébranlé la terre, il n'a pas bouleversé le ciel, mais la lèpre bourgeonna en nul autre endroit que sur le front, afin que le roi portât le trophée du châtiment, afin que comme sur une stèle une inscription y fût mise. Et cela n'arriva même pas à cause de lui, mais à cause de la postérité. Quand il pouvait lui faire subir un châtiment proportionné, Dieu ne le lui a pas infligé, mais tout en disant, comme la Loi, d'un lieu élevé [1] : Ne faites pas des actes pareils de peur de subir pareil châtiment. Une loi vivante [2] sortait du temple, et un front émettait un son plus éclatant que la

---

1. Allusion à la loi du mont Sinaï. La phrase est embarrassée.
2. L'expression νόμος ἔμψυχος appartient au vocabulaire de l'idéologie royale et impériale. Le prince était pour ses sujets l'incarnation de la loi ; cf. Louis DELATTE, *Le traité de la royauté d'Ecphante, Diotogène et Sthénidas,* Liège - Paris 1942. Le Basileus est la loi vivante. Mais ici pour Ozias et Caïn l'expression est ironique. PLUTARQUE, *Ad principem ineruditum* (*Moralia,* 780 C), commentant les vers de Pindare sur la loi «reine de tous, mortels et immortels», dit que la loi en question n'est pas écrite au dehors dans des livres, ni sur des tablettes de bois, mais qu'elle est intérieure, la raison vivante.

σάλπιγγος λαμπροτέραν. Γράμματα ἦν ἀναγεγραμμένα ἐν
80 τῷ μετώπῳ, γράμματα ἐξαλειφθῆναι μὴ δυνάμενα — οὐ
γὰρ ἦν μέλαν, ἵνα τις ἐξαλείψῃ —, ἀλλ' ἀπὸ φύσεως ἡ
λέπρα καὶ ἀκάθαρτον ἐποίει τοῦτον, ἵνα τοὺς ἄλλους
καθαροὺς ποιήσῃ. Καὶ καθάπερ οἱ κατάδικοι, ἐπειδὰν
σπαρτίον λάβωσιν, ἐξάγουσιν αὐτοὺς τὸ σπαρτίον ἐπὶ τοῦ
85 στόματος ἔχοντας, οὕτω καὶ οὗτος ἀντὶ σπαρτίου ἐπὶ τοῦ
μετώπου εἶχεν τὴν λέπραν ἀπαγόμενος, ἐπειδὴ τὴν ἱερωσύνην ὕβρισεν. Ταῦτα λέγω, οὐχὶ βασιλέας διαβάλλων, ἀλλὰ
τοὺς τῇ ἀπονοίᾳ καὶ τῷ θυμῷ μεθύοντας, ἵνα μάθητε ὅτι ἡ
ἱερωσύνη βασιλείας μείζων.

128   **6.** Ἀεὶ γὰρ ὁ Θεός, ὅταν ἁμάρτῃ ἡ ψυχή, τὸ σῶμα
κολάζει. Οὕτω καὶ ἐπὶ τοῦ Κάϊν ἐποίησεν. Ἡ ψυχὴ
ἥμαρτε φόνον ἐργασαμένη, καὶ τὸ σῶμα αὐτοῦ παρελύθη.
Πῶς; Ἄκουε · «Στένων καὶ τρέμων, φησίν, ἔσῃ ἐπὶ τῆς
5 γῆς[a].» Καὶ περιήει ὁ Κάϊν πᾶσι διαλεγόμενος, σιγῇ φωνὴν
ἀφιείς, ἀφωνίᾳ παιδεύων. Ἡ γλῶσσα ἐσίγα καὶ τὰ μέλη
ἐβόα, καὶ πᾶσι διελέγετο διὰ τί στένει, διὰ τί τρέμει ·
Ἀδελφὸν ἀπέκτεινα, φόνον εἰργασάμην. Ὁ Μωϋσῆς μετὰ
ταῦτα ἔλεγε διὰ γραμμάτων, ἐκεῖνος διὰ πραγμάτων
10 περιήει πᾶσι λέγων · «Οὐ φονεύσεις[b].» Εἶδες στόμα σιγῶν
καὶ πρᾶγμα βοῶν; εἶδες νόμον ἔμψυχον περιφερόμενον;
εἶδες στήλην περιερχομένην; εἶδες τιμωρίαν τιμήσεως
ἀναίρεσιν; εἶδες κόλασιν παιδεύσεως ὑπόθεσιν γινομένην;
εἶδες ψυχὴν ἁμαρτοῦσαν καὶ τὴν σάρκα κολαζομένην; Καὶ

---

81 μέλαν trQ : ἐκ μέλανος S   μέλανι cett. ‖ 82 ἐποίει : ποιοῦσα rV ‖
83 οἱ κατάδικοι : τοὺς καταδίκους SUj.
6, 4 πῶς ; ἄκουε rV : μάλα εἰκότως S   καὶ μάλα εἰκότως· διὰ τί cett.
‖ 7 διελέγετο : διαλέγεται Q ‖ 9 ἐκεῖνος διὰ πραγμάτων om. t ‖
12 στήλην] + πανταχοῦ rV ‖ τιμωρίαν τιμήσεως conieci : om.
Uj   τιμωρίας cett. ‖ 14 ἁμαρτοῦσαν : ἁμαρτάνουσαν tV ‖ 14-15 καὶ
μάλα εἰκότως om. Q

6   a.   Gen. 4, 12
     b.   Ex. 20, 15

trompette. Une inscription était gravée sur le front, une inscription indélébile, car ce n'était pas de l'encre noire[1] pour
qu'on l'effaçât, mais la lèpre venait de la nature et rendait cet
homme impur afin de rendre les autres purs. Et comme les
condamnés, quand ils ont reçu le bâillon, on les emmène avec
le bâillon sur la bouche[2], de même aussi celui-ci était emmené
avec en guise de bâillon la lèpre sur le front, pour avoir outra-
gé le sacerdoce. Je dis cela, non que je veuille diffamer les rois,
mais ceux que grisent la présomption et la colère, afin que tu
saches que le sacerdoce est plus grand que la royauté.

6. Quand l'âme a péché, Dieu châtie toujours le corps[3].
Ainsi en agit-il envers Caïn. L'âme avait péché en commettant
un meurtre, et le corps de Caïn devint paralysé. Comment ?
Écoute. « Tu seras, est-il dit, gémissant et tremblant sur la terre[a]. » Et Caïn circulait et il s'adressait à tous en émettant des
sons en silence, en instruisant par son aphonie. La langue était
muette et les membres criaient, et il disait à tous pourquoi il
gémissait, pourquoi il tremblait : J'ai tué mon frère. J'ai commis un meurtre. Moïse qui vint ensuite le disait avec des caractères d'écriture, celui-là avec des faits quand en circulant il
disait à tous : « Tu ne commettras pas de meurtre[b]. » Tu as vu
une bouche muette et une action sonore ? Tu as vu une loi
vivante qui circulait ? Tu as vu une stèle[4] ambulante ? Tu as
vu un châtiment être la ruine d'une renommée ? Tu as vu une
punition devenir le sujet d'une leçon ? Tu as vu une âme avoir

---

1. Il peut y avoir une antithèse entre les lettres noires de l'inscription et la
lèpre blanche. *Lév.* 13, 1-17.
2. La corde de pendaison devait servir de bâillon durant le trajet au lieu
du supplice, afin d'étouffer les cris du condamné et ses malédictions contre
les bourreaux ; cf. HÉRODOTE, III, 14. Dans l'homélie III *Sur l'incompréhensibilité de Dieu* (*SC* 28 bis, p. 223), on retrouve la même image.
3. Tout ce développement se retrouve avec des nuances dans le
Commentaire sur Isaïe, III, 1 (*PG* 56, 40).
4. Cette stèle fait songer aux piliers de bois à pivots sur lesquels étaient
écrites les lois de Solon. Cf. PLUTARQUE, *Solon*, 25, 1.

15 μάλα εἰκότως. Οὕτω δὴ καὶ ἐπὶ Ἰωάννην[c], ἡ ψυχὴ ἥμαρτε
καὶ ἡ γλῶσσα ἐδέθη · τοῦ γὰρ ὀργάνου τῆς γλώττης
ἀχρήστου λοιπὸν γεγονότος, ἐκεῖνος ὁ τὴν φωνὴν[d]
γεννήσας, Ζαχαρίας, ἐτιμωρεῖτο. Οὕτω δὴ καὶ Ὀζίας
ἐλεπροῦτο τὸ μέτωπον ἁμαρτών, ἵνα ἐκεῖνος παιδευθῇ. Καὶ
20 ἐξήει λοιπὸν ὁ βασιλεὺς πᾶσιν ὑπόδειγμα γενόμενος καὶ
ἐκαθάρθη τὸ ἱερὸν καὶ ἐξεβάλλετο, οὐδενὸς ὠθοῦντος, καὶ
θέλων τὴν ἱερωσύνην προσλαβεῖν καὶ ὃ εἶχεν ἀπώλεσεν.
Καὶ ἐξήει ἀπὸ τοῦ ἱεροῦ. Τὸ μὲν παλαιὸν πάντα λεπρὸν
ἦν νόμος ἔξω τῆς πόλεως ἐκβάλλεσθαι[e] · νυνὶ δὲ οὐκέτι.
25 Διὰ τί; Ἐπειδὴ ὡς παιδίοις ἐνομοθέτει ὁ Θεός, τότε λέπρα
ἦν τοῦ σώματος, νυνὶ δὲ ἡ λέπρα τῆς ψυχῆς ζητεῖται.
Ἐξήει τοίνυν ὁ βασιλεὺς ἐν λεπρότητι καὶ οὐκ ἐξέβαλον
αὐτὸν ἐκ τῆς πόλεως, τάχα αἰδούμενοι τὸ διάδημα αὐτοῦ
καὶ τὴν βασιλείαν, ἀλλ' ἐκάθητο πάλιν παρανομῶν. Τί οὖν
30 ὁ Θεός; Ὀργιζόμενος τοῖς Ἰουδαίοις ἔστησε τὴν προφητείαν. Ταῦτα οὖν πάντα διὰ τὸ ῥῆμα τοῦ προφήτου, ἵνα
καταβάλω τὸ χρέος. Ἀλλ' ἐπὶ τὸ προκείμενον ἐπανέλθω·

15 δὴ : δὲ S ‖ Ἰωάννην Q : Ἰωάννη t   Ἰωάννου rV   Ζαχαρίου cett.
‖ 16-17 τοῦ – γεγονότος rV : om. cett. ‖ 18-19 ἐτιμωρεῖτο – παιδευθῇ
rV : οὕτω δὴ κακεῖνος ἐλεπρώθη cett. ‖ 20 λοιπὸν rV : om. cett. ‖
γενόμενος : γινόμενος tSUj ‖ 23 καὶ – ἱεροῦ om. rV ‖ 24 νόμος W
Montf. : om. cett. ‖ 25 ἐνομοθέτει rV : προσεῖχεν cett. ‖ 26 ἦν – λέπρα
om. S ‖ νυνὶ δὲ : νῦν SUjQ ‖ 27 ἐν λεπρότητι : τὴν λέπραν ἔχων rV ‖
28 τάχα rV : om. cett. ‖ 30 ὀργιζόμενος ... ἔστησε : ὀργίζεται καὶ ...
ἵστησι rV ‖ 31 οὖν om. r

c. Lc 1, 18-20
d. Cf. Matth. 3, 3 ; Jn 1, 23
e. Cf. Lév. 13, 46

1. La tradition manuscrite présente ici une double rédaction dont la plus
longue, que nous adoptons après Migne et Montfaucon, s'oppose à celle qui
a été retenue par Savile. Voici le texte de la seconde :

Ἐγὼ τὸ ἐμὸν ἐποίησα, φησίν (φησιν om. t S j Q ν p) ὑμεῖς ὁ δῆμος
φοβεῖσθε τὸν ἀκάθαρτον ἐκβαλεῖν ; Ἀλλ' αἰδεῖσθε τὴν Βασιλείαν. Μᾶλλον
δὲ τὸν νόμον τοῦ Θεοῦ παραγράφετε (Montf. e cod k : παραβαίνοντες Q
παραγράφοντες cett.). Ἀφῆκαν οὖν αὐτὸν ἔνδον καθέζεσθαι. Τί οὖν ὁ
Θεός ; Ἀπεστράφη αὐτῶν (αὐτοὺς S j αὐτῷ t) · « Οὐκέτι, φησί, λαλῶ τοῖς

péché et la chair être punie? Et c'est tout à fait normal. Il en
fut ainsi également à propos de Jean [c] : l'âme avait péché et la
langue fut liée. Comme l'organe de la voix était devenu désormais inutile, celui-là même qui avait engendré la voix [d], Zacha-
rie, était puni. Il en fut ainsi pour Ozias qui était lépreux au
front pour avoir péché, et cela comme châtiment. Le roi sortait, il était devenu pour tous un exemple, et le temple fut
purifié; le roi était expulsé, sans personne qui le poussât : à
vouloir usurper le sacerdoce il perdit encore ce qu'il avait. Et il
sortait du temple. Dans les temps anciens c'était une loi que
tout lépreux fût expulsé de la ville [e], mais aujourd'hui il n'en va
plus de même. Pourquoi? Lorsque Dieu légiférait pour de
petits enfants, c'était alors sur la lèpre du corps que l'on enquê-
tait, tandis qu'aujourd'hui c'est sur la lèpre de l'âme. Le roi
sortait donc dans l'état de lépreux et on ne l'expulsa point de la
ville, par respect peut-être pour son diadème et sa royauté,
mais il y résidait encore en transgresseur. Que fit alors Dieu?
Il était irrité contre les Juifs et suspendit la prophétie. Tout
ceci c'est à cause de la parole du prophète, pour m'acquitter de
ma dette [1]. Mais revenons à notre sujet. Le roi sortit du temple

προφήταις ὑμῶν, οὐκέτι πέμπω Πνεύματος χάριν». «Καὶ οὐκ ἦν ῥῆμα
τίμιον τότε, καὶ οὐκ ἦν ῥῆσις προφητεύουσα». Σιγᾷ τοῦ Πνεύματος ἡ χάρις,
οὐ διελέγετο (V : ἐδέχετο cett.) ὁ Θεός. Ἐπειδὴ ἐπὶ ἀκαθάρτου, οὐκ ἦν ἡ
χάρις : Οὐ γὰρ ἦν τοῦ Πνεύματος ἡ χάρις, οὐ παρεγίνετο (παρεγένετο S Q),
οὐ Θεὸς ἐφαίνετο, οὐχ ὁράσεις ἔδειξεν, οὐ προφῆται διελέγοντο τὰ
ὀφειλόμενα οὐδὲν (οὐδὲν om. S j r v p). Ἀλλ' ὥσπερ ἂν εἴπῃς, οὐκέτι
διαλέγομαί σοι, οὐ λαλῶ σοι · οὕτως ὁ Θεὸς ὁρᾷ καὶ ὀργίζεται· Οὐ γὰρ
ἡμερότητος γέμων (conieci : γέμουσαν cod.) ἐκόλασεν, οὐδὲ ἐτιμωρήσατο,
οὐδὲ ἀνέκαυσεν (ἀνέσκαψεν Q) τὴν πόλιν. Ἀλλὰ τί φησιν· Οὐ θέλετέ με
ἐκδικῆσαι; Οὐχ ὁμιλῶ ὑμῖν. : «J'ai fait ce qui me concernait, dit-il, mais
vous, le peuple, vous craignez de chasser l'impur. Mais vous respectez la
royauté! Ou plutôt vous substituez à la loi de Dieu votre propre loi.» Ils le
laissèrent donc résider dans leurs murs. Que fit alors Dieu? Il se détourna
d'eux. «Je ne parle plus, dit-il, à vos prophètes. Je n'envoie plus le secours de
l'Esprit.» Il n'y avait pas alors de parole précieuse, il n'y avait plus de
discours prophétique. La grâce de l'Esprit se tait. Dieu ne parlait pas.
Comme du temps de l'impur il n'y avait pas de grâce — Il n'y avait en effet

μεν. Ἐξῆλθεν ἐκ τοῦ ἱεροῦ ὁ βασιλεὺς λεπρωθείς. Δέον
οὖν καὶ ἀπὸ τῆς πόλεως αὐτὸν ἐκβαλεῖν κατὰ τὸ ἔθος, ὡς
35 ἀκάθαρτον, ὁ δῆμος ἔνδον αὐτοῦ καθεζομένου ἀνέχεται
καὶ οὐδὲν τῶν ὀφειλόντων, οὐ μικρὸν οὐ μέγα εἰς λόγον
παρρησίας ποιεῖ. Ἐπεὶ οὖν ἀφῆκαν αὐτόν, ἀποστρέφεται
αὐτοὺς ὁ Θεὸς καὶ τὴν χάριν παύει τῆς προφητείας · καὶ
μάλα εἰκότως. Ἀνθ᾽ ὧν γὰρ τὸν αὐτοῦ νόμον ἠθέτησαν
40 καὶ ἐκβαλεῖν ἀκάθαρτον ὑπεστάλησαν, τὸ προφητικὸν
ἵστησι χάρισμα. «Καὶ οὐκ ἦν ῥῆμα τίμιον τότε, καὶ οὐκ ἦν
ῥῆσις προφητεύουσα[f]», τουτέστιν οὐ διελέγετο αὐτοῖς διὰ
προφητῶν ὁ Θεός · οὐ γὰρ ἐνέπνει τὸ Πνεῦμα αὐτοῖς δι᾽

129 οὗ ἐφθέγγοντο, ἐπεὶ τὸν ἀκάθαρτον εἶχον · ἐπὶ δὲ τῶν ἀκα-
45 θάρτων οὐκ ἐνήργει τοῦ Πνεύματος ἡ χάρις. Διὰ τοῦτο οὐ
παρῆν, οὐκ ἐφαίνετο τοῖς προφήταις, ἀλλὰ σιγᾷ καὶ
κρύπτει. Ἵνα δὲ τὸ λεγόμενον σαφὲς γένηται, ἐπὶ ὑπο-
δείγματος ποιήσω αὐτὸ φανερόν. Ὥσπερ ἄνθρωπος πρός
τινα διακείμενος τῇ στοργῇ, μανικῶς λυπήσαντα αὐτὸν ἐπί
50 τι πρᾶγμα, πρὸς αὐτὸν λέγει · Οὐκέτι ὄψομαί σοι, οὐ
λαλῶ σοι, οὕτω καὶ ὁ Θεὸς τότε ἐποίησεν. Ἐπεὶ γὰρ
αὐτὸν παρώργισαν, τὸν Ὀζίαν μὴ ἐκβαλόντες · Οὐκέτι,
φησί, λαλῶ τοῖς προφήταις ὑμῶν, οὐκέτι πέμπω Πνεύματος χάριν. Ὅρα κόλασιν ἡμερότητος γέμουσαν. Οὐ γὰρ
55 κεραυνοὺς ἀφῆκεν, οὐδὲ ἐκ θεμελίων κατέσεισεν τὴν
πόλιν · ἀλλὰ τί; Οὐ θέλετέ με ἐκδικῆσαι; φησίν, οὐχ
ὁμιλῶ ὑμῖν. Μὴ γὰρ οὐκ ἠδυνάμην αὐτὸν ἐκβαλεῖν; Ἀλλ᾽
ἐβουλήθην τὸ λειπόμενον ὑμῖν καταλιπεῖν. Οὐ βούλεσθε;

41 χάρισμα] + ὃ καὶ δηλῶν Ἡσαΐας οὕτω πως φησί rV ‖ οὐκ[1] om.
rV Montf. ‖ 57 ἠδυνάμην : ἠδύνατο Q ‖ 58 ἐβουλήθην : ἐβουλήθη tQ ‖
58 καταλιπεῖν : καταλείπειν S

plus aucune grâce de l'Esprit. — Dieu n'était pas là, il ne se montrait pas, il
n'avait pas montré de visions, les prophètes ne disaient pas les paroles
requises. Mais comme on dit : «Je ne t'adresse plus la parole, je ne te parle
plus, ainsi Dieu voit, et se fâche. Débordant de douceur, il n'a pas puni, ni
châtié, ni brûlé la ville. Que dit-il ? «Vous ne voulez pas me faire justice ; je
ne vous fréquente pas.»

lépreux. Alors que c'était un devoir de l'expulser de la ville, en vertu de la coutume, comme impur, le peuple souffre qu'il réside en ses murs et ne fait rien, ni peu ni prou, de ce qu'on doit faire quand on a de l'assurance. Comme ils avaient donc laissé au roi le champ libre, Dieu se détourne d'eux et cesse de les favoriser de la prophétie, et c'est tout à fait normal. Puisqu'ils avaient violé sa loi et s'étaient dérobés à l'expulsion de l'impur, il suspend le don de l'Esprit. «Il n'y avait pas alors de parole précieuse et il n'y avait point de discours prophétique[f1].» C'est-à-dire que Dieu ne leur parlait point par les prophètes : à ceux-ci il n'inspirait plus l'Esprit qui les faisait s'exprimer, puisque les Juifs gardaient l'impur, mais sur les impurs la grâce de l'Esprit n'opérait pas. Voilà pourquoi Dieu n'était pas présent, ne se manifestait pas aux prophètes, mais il garde le silence et se cache. Afin cependant de rendre clair ce que je dis, je l'illustrerai par un exemple. De même qu'un homme plein d'affection pour quelqu'un, s'il s'en voit pour quelque chose frénétiquement offensé, lui dit : Je ne te verrai plus ; je ne converse pas avec toi[2], tout de même Dieu s'est ainsi comporté. Comme ils l'avaient irrité en n'expulsant pas Ozias, je ne converse plus, dit-il, avec vos prophètes, je ne vous envoie plus la grâce de l'Esprit. Considère que le châtiment est plein de douceur. Car Dieu n'a pas lancé la foudre, il n'a pas ébranlé la ville jusqu'en ses fondements. Mais quoi ? Vous ne voulez pas me venger, dit-il, je ne vous fréquente pas. Ne pouvais-je donc pas l'expulser ? Mais j'avais voulu vous laisser ce qui restait à faire. Vous ne voulez pas. Je ne vous fré-

---

f.   Cf. I Sam. 3, 1

1.   Le texte hébraïque porte : «La parole de Iahvé était rare en ces jours-là, la vision n'était pas fréquente.»
2.   Il y a ici une allusion à un passage du *Contre Midias*. Cf. Ve homélie, p. 199, n. 3.

Οὐδὲ ἐγὼ ὁμιλῶ ὑμῖν, οὐδὲ κινῶ τῶν προφητῶν τὴν
60 ψυχήν. Οὐκ ἐνεργεῖ τοῦ Πνεύματος ἡ χάρις. Οὐκοῦν ἐξ
ἐκείνου σιγὴ ἦν, ἔχθρα Θεοῦ καὶ ἀνθρώπων. Ἐπεὶ οὖν
ἐκεῖνος μετὰ ταῦτα ἀπέθανε, καὶ ἐλύθη τῶν κατάρων ἡ
ὑπόθεσις. Ἐπειδὴ οὖν χρόνον πολὺν εἶχεν ὁ προφήτης μὴ
προφητεύσας, ἐκείνου δὲ τελευτήσαντος ἐλύθη ἡ ὀργὴ καὶ
65 ἡ προφητεία ἐπανῆλθεν. Λοιπὸν ἀναγκαίως ὁ προφήτης
ἐπισημαίνεται τὸν καιρὸν καὶ λέγει · «Καὶ ἐγένετο ἐν τῷ
ἐνιαυτῷ, οὗ ἀπέθανεν Ὀζίας ὁ βασιλεύς, εἶδον τὸν Κύριον
καθήμενον ἐπὶ θρόνου ὑψηλοῦ καὶ ἐπηρμένου[g].» Ὅτε ἀπέθανεν, τότε εἶδον τὸν Κύριον. Πρὶν γὰρ τὸν Θεὸν οὐχ
70 ἑώρων ὀργιζόμενον ἡμῖν. Ἦλθε γὰρ ὁ θάνατος τοῦ ἀκαθάρτου καὶ ἔλυσεν τὴν ὀργήν. Διὰ τοῦτο, πανταχοῦ τῶν
βασιλέων τὴν ζωὴν λέγων, ἐνταῦθα τελευτὴν εἶπε τοῦ
Ὀζίου · [« Ἐγένετο, φησί, τοῦ ἐνιαυτοῦ, οὗ ἀπέθανεν
Ὀζίας ὁ βασιλεύς, εἶδον τὸν Κύριον καθήμενον ἐπὶ
75 θρόνου ὑψηλοῦ καὶ ἐπηρμένου[g].»] Ἀλλὰ πάλιν τοῦ Θεοῦ
τὴν φιλανθρωπίαν ἐνταῦθα ἰδεῖν ἔστιν. Ἀπέθανεν ὁ ἀκάθαρτος καὶ κατηλλάγη Θεὸς τοῖς ἀνθρώποις. Διὰ τί, μὴ
ὄντων κατορθωμάτων, ἐγένετο, ἀλλὰ τῷ ἀποθανεῖν αὐτόν ;
Ὅτι φιλάνθρωπός ἐστι καὶ οὐκ ἀκριβολογεῖται ἐν τοῖς
80 τοιούτοις · ἓν ἐζήτει μόνον, ἵνα ὁ ἀκάθαρτος ἐξέλθῃ.
Ταῦτα τοίνυν εἰδότες, ἀπόνοιαν διώξωμεν, ταπεινοφροσύνην ἀσπασώμεθα, τὴν εἰωθυῖαν δόξαν ἀναπέμψωμεν τῷ
Πατρὶ καὶ τῷ Υἱῷ καὶ τῷ ἁγίῳ Πνεύματι νῦν καὶ ἀεὶ καὶ
εἰς τοὺς αἰῶνας τῶν αἰώνων. Ἀμήν.

59 ἐγὼ om. S ‖ οὐδὲ[2] S : οὐ cett. ‖ 60-61 οὐκοῦν ἐξ ἐκείνου rV :
om. cett. ‖ 62 κατάρων scripsi [Montf. in notis, ex PG 56,129 note b
« Omnes mss κατάρων.»] : καθαρῶν tSQ ἀκαθάρτων cett. ‖ 63 ἐπειδὴ
οὖν : ἐπεὶ S om. rV ‖ 64 τελευτήσαντος e : μὴ προφητεύσαντος
Q τεθνηκότος r προφητεύσαντος cett. ‖ 65 λοιπὸν : ὅθεν rV ‖ ὁ
προφήτης om. rV ‖ 68 ἐπηρμένου] + ὥστε rV ‖ 69 Κύριον : θεὸν rQ ‖
69-70 πρὶν — ἡμῖν : πρὶν δὲ ἀποθάνῃ, ὀργιζόμενον αὐτοῖς οὐκ ἑώρων
rV ‖ 70 γάρ om. rV ‖ 72 τὴν ζωὴν : τὸν χρόνον S ‖ λέγων rV : ἔλεγεν
cett. ‖ 73-75 ἐγένετο — ἐπηρμένου om. SrV seclusi ‖ 76 ἔστιν ἰδεῖν ~
rV ‖ 77 θεὸς om. rV ‖ 77-80 διὰ τί — τοιούτοις om. S ‖ 77-78 μὴ —

quente plus, je ne meus plus l'âme de vos prophètes. La grâce
de l'Esprit n'opère pas. Dès ce moment c'était donc le silence,
la haine entre Dieu et les hommes. Quand par la suite Ozias
mourut, la cause des malédictions fut aussi supprimée.
Comme il y avait longtemps que le prophète n'avait pas pro-
phétisé et que la mort du prince avait désarmé la colère, la prophétie revint. Aussi le prophète signale forcément l'époque et
dit : «Il arriva qu'en l'année où mourut le roi Ozias, je vis le
Seigneur siéger sur un trône élevé et sublime[g].» Ce fut à la
mort du roi, que je vis le Seigneur. Auparavant en effet, je ne
voyais pas Dieu, irrité qu'il était contre nous. Survint la mort
de l'impur et elle désarma la colère. Voilà pourquoi, quoiqu'il
ait parlé partout de la vie des rois, Isaïe parle ici de la mort
d'Ozias : [«Il arriva, est-il dit, qu'en l'année où mourut le roi
Ozias, je vis le Seigneur siéger sur un trône élevé et
sublime[g].»] Mais il est encore possible de voir ici l'amour de
Dieu pour les hommes. L'impur mourut et Dieu se réconcilia
avec les hommes. Pourquoi cela est-il arrivé en l'absence de
tout acte de vertu, mais du fait de la mort du roi? Parce que
Dieu aime les hommes et qu'il n'est pas vétilleux en ces
matières [1]. Il ne recherchait qu'une seule chose, c'est que l'impur disparût. Le sachant donc, chassons la présomption,
accueillons avec faveur l'humilité, adressons l'hommage
accoutumé au Père et au Fils et au Saint-Esprit, maintenant et
toujours et pour les siècles des siècles. Amen.

αὐτόν *om.* rV ‖ 78 τῷ U : τὸ tQ *om. cett.* ‖ 80 ἕν] + γὰρ S ‖
μόνον] + ὁ φιλάνθρωπος καὶ ἀγαθὸς θεός S ‖ 81 εἰδότες : ἰδόντες Q ‖
82 τῷ] + θεῷ S ‖ 83 καί[1] : σὺν S ‖ νῦν καὶ ἀεὶ καὶ *om.* SQ.

g. Is. 6, 1

1. Littéralement : Il ne fait pas de dénombrement complet. Le terme est
emprunté à la rhétorique. Cf. Ch. SCHÄUBLIN, *Untersuchungen zu Methode
und Herkunft der Antiochenischen Exegese,* Cologne 1974, p. 112.

E′

Εἰς τὰ ὑπόλοιπα τοῦ Ὀζίου

1. Φέρε δὴ τήμερον τοῖς κατὰ τὸν Ὀζίαν διηγήμασιν ἀποδῶμεν τὸ τέλος καὶ τὴν ὀροφὴν λοιπὸν ἐπιθῶμεν τῷ λόγῳ, μήποτε καὶ ἡμεῖς καταγελασθῶμεν, καθάπερ ἐκεῖνος, ὁ τὸν πύργον ἐν τοῖς εὐαγγελίοις ἐπιχειρήσας μὲν οἰκοδο-
5 μῆσαι, μὴ δυνηθεὶς δέ, μήποτέ τις τῶν παρόντων καὶ περὶ ἡμῶν εἴπῃ · «Οὗτος ὁ ἄνθρωπος ἤρξατο μὲν οἰκοδομῆσαι, οὐκ ἴσχυσε δέ[a].» Ὥστε δὲ σαφέστερα ὑμῖν γενέσθαι τὰ
130 λεγόμενα, μικρὰ τῶν πρότερον εἰρημένων ἀναλαβῶμεν, ἵνα μὴ χωρὶς κεφαλῆς ἡμῖν ὁ λόγος εἰς τὸ θέατρον εἰσέλθῃ τὸ
10 πνευματικόν, ἀλλὰ τὴν οἰκείαν ὄψιν ἀπολαβὼν γνώριμος γένηται τοῖς θεαταῖς. Ἔσται γὰρ τὰ αὐτὰ τοῖς μὲν ἀκηκοόσιν ὑπόμνησις, τοῖς δὲ μὴ διδασκαλία. Πρώην μὲν οὖν εἰρήκαμεν πῶς ἦν εὐσεβὴς ὁ Ὀζίας, πῶς δὲ γέγονε φαῦλος καὶ πόθεν καὶ μέχρι ποῦ τῆς ἀπονοίας ὤλισθεν ·

Testes tSUjrV < W > Q *arm.*

Titulus Εἰς τὰ ὑπόλοιπα τοῦ Ὀζίου tSVQ *arm.* : εἰς τὸ αὐτὸ ῥητὸν τοῦ προφήτου, τὸ λέγον · Ἐγένετο τοῦ ἐνιαυτοῦ οὗ ἀπέθανεν Ὀζίας ὁ βασιλεύς, εἶδον τὸν Κύριον cett. ‖ Κύριον] + καὶ ἡ ἀπόδειξις, ὅτι δικαίως ἐλεπρώθη Ὀζίας ἀναξίως θυμιάσας, ὅπερ οὐκ ἔξεστι βασιλεῦσιν, ἀλλ᾽ ἱερεῦσιν UjrV.

1, 1 δὴ *om.* VQ ‖ **5** παρόντων Q *arm.* : παριόντων cett. ‖ **7** οὐκ ἴσχυσε *om.* S ‖ δὲ] + ἐκτελέσαι UjQ ἐξανύσαι trV ‖ **8** πρότερον : πρώην Ur ‖ ἀναλαβῶμεν : ἀναλαβεῖν ἀναγκαῖον rV ‖ **8-11** ἵνα — θεαταῖς trV *arm.* : *om.* cett. ‖ **9-10** τὸ θέατρον ... τὸ πνευματικόν : τοὺς θεατὰς ... τοὺς πνευματικούς *arm.* ‖ **11** τοῖς μὲν Uj *arm.* : τοῖς μὲν οὐκ trV τοῖς μὴ SQ ‖ **12** ὑπόμνησις : ὑποθεσις j μάθησις trV ‖ τοῖς δὲ

HOMÉLIE V

Fin de l'histoire d'Ozias.

1. Allons, mettons aujourd'hui un terme à nos exposés sur Ozias et donnons désormais un couronnement à notre discours, de peur d'être un jour tourné nous aussi en dérision comme celui qui dans les évangiles avait bien entrepris de bâtir une tour, mais sans en avoir été capable, et qu'un des assistants ne dise un jour à notre sujet : « Cet homme a commencé de bâtir, mais n'a pas eu la force (d'achever [a]) » ; mais pour vous rendre plus claires mes paroles, reprenons quelque peu les propos tenus auparavant, afin que ce discours ne se produise pas décapité dans ce théâtre spirituel, mais qu'il ait repris ses traits familiers pour être reconnu par les spectateurs [1]. Le même exposé en effet sera pour ceux qui l'ont entendu une occasion de se souvenir et pour les autres un enseignement. Hier donc nous avons dit comment Ozias était pieux, mais comment il s'était avili et de quel point et jusqu'où il avait glissé dans la présomption, mais aujourd'hui il

μὴ Uj *arm.* : τοῖς δὲ trV   *om.* SQ ‖ μὴ] + ἀκούσασιν rV   ἀκηκοόσιν Uj ‖ διδασκαλία Uj *arm.* : ὑπόμνησις trV   *om.* SQ ‖ 13 πῶς δὲ : καὶ πῶς rV   *om.* S ‖ 14 ὤλισθεν tS : ὠλίσθησεν *cett.*

1   a. Lc 14, 30

1. S. Jean joue sur le mot κεφαλή qui signifie « tête » et « couronnement ». On peut en rapprocher l'expression : discours sans queue ni tête, et ARIST., *Plutus,* 650.

15 σήμερον δὲ ἀναγκαῖον εἰπεῖν πῶς εἰσῆλθεν εἰς τὸ ἱερόν,
πῶς ἐπεχείρησεν θυμιᾶσαι, πῶς ἐκώλυσεν ὁ ἱερεύς, πῶς
οὐκ εἶξεν ἐκεῖνος, πῶς ἐπεσπάσατο τοῦ Θεοῦ τὴν ὀργήν,
πῶς ἐν τῇ λέπρᾳ τὸν βίον κατέλυσεν καὶ τίνος ἕνεκεν ὁ
προφήτης τὰς ἡμέρας τῆς ζωῆς αὐτοῦ παρεὶς τῆς τελευ-
20 τῆς ἐμνημόνευσεν, οὑτωσὶ λέγων · « Τοῦ ἐνιαυτοῦ, οὗ
ἀπέθανεν Ὀζίας ὁ βασιλεύς[b].» Τοῦτο γάρ ἐστιν, δι᾽ ὃ
πᾶσαν ἐξ ἀρχῆς τὴν ἱστορίαν ἐκινήσαμεν · ἀλλὰ προσέχετε
ἀκριβῶς.

«Καὶ ἐγένετο, φησίν, ἡνίκα ἴσχυσεν ὁ Ὀζίας ὁ
25 βασιλεύς, ὑψώθη ἡ καρδία αὐτοῦ ἕως τοῦ διαφθεῖραι, καὶ
ἠδίκησεν ἐν Κυρίῳ Θεῷ αὐτοῦ.» Τίς ὁ τρόπος τῆς
ἀδικίας; «Εἰσῆλθε, φησίν, εἰς τὸν ναὸν Κυρίου, θυμιᾶσαι
ἐπὶ τὸ θυσιαστήριον τοῦ θυμιάματος[c].» Ὦ τῆς τόλμης, ὦ
τῆς ἀναισχυντίας. Αὐτῶν τῶν ἱερῶν ἀδύτων κατετόλ-
30 μησεν, εἰς τὰ ἅγια τῶν ἁγίων εἰσεπήδησεν, ὃ πᾶσιν
ἄβατον ἦν χωρίον, πλὴν τοῦ ἀρχιερέως μόνου, τοῦτο
βεβηλῶσαι ἐπεχείρησεν. Τοιοῦτόν ἐστιν ψυχή, καθάπαξ
τῆς οἰκείας ἀπογνοῦσα σωτηρίας · οὐδαμοῦ τῆς μανίας
ἵσταται, ἀλλὰ τὰς ἡνίας τῆς σωτηρίας αὐτῆς ἐνδιδοῦσα
35 ταῖς ἀλόγοις ἐπιθυμίαις πανταχοῦ φέρεται καί, καθάπερ
ἵππος δυσήνιος, τὸν χαλινὸν ἀπὸ τοῦ στόματος ἐκβαλὼν

---

15 δὲ : λοιπὸν rV ‖ ἀναγκαῖον εἰπεῖν : ἐροῦμεν rV ‖ 16 θυμιᾶσαι
θῦσαι t ‖ θυμιᾶσαι – ἐκώλυσεν om. S ‖ 18 καὶ om. t ‖ 19 τὰς ἡμέρας
om. S ‖ τῆς ζωῆς αὐτοῦ τὰς ἡμέρας ~ trV τὰς ἡμέρας αὐτοῦ τῆς
ζωῆς U ‖ παρεὶς : ἀφεὶς tS ‖ 20 ἐμνημόνευσεν : μέμνηται S ‖ λέγων] +
καὶ ἐγένετο UrV ‖ 21 δι᾽ ὃ : τὸ δι᾽ οὗ tS ‖ 22 ἐκινήσαμεν
ἀνεκινήσαμεν r ‖ 27 Κυρίου : θεοῦ S ‖ 31 χωρίον om. tS ‖ μόνου t
arm. : μόνον SV   om. cett. ‖ 32 ἐπεχείρησεν : ἐτόλμησεν Q ‖ ἐστιν] +
εἰς ἀπόνοιαν ἐπαρθεῖσα UjrV ‖ καθάπαξ] + γὰρ UjrV ‖ 34 αὐτῆς om
UjQ

b. Is. 6, 1
c. II Chr. 26, 16

nous faut dire comment il pénétra dans le temple, comment il entreprit d'offrir l'encens, comment le prêtre l'en empêcha, comment celui-là ne céda pas, comment il attira sur lui la colère de Dieu, comment il termina sa vie avec la lèpre et pourquoi le prophète laissant de côté les jours de sa vie a mentionné sa mort, quand il s'exprime ainsi : « L'année où mourut le roi Ozias [b]. » C'est le motif pour lequel nous avons traité depuis le début toute l'histoire. Eh bien ! Prêtez-moi une attention soutenue.

« Or il arriva, est-il dit, quand le roi Ozias fut devenu puissant, que son cœur s'exalta au point de se corrompre, et il commit l'injustice envers son Seigneur-Dieu. » Quelle sorte d'injustice ? « Il pénétra, est-il dit, dans le temple du Seigneur pour offrir l'encens sur l'autel des parfums [c1]. » Quelle témérité ! Quelle impudence ! C'est le sanctuaire interdit lui-même qu'il a bravé, c'est dans le Saint des Saints [2] qu'il s'est précipité, et ce lieu que nul ne peut fouler, sauf le seul grand prêtre, il entreprit de le profaner. Voilà ce qu'est une âme, une fois qu'elle a désespéré de son propre salut : elle ne s'arrête nulle part en sa folie, mais elle abandonne les rênes de son salut aux désirs irrationnels [3], elle est emportée en tous sens, et comme un cheval rétif qui a pris le mors aux dents et désarçonné son

---

1. Pour les mots θυσιαστήριον, θυμίαμα et apparentés, on se reportera à DANIEL, *Recherches sur le vocabulaire du culte dans la Septante,* Paris 1966, p. 28-31, *passim.*

2. L'Écriture ne parle que du Temple : l'autel des parfums n'était pas dans le Saint des Saints.

3. Désirs irrationnels ou même bestiaux. PLATON rapproche les deux notions quand il parle de certain plaisir τῇ θηριώδει καὶ ἀλόγῳ ἡδονῇ, *République* 591 C. Le neutre pluriel τὰ ἄλογα désigne les chevaux dans la langue des papyrus (cf. Liddell-Scott-Jones). Or Jean compare aussitôt à un cheval rétif l'âme indisciplinée. La même association d'idées, dans l'esprit de notre orateur, se remarque dans les discours *Sur la Providence* I, 202-203 *PG* 50, 752) ; cf. Francis BONNIÈRE, *Jean Chrysostome, Sur la Providence, Sur le Destin,* Lille 1975.

καὶ τὸν ἀναβάτην ῥίψας ἀπὸ τῶν νώτων ὕπτιον, παντὸς
ἀνέμου σφοδρότερον φέρεται καὶ τοῖς ἀπαντῶσίν ἐστιν
ἀφόρητος, ὑποφευγόντων μὲν ἁπάντων, κατασχεῖν δὲ
40 τολμῶντος οὐδενός, οὕτω καὶ ψυχή, τὸν χαλινοῦντα
αὐτὴν τοῦ Θεοῦ φόβον ἐκβαλοῦσα καὶ τὸν ἡνιοχοῦντα
ῥίψασα λογισμὸν ἅπαντα, τὰ τῆς κακίας ἐπιτρέχει χωρία
ἕως ἂν εἰς τὰ τῆς ἀπωλείας βάραθρα φέρουσα κατα-
κρημνίσῃ τὴν ἑαυτῆς σωτηρίαν. Διὸ χρὴ συνεχῶς αὐτὴν
45 ἀνακρούεσθαι καί, καθάπερ τινὶ χαλινῷ, τῷ τῆς εὐσεβείας
λογισμῷ τὴν ἄλογον αὐτῆς ἀναχαιτίζειν ὁρμήν· ὅπερ ὁ
Ὀζίας οὐκ ἐποίησεν, ἀλλ᾽ εἰς αὐτὴν τὴν ἀνωτάτω πάντων
ἀρχὴν παρηνόμησεν. Ἱερωσύνη γὰρ καὶ αὐτῆς τῆς
βασιλείας σεμνοτέρα καὶ μείζων ἐστὶν ἀρχή. Μὴ γάρ μοι
50 τὴν ἁλουργίδα εἴπῃς, μηδὲ τὸ διάδημα, μηδὲ τὰ ἱμάτια τὰ
χρυσᾶ. Σκιὰ πάντα ἐκεῖνα καὶ τῶν ἐαρινῶν ἀνθῶν εὐτελέ-
στερα. «Πᾶσα γὰρ δόξα ἀνθρώπου, φησίν, ὡς ἄνθος
χόρτου[d]», κἂν αὐτὴν λέγῃς τὴν βασιλικήν. Μὴ δὴ ταῦτά
μοι λέγε, ἀλλ᾽ εἰ βούλει ἱερέως πρὸς βασιλέα τὸ διάφορον
55 ἰδεῖν, τῆς ἑκάστῳ δεδομένης ἐξουσίας τὸ μέτρον ἐξέταζε
καὶ πολλῷ τοῦ βασιλέως ὑψηλότερον ὄψει τὸν ἱερέα
καθήμενον. Εἰ γὰρ καὶ λαμπρὸς ἡμῖν ὁ θρόνος φαίνεται
βασιλικὸς ἀπὸ τῶν προσπεπηγότων αὐτῷ λίθων καὶ τοῦ
περισφίγγοντος αὐτὸν χρυσίου, ἀλλ᾽ ὅμως τὰ ἐπὶ τῆς γῆς
60 ἔλαχεν οἰκονομεῖν καὶ πλεῖον ἔχει τῆς ἐξουσίας ταύτης
131   οὐδέν· ὁ δὲ τῆς ἱερωσύνης θρόνος ἐν τοῖς οὐρανοῖ
ἵδρυται καὶ τὰ ἐκεῖ διέπειν ἐπιτέτραπται. Τίς ταῦτά φησιν
Αὐτὸς ὁ τῶν οὐρανῶν βασιλεύς· «Ὅσα γὰρ ἂν δήσητε
φησίν, ἐπὶ τῆς γῆς, ἔσται δεδεμένα ἐν τοῖς οὐρανοῖς· κα

37 τῶν νώτων ὕπτιον : τοῦ νώτου UjQ ‖ 39 μὲν om. UjQ
43 φέρουσα βάραθρα ∼ S ‖ 47-48 ἀλλ᾽ — παρηνόμησεν om. t
49 ἀρχή cod. : ἀρχῆς arm. ‖ 53 δὴ : δὲ U ‖ 55 δεδομένης : διδομένη
r ‖ ἐξέταζε : ἐξέτασον r ‖ 57 λαμπρὸς arm. (CNcKχ) : σεμνότερο
Q σεμνός cett. ‖ 59 αὐτὸν : αὐτοὺς tQ ‖ 62 διέπειν om. Q
ἐπιτέτραπται : ἐπιτρέπεται Q

cavalier, qui est emporté avec plus de violence que le vent[1] et
se montre irrésistible pour ceux qui le rencontrent, car tous
fuient à son approche et nul n'ose le maîtriser, ainsi l'âme,
pour avoir rejeté la crainte de Dieu qui la bridait et désarçonné
le raisonnement qui tenait les rênes, parcourt tous les
domaines du vice, tant qu'elle se porte au gouffre de la perdition pour y précipiter son propre salut. Voilà pourquoi il faut
constamment la tirer en arrière et en guise de frein user du
raisonnement de la piété pour arrêter comme par la crinière
son impétuosité irrationnelle[2]. C'est précisément ce que
n'avait pas fait Ozias, mais il avait commis une transgression
à l'endroit du pouvoir supérieur à tous les autres. Le sacerdoce est en effet un plus auguste et plus grand pouvoir que la
royauté même. Ne me parle donc point de la pourpre, ni du
diadème, ni de manteaux brodés d'or. Ombre que tout cela,
objets de plus bas prix que les fleurs printanières ! Car «toute
gloire humaine, est-il dit, est comme la fleur de l'herbe[d]», me
parlerais-tu de la gloire royale elle-même. Ne m'en parle donc
pas, mais si tu veux voir la différence du prêtre au roi, examine
l'étendue de la puissance départie à chacun d'eux et tu verras
combien le prêtre siège bien au-dessus du roi ; quoique le trône
royal nous paraisse étincelant avec les pierreries fixées sur lui
et l'or qui l'enchasse, cependant le roi a reçu pour mission
d'administrer les choses de la terre et n'a rien de plus que cette
puissance, tandis que le trône du sacerdoce est établi dans les
cieux et que pour le soin de régir les choses d'en haut on se
tourne vers lui. Qui parle ainsi ? Le roi des cieux lui-même :
«Tout ce que vous aurez lié, dit-il, sur la terre, restera lié au

---

d. Is. 40, 6

1. La comparaison du cheval et du vent est une image traditionnelle. Cf.
CALLIMAQUE, fr. 383, Pfeiffer, 10 (et *Pap. Lille* 82 ; voir *Cahiers de
Recherches de l'Institut de Papyrologie et d'Égyptologie de Lille,* 1977,
p. 285).
2. Cf. PLATON, *Phèdre,* 254 B-E.

65 ὅσα ἂν λύσητε ἐπὶ τῆς γῆς, ἔσται λελυμένα ἐν τοῖς
οὐρανοῖς ᵉ.» Τί ταύτης ἴσον γένοιτ' ἂν τῆς τιμῆς ; Ἀπὸ
τῆς γῆς τὴν ἀρχὴν τῆς κρίσεως λαμβάνει οὐρανός.
Ἐπειδὴ ὁ κριτὴς ἐν τῇ γῇ κάθηται, ὁ Δεσπότης ἕπεται τῷ
δούλῳ · καὶ ἅπερ ἂν οὗτος κάτω κρίνῃ, ταῦτα ἐκεῖνος ἄνω
70 κυροῖ. Καὶ μέσος τοῦ Θεοῦ καὶ τῆς τῶν ἀνθρώπων
φύσεως ἔστηκεν ὁ ἱερεύς, τὰς ἐκεῖθεν τιμὰς κατάγων πρὸς
ἡμᾶς καὶ τὰς παρ' ἡμῶν ἱκετηρίας ἀνάγων ἐκεῖ,
ὀργιζόμενον αὐτὸν τῇ κοινῇ καταλλάττων φύσει,
προσκεκρουκότας ἡμᾶς ἐξαρπάζων τῶν ἐκείνου χειρῶν.
75 Διὰ τοῦτο καὶ αὐτὴν τὴν βασιλικὴν κεφαλὴν ὑπὸ τὰς τοῦ
ἱερέως χεῖρας φέρων τίθησιν ὁ Θεός, παιδεύων ἡμᾶς ὅτι
οὗτος ἐκείνου μείζων ὁ ἄρχων · «τὸ γὰρ ἔλαττον ὑπὸ τοῦ
κρείττονος εὐλογεῖται ᶠ.» Ἀλλὰ περὶ μὲν ἱερωσύνης καὶ
ὅσον τῆς ἀξίας τὸ μέγεθος ἐν ἑτέρῳ καιρῷ δηλώσομεν ·
80 τέως δὲ ἴδωμεν τῆς ἀδικίας τὸ μέγεθος τοῦ βασιλέως,
μᾶλλον δὲ τοῦ τυράννου. «Εἰσῆλθεν εἰς τὸν ναὸν Κυρίου,
εἰσῆλθε καὶ Ἀζαρίας ὁ ἱερεὺς ὀπίσω αὐτοῦ ᵍ.» Ἆρα μὴ
μάτην ἔλεγον ὅτι μείζων τοῦ βασιλέως ὁ ἱερεύς ; Οὐ γὰρ
ὡς βασιλέα μέλλων ἐξελαύνειν, ἀλλ' ὡς δραπέτην καὶ
85 οἰκέτην ἀγνώμονα, οὕτως ἐπεισῆλθε μετὰ σφοδρότητος,
ὥσπερ τις σκύλαξ γενναῖος ἐπιδραμὼν τῷ ἀκαθάρτῳ
θηρίῳ, ὥστε αὐτὸ τῆς δεσποτικῆς ἐξαγαγεῖν οἰκίας.

2. Εἶδες ψυχὴν ἱερέως παρρησίας γέμουσαν πολλῆς καὶ
φρονήματος ὑψηλοῦ; Οὐκ εἶδεν εἰς τὸν τῆς ἀρχῆς ὄγκον,

66 γένοιτ' ἂν ἴσον ~ tS ‖ 67 οὐρανὸς λαμβάνει ~ t ‖ 68 τῇ om. tS
‖ 69 δούλῳ UjQ arm. : λόγῳ cett. ‖ κάτω — ἐκεῖνος om. tS ‖ 79 καιρῷ
om. S ‖ δηλώσομεν : -σω- Q ‖ 80 τῆς — μέγεθος : τὴν ἀδικίαν S ‖
βασιλέως] + καὶ ὅσον ταύτης τὸ μέγεθος S ‖ 87 αὐτὸ arm. (ΠεδΙΧ) :
αὐτὸν tSUjPVQ.
2, 1 καὶ rVQ : om. cett.

e. Matth. 16, 19
f. Hébr. 7, 7
g. II Chr. 26, 16-17

ciel, et tout ce que vous aurez délié sur la terre, restera délié au
ciel[e].» Quel honneur égalerait celui-là? C'est de la terre que le
ciel reçoit le pouvoir de juridiction. Lorsque le juge siège sur la
terre, le Maître suit le serviteur et l'arrêt que celui-ci prononce
ici-bas, celui-là le confirme là-haut. C'est comme intermédiaire
entre Dieu et la nature humaine que se tient le prêtre quand il
fait descendre jusqu'à nous les honneurs d'en haut et monter là
haut nos prières, quand il réconcilie avec notre commune
nature un Dieu irrité, quand il lui arrache des mains nous les
coupables. Voilà pourquoi Dieu courbe volontiers la tête
royale elle-même sous les mains du prêtre, nous apprenant
ainsi que cette autorité est plus grande que celle-là, car «l'inférieur reçoit la bénédiction du supérieur[f]». Mais du sacerdoce
et de la grandeur de sa dignité, nous traiterons dans une autre
occasion[1]; voyons pour le moment la grandeur de la prévari-
cation du roi ou plutôt du tyran. «Il pénétra, est-il dit, dans le
temple du Seigneur. Y pénétra aussi, à sa suite, le prêtre Azarias[g].» Était-ce pour rien que je vous disais que le prêtre est
plus grand que le roi? Car ce n'était pas pour le chasser
comme un roi, mais comme un esclave fugitif et un serviteur
insolent, qu'il intervint de la sorte, avec vigueur, tel un jeune
chien de bonne race qui court sus à la bête impure[2] pour la
chasser de la maison de son maître.

2. Tu as vu une âme de prêtre toute pleine d'assurance et
d'une haute fierté! Il n'a pas regardé le faste du pouvoir, il n'a

---

1. Jean songe au traité du *Sacerdoce,* composé à l'époque de son
diaconat, selon l'historien SOCRATE (*H.E.* VI, 3 ; *PG* 67, 668), mais on voit
qu'il n'aurait pas encore paru à l'époque où la cinquième homélie fut
prononcée. Le traité fut composé avant 392, puisque S. Jérôme le connaît
déjà à cette date, et peu après 388 époque de notre homélie.
2. Cette périphrase désigne le porc, animal impur pour les Juifs
(*Lév.* 11, 7).

οὐκ ἐνενόησεν ὅσον ἐστὶ ψυχὴν ἐπιθυμίᾳ μεθύουσαν
κατασχεῖν, οὐκ ἤκουσε τοῦ Σολομῶντος λέγοντος·
5 «Ἀπειλὴ βασιλέως ὁμοία θυμῷ λέοντος[a]»· ἀλλὰ πρὸς τὸν
ἀληθῆ βασιλέα τῶν οὐρανῶν ἰδὼν καὶ τὸ βῆμα μὲν ἐννοή-
σας ἐκεῖνο καὶ τὰς εὐθύνας, καὶ τούτοις ἑαυτὸν τοῖς
λογισμοῖς ὀχυρώσας, οὕτως ἐπεπήδησε τῷ τυράννῳ. Ἤδει
μὲν γάρ, ᾔδει σαφῶς ὅτι «ἀπειλὴ βασιλέως ὁμοία θυμῷ
10 λέοντος[a]», ἀλλὰ τοῖς πρὸς τὴν γῆν βλέπουσιν, ἀνθρώπῳ
δὲ τὸν οὐρανὸν φανταζομένῳ καὶ παρεσκευασμένῳ τὴν
ψυχὴν ἔνδον ἐν τοῖς ἀδύτοις ἀφεῖναι, ἢ τοὺς ἱεροὺς
νόμους ὑβριζομένους περιιδεῖν, κυνὸς παντὸς εὐτελέστε-
ρος ἦν ἐκεῖνος. Οὐδὲν γὰρ ἀσθενέστερον τοῦ τοὺς θείους
15 παραβαίνοντος νόμους· ὥσπερ οὖν οὐδὲν ἰσχυρότερον τοῦ
τοὺς θείους ἐκδικοῦντος νόμους. «Ὁ μὲν γὰρ τῆς ἁμαρτίαν
ποιῶν δοῦλός ἐστι τῆς ἁμαρτίας[b]», κἂν μυρίους ἐπὶ τῆς
κεφαλῆς ἔχῃ στεφάνους· ὁ δὲ τὴν δικαιοσύνην ἐργαζόμενος καὶ αὐτοῦ τοῦ βασιλέως βασιλικώτερός ἐστι, κἂν
20 ἁπάντων ἔσχατος ᾖ. Ταῦτα πρὸς ἑαυτὸν φιλοσοφήσας ὁ
γενναῖος ἐκεῖνος, ἐπεισῆλθε τῷ βασιλεῖ. Συνεισέλθωμεν
οὖν καὶ ἡμεῖς, εἰ δοκεῖ, καὶ ἴδωμεν τί πρὸς τὸν βασιλέα
διαλέγεται. Ἔξεστι γάρ· οὐ μικρὸν δὲ εἰς ὠφελείας λόγον,
ἐλεγχόμενον ἰδεῖν ὑπὸ ἱερέως βασιλέα. Τί οὖν φησιν ὁ
25 ἱερεύς; «Οὐκ ἔξεστί σοι, Ὀζία, θυμιᾶσαι τῷ Κυρίῳ[c].»
Οὐκ ὠνόμασεν αὐτὸν βασιλέα, οὐδὲ ἀπὸ τοῦ ἀρχῆς
ἐκάλεσεν ὀνόματος, ἐπειδὴ ἑαυτὸν προλαβὼν ἐξέβαλε τῆς
τιμῆς. Εἶδες παρρησίαν ἱερέως; Οὐκοῦν κατάμαθε καὶ
πραότητα. Οὐ γὰρ παρρησίας ἡμῖν δεῖ μόνον ὅταν
30 ἐλέγχειν μέλλωμεν, ἀλλὰ καὶ πραότητος, καὶ πραότητος
132   μᾶλλον ἢ παρρησίας. Ἐπειδὴ γὰρ οὐδένα τῶν ἀνθρώπων

---

3 ἐνενόησεν : κατενόησεν S ‖ 6 μὲν t : om. cett. ‖ 10 ἀλλὰ rV : om.
cett. ‖ 12 ἀφεῖναι cod. : μεῖναι arm. ‖ 14-15 οὐδὲν – νόμους om. t ‖
16 τοὺς θείους om. rV ‖ νόμους : αὐτοὺς rV ‖ 17 τῆς ἁμαρτίας om. t ‖
20 ἁπάντων : πάντων SUj ‖ 22 καὶ² arm. : ἵνα cod. ‖ ἴδωμεν : εἴδωμεν
SQ γνῶμεν r ‖ 23 δὲ om. tSr ‖ 27 προλαβὼν ἑαυτὸν ~ S ‖

pas songé à la difficulté de contenir une âme ivre de désir, il
n'a pas entendu Salomon lui dire : « Les menaces du roi sont
semblables à la colère du lion[a]. » Mais regardant vers le vrai
roi des cieux, songeant à ce tribunal-là et aux comptes à lui
rendre, s'affermissant par ces raisons, il se précipita sur le
tyran. Il savait en effet, il savait clairement que si « les menaces
du roi sont semblables à la colère du lion », c'est pour ceux qui
regardent vers la terre, mais que pour un homme qui se repré-
sentait le ciel, qui était prêt à perdre la vie à l'intérieur du sanctuaire, plutôt que de laisser violer les saintes lois, ce roi valait
moins qu'un chien quelconque ; car il n'est rien de plus faible
que le transgresseur des lois divines, comme aussi rien n'est
plus fort que le vengeur des lois divines. Car « celui qui
commet le péché, est esclave du péché[b] », aurait-il sur la tête
mille couronnes, tandis que celui qui pratique la justice est
plus roi que le roi lui-même, serait-il le dernier de tous. C'est
sur quoi en lui-même avait médité ce noble prêtre, quand il
aborda le roi. Entrons avec lui à notre tour, s'il vous semble
bon, et voyons ce qu'il dit au roi. Cela nous est permis et ce
n'est pas un mince avantage de voir un roi repris par un prêtre.
Que dit donc le prêtre ? « Il ne t'est pas permis, Ozias, d'offrir
l'encens au Seigneur[c]. » Il ne lui a pas donné le titre de roi, il ne
l'a point désigné d'après le nom de son pouvoir, car Ozias
avait pris les devants en rejetant sa dignité. Tu as vu l'assurance du prêtre ? Connais-en aussi la douceur, car nous
n'avons pas besoin seulement d'assurance, quand nous avons
des reproches à faire, mais encore de douceur, et de douceur
plus encore que d'assurance. Puisqu'il n'est personne au

---

28 κατάμαθε : μάθε rV ‖ 30 καὶ πραότητος (bis) tSr : καὶ πρ. (semel)
cett. ‖ 31 τῶν : τῶν ὄντων tQ τῶν ἄλλων r

2   a.   Prov. 19, 12
     b.   Jn 8, 34
     c.   II Chr. 26, 18

οὕτως ἀποστρέφονται καὶ μισοῦσιν οἱ ἁμαρτάνοντες ὡς
τὸν ἐλέγχειν μέλλοντα, καὶ προφάσεως ἐπιλαβέσθαι ἐπιθυμοῦσιν ὥστε ἀποπηδῆσαι καὶ τὴν ἐπιτίμησιν διαφυγεῖν, δεῖ
35 οὖν κατέχειν αὐτοὺς τῇ πραότητι καὶ τῇ ἐπιεικείᾳ. Οὐ γὰρ
φωνὴν μόνον ἀφιεὶς ὁ τοιοῦτος, ἀλλὰ καὶ βλεπόμενος,
βαρὺς ἔσται τοῖς ἁμαρτάνουσιν · «Βαρὺς γὰρ ἡμῖν, φησίν,
ἐστὶ καὶ βλεπόμενος ᵈ» · διὰ ταῦτα πολλὴν χρὴ τὴν
πραότητα ἐπιδείκνυσθαι. Διὰ ταῦτα ὑμῖν καὶ ὁ λόγος ὑπ'
40 ὄψεσιν ἤγαγε καὶ τὸν ἡμαρτηκότα καὶ τὸν διορθοῦν αὐτὸν
βουλόμενον.

Καὶ γὰρ οἱ σοφοὶ τῶν ἰατρῶν, ὅταν μέλλωσι σεσηπότα
τέμνειν μέλη, ἢ λίθους τοῖς πόροις ἐναπεσφηνωμένους
ἐξέλκειν, ἢ ἄλλο τι τῆς φύσεως ἁμάρτημα διορθοῦν, οὐκ
45 εἰς γωνίαν λαβόντες τὸν κάμνοντα τοῦτο ποιοῦσιν, ἀλλ'
ἐν μέσαις αὐτὸν προθέντες ταῖς ἀγοραῖς καὶ θέατρον ἐκ
τῶν παριόντων περιστήσαντες, οὕτως ἐπάγουσι τὴν τομήν.
Ποιοῦσι δὲ τοῦτο, οὐχὶ ταῖς ἀνθρωπίναις ἐμπομπεύειν
βουλόμενοι συμφοραῖς, ἀλλὰ τοὺς ὁρῶντας ἐν ἀλλοτρίοις
50 παιδεύοντες σώμασι πολλὴν τῆς οἰκείας ὑγιείας ποιεῖσθαι
τὴν πρόνοιαν. Οὕτω καὶ ἡ Γραφὴ ποιεῖ · ἐπειδάν τινα
λάβῃ τῶν ἁμαρτανόντων, ἐφ' ὑψηλοῦ τοῦ κηρύγματος
αὐτὸν προτίθησιν, οὐκ ἐν μέσαις ἀγοραῖς, ἀλλ' ἐν μέσῃ τῇ
γῇ · καὶ τὸ τῆς οἰκουμένης περιστήσασα θέατρον, οὕτω

---

33 ἐπιθυμοῦσιν : θέλουσιν Q ‖ 34 ἐπιτίμησιν : ἐπιτιμίαν jV ‖ 35 οὖν
om. tSr ‖ 36 ἀφιεὶς tSQ arm. : ἀφεὶς Uj ‖ ἄν ἀφῇ rV ‖ ἀφιεὶς μόνον ˙ ~
tS ‖ 38 ἐστὶ : ἔσται Uj ‖ 39 ὑμῖν : ἡμῖν Montf. e cod. k ‖ 40 ὄψεσιν :
ὄψιν Montf. e cod.? ‖ 41 βουλόμενον arm. : μέλλοντα cod. ‖
46 αὐτὸν : αὐτῶν tV ‖ προθέντες : θέντες UjQ ‖ 47 παριόντων :
παρόντων tSQ ‖ 47-3,34 περιστήσαντες — κύμασιν om. V, unde ibi
legend. W ‖ 48-49 ταῖς ἀνθρ- ἐκπομπεύειν βουλόμενοι συμφοραῖς : τὰς
ἀνθρωπίνας ἐμπ- βουλ- συμφορὰς Q ‖ 49-50 ἀλλὰ — σωμασι : ἀλλὰ
jQ   ἀλλ᾽ ὥστε Montf. e cod. k ‖ 50 ὑγιείας] + ἕκαστον UjWQ ‖
ποιεῖσθαι : ποιῆσαι Q ‖ 52 ἁμαρτανόντων : ἁμαρτόντων t

d. Sag. 2, 14

monde en effet que les pécheurs n'évitent et ne haïssent autant que celui qui va leur faire des reproches, puisqu'ils désirent saisir un prétexte pour s'échapper et se dérober à la remontrance, nous devons donc les retenir par la douceur et l'indulgence. Car ce n'est pas seulement s'il vient à élever la voix, mais encore s'il se montre à leurs regards qu'un tel homme sera à charge aux pécheurs. «Sa vue même, est-il dit, est à charge[d].» Voilà pourquoi il faut leur témoigner beaucoup de douceur. Voilà pourquoi également le récit a mis sous vos yeux celui qui a commis le péché et celui qui voulait le corriger.

C'est qu'en effet les habiles médecins, doivent-ils amputer des membres gangrenés ou extraire des calculs engagés dans les conduits ou corriger tout autre vice de la nature, ne prennent pas leur patient dans un recoin pour l'opérer, ils l'installent au milieu de la place et se font des passants un public, et c'est alors qu'ils pratiquent l'incision[1]. Ils agissent de la sorte, non qu'ils veuillent faire parade des misères humaines, mais dans le désir d'enseigner aux spectateurs, en opérant autrui, à veiller soigneusement sur leur propre santé. Ainsi agit l'Écriture : quand elle s'est saisie d'un pécheur, elle l'expose aux regards sur une tribune élevée[2], non pas au milieu de la place, mais au centre du monde, et quand elle s'est donné pour théâtre l'univers, elle montre au grand jour le traitement médi-

---

1. On pense au tableau de Rembrandt, *La leçon d'anatomie*. Mais ici le praticien opère *in vivo*. Rappelons que la science médicale grecque était déjà très avancée. La pratique des opérations en public était inspirée par plusieurs raisons : la vanité des praticiens, la garantie que le public apporte à l'honnêteté médicale et à la sûreté de main des chirurgiens, l'atténuation de la douleur par le désir du patient de se montrer courageux. Cf. Jean BEAUJEU, *La science hellénistique et romaine,* in *Histoire générale des Sciences* I, 2, Paris 1957.

2. Nous donnons à κήρυγμα le sens de tribune où le héraut fait ses proclamations. Peut-être faut-il lire simplement βήματος.

55 τὴν ἰατρείαν ἐπιδείκνυται, παιδεύουσα ἡμᾶς ἀσφαλεστέρους περὶ τὴν οἰκείαν εἶναι σωτηρίαν. Ἴδωμεν οὖν πῶς
ἐπεχείρει τοῦτον ὁ ἱερεὺς διορθώσασθαι τότε. Οὐκ εἶπεν·
Ὦ μιαρὲ καὶ παμμίαρε, πάντα ἀνέτρεψας καὶ συνέχεας, εἰς
ἔσχατον ἀσεβείας ἐξεπήδησας· οὐδὲ μακροὺς ἐξέτεινε κατη-
60 γορίας λόγους, ἀλλ' ὥσπερ οἱ τέμνοντες, τοῦτο ποιεῖν
συντόμως σπουδάζουσιν <τὸ τρῆμα>, τῷ τάχει τῆς τομῆς
κλέπτοντες τῆς ὀδύνης τὴν αἴσθησιν, οὕτω καὶ οὗτος τῇ
βραχυλογίᾳ τοῦ βασιλέως τὴν φλεγμονὴν ὑπετέμετο.
Ὅπερ γὰρ ἐπὶ τῶν τραυμάτων τομεύς, τοῦτο ἐπὶ τῶν
65 ἁμαρτημάτων ἔλεγχος. Καὶ τὴν μὲν ἐπιείκειαν μετὰ τῶν
ἄλλων καὶ διὰ τῆς βραχυλογίας ἡμῖν ἐπιδείκνυται. Εἰ δὲ
βούλει καὶ τὸ τομὸν τῶν ῥημάτων ἰδεῖν, καὶ ποῦ τὸ
σιδήριον ἐνέκρυψεν, ἄκουσον· «Οὐκ ἔξεστί σοι, φησί,
θυμιᾶσαι Κυρίῳ, ἀλλ' ἢ τοῖς ἱερεῦσι, τοῖς υἱοῖς Ἀαρών,
70 τοῖς ἡγιασμένοις[e].» Ἐνταῦθα ἔδωκε τὴν πληγήν. Πῶς;
ἐγὼ λέγω. Διὰ τί γὰρ οὐκ εἶπεν· Τοῖς ἱερεῦσιν, ἁπλῶς,
ἀλλὰ προσέθηκε τὸν Ἀαρών; Οὗτος ὁ Ἀαρὼν ἀρχιερεὺς
ἐγένετο πρῶτος καὶ ἐτολμήθη κατὰ τοὺς ἐκείνου χρόνους
τοιοῦτον τόλμημα. Δαθὰν γὰρ καὶ Κορὲ καὶ Ἀβειρὼν
75 συστάντες κατ' αὐτοῦ μετὰ καὶ ἑτέρων τινῶν ἐκβαλεῖν
αὐτὸν τῆς ἀρχῆς ἐπεχείρησαν· ἀλλ' ἐνίους μὲν ἡ γῆ
διαστᾶσα κατέπιεν, τοὺς δὲ πῦρ ἄνωθεν κατενεχθὲν κατέ-
φλεξεν[f]. Ταύτης οὖν αὐτὸν τῆς ἱστορίας ὑπομνῆσαι
βουλόμενος, ἀνέμνησεν αὐτὸν τοῦ Ἀαρὼν τοῦ τότε ἀδικη-

---

55 ἰατρείαν : φατρείαν t ‖ 56 ἴδωμεν : εἰδῶμεν tQ ‖
57 διορθώσασθαι : -θῶσαι t ‖ 61 τὸ τρῆμα arm.: om. cett. ‖
63 βραχυλογίᾳ cod., arm.] + τῆς θρασύτητος cod. ‖ ὑπετέμετο tSr :
τέμνετο W ἔστησεν cett. ‖ 64 τραυμάτων : σωμάτων t om.
S καμνόντων Montf. e cod. k ‖ τομεύς arm.: τομή cod. ‖
66 ἁμαρτημάτων : ἁμαρτανόντων Uj ‖ 67 τὸ τομὸν : τὴν τομὴν
Q τὸν τόμον Montf. e cod. k ‖ 68 ἐνέκρυψεν : ἔκρ- SUQ ‖ 70 Πῶς :
καὶ πῶς W ‖ 71 λέγω W arm.: φράσω cett. ‖ 72 οὗτος ὁ [ἱερεύς add.
arm.] Ἀαρὼν rW arm.: Ἀαρὼν t οὗτος S om. cett. ‖ 75 κατ'
αὐτοῦ om. tSQ ‖ 75-76 ἐκβαλεῖν – ἐπεχείρησαν : ἐβούλοντο αὐτοὶ
ἱερατεύειν Uj ‖ 76 ἐνίους arm.: τοὺς cod. ‖ 78 ὑπομνῆσαι Uj : ἀνα-
cett.

cal, nous enseignant ainsi à nous montrer plus prudents pour
notre propre salut. Voyons donc comment le prêtre entreprit
alors de corriger Ozias. Il n'a pas dit : Scélérat, triple scélérat[1], toi qui as tout renversé et bouleversé pour atteindre
d'un bond les dernières limites de l'impiété. Il ne s'est pas étendu longuement sur l'accusation, mais comme les chirurgiens
qui s'efforcent d'opérer avec célérité pour tromper par la rapidité de l'incision la sensation de douleur, ainsi le prêtre par sa
concision fait l'ablation profonde de la tumeur du roi. Ce
qu'est dans le cas des plaies le bistouri, est dans celui des
péchés le reproche. Le prêtre nous montre sa bonté, notamment par sa concision. Mais si tu veux voir à la fois le tran-
chant des paroles et où il a dissimulé le couteau, écoute : « Il ne
t'est pas permis, dit-il, d'offrir l'encens au Seigneur : cela
revient aux prêtres, les fils d'Aaron, les consacrés[e].» Ici il a
porté le coup. Comment ? Je vais le dire. Pourquoi n'a-t-il pas
dit : Aux prêtres, tout simplement, mais a-t-il ajouté Aaron.
C'est que cet Aaron avait été le premier grand prêtre et qu'un
semblable attentat avait été perpétré de son temps. Dathan,
Coré et Abiron conspirèrent contre lui avec d'autres complices
et entreprirent de le démettre de sa charge, mais la terre se fen-
dit et engloutit les uns, tandis que le feu du ciel s'abattit et cal-
cina les autres[f2]. Dans le désir de lui rappeler cette histoire, il
évoqua l'injustice dont Aaron avait été alors victime, de

---

e. II Chr. 26, 18
f. Cf. Nombr. 16 et 26, 10 ; Deut. 11, 6 ; Ps. 106, 16-18 ; Sir. 45, 18

1. ARISTOPHANE, *Paix* 183.
2. Le récit des *Nombres* est un amalgame, où il est question à la fois
d'une rébellion politique des Rubénistes, Dathan et Abiron, et d'un schisme
religieux entre le clan de Coré et celui d'Aaron. La tradition de l'homélie
offre ici une double rédaction (voir l'apparat critique). La version
arménienne juxtapose les deux textes entre lesquels se divisent les mss grecs.

80 θέντος, ὥστε πρὸς τὴν τῶν ἠδικηκότων συμφορὰν
παραπέμψαι τὴν τούτου διάνοιαν. Πλὴν ἀλλ' οὐδὲν
ἐγένετο πλέον · ἀλλ' οὐ παρὰ τὸν ἱερέα, ἀλλὰ παρὰ τὴν
τοῦ βασιλέως θρασύτητα. Δέον γὰρ ἐπαινέσαι τὰ εἰρημένα
καὶ χάριν ὁμολογῆσαι τῆς συμβουλῆς, ὁ δὲ ἐθυμώθη,
85 φησί, καὶ τὸ ἕλκος εἰργάσατο χαλεπώτερον. Οὐ γὰρ οὕτως
ἁμαρτία κακόν, ὡς ἡ μετὰ τὴν ἁμαρτίαν ἀναισχυντία.

133   3. Ἀλλ' οὐχ ὁ Δαυὶδ οὕτως · ἀλλὰ πῶς; Μετὰ τὴν ὑπὸ
τοῦ Ναθὰν γενομένην κατηγορίαν τὴν ἐπὶ τῇ Βηρσαβεέ ·
«Ἡμάρτηκα τῷ Κυρίῳ[a]», φησίν. Εἶδες συντετριμμένην
καρδίαν; εἶδες τεταπεινωμένην ψυχήν; εἶδες πῶς καὶ τὰ
5 πτώματα τῶν ἁγίων χρήσιμα; Καθάπερ γὰρ τὰ λαμπρὰ
τῶν σωμάτων καὶ ἐπὶ τῆς ἀρρωστίας πολλὰ τῆς εὐμορφίας
ἡμῖν ἐνδείκνυται τὰ ἴχνη, οὕτω καὶ τῶν ἁγίων αἱ ψυχαὶ
καὶ ἐν αὐτοῖς τοῖς παραπτώμασι τῆς οἰκείας ἀρετῆς τὰ
σύμβολα φέρουσιν. Καίτοι γε ἐκεῖνος μὲν ἐν μέσοις τοῖς
10 βασιλείοις κατηγορεῖτο παρὰ τοῦ προφήτου, παρόντων
πολλῶν · οὗτος δὲ ἔνδον ἐν τοῖς ἀδύτοις, καὶ ἀμάρτυρον
εἶχε τὸν ἔλεγχον · ἀλλ' οὐδὲ οὕτως ἤνεγκε τὴν ἐπιτίμησιν.
Τί οὖν; ἀνίατος ἔμεινεν; Οὐδαμῶς, καὶ τοῦτο διὰ τὴν τοῦ
Θεοῦ φιλανθρωπίαν · ἀλλ' ὥσπερ ἐπὶ τοῦ σεληνιαζομένου,
15 τῶν μαθητῶν οὐκ ἰσχυσάντων τὸν δαίμονα ἐκβαλεῖν, ὁ
Χριστός φησι · «Φέρετέ μοι αὐτὸν ὧδε[b]» · οὕτω καὶ
ἐνταῦθα, τοῦ ἱερέως μὴ δυνηθέντος παντὸς δαίμονος
χαλεπώτερον νόσημα τὴν ἁμαρτίαν ἐκβαλεῖν, αὐτὸς λοιπὸν
ὁ Θεὸς τὸν κάμνοντα μεταχειρίζεται. Καὶ τί ποιεῖ; Λέπραν
20 ἐπαφίησιν αὐτοῦ τῷ μετώπῳ. [«Ἐγένετο γάρ, φησίν, ἐν τῷ
ἀπειλῆσαι αὐτὸν τῷ ἱερεῖ, λέπρα ἀνέτειλεν ἐν τῷ μετώπῳ
αὐτοῦ[c].»] Καὶ ἐξῄει λοιπόν. Καθάπερ οἱ τὴν ἐπὶ θάνατον

---

83 τὰ εἰρημένα tS arm. : τὸν ἱερέα cett. ‖ 85 ἕλκος cod. : τέλος arm
‖ 86 κακόν : χαλεπόν tS.

3, 3 συντετριμμένην : τετριμ- Q ‖ 4 εἶδες πῶς : εἶδες t οὕτω rW
5 χρήσιμα : λαμπρὰ UjQ ‖ 10 τοῦ om. rW ‖ 13 ἔμεινεν : ἔμενεν SU
καὶ τοῦτο rW : om. cett. ‖ 20-22 ἐγένετο — αὐτοῦ om. arm. seclusi
21 ἐν τῷ μετώπῳ : ἐπὶ τοῦ μετώπου UjQ ‖ 23 ἀπαγόμενοι : ἀγόμενοι t

manière à guider sa pensée vers le malheur des coupables. Au reste, il n'en est rien résulté non par la faute du prêtre, mais à cause de la témérité du roi. Alors qu'il aurait dû louer les paroles et savoir gré de cet avis, il s'emporta, est-il dit, et envenima sa blessure. Car le péché n'est pas aussi funeste que l'impudence après le péché.

3. Mais David n'a pas agi ainsi. Comment donc ? Après l'accusation portée par Nathan concernant Bersabée [1], il dit : « J'ai péché contre le Seigneur [a]. » Tu as vu un cœur contrit ! Tu as vu une âme humiliée ! Tu as vu comment les chutes des saints sont utiles. De même en effet que les corps splendides nous montrent, même dans la maladie, les vestiges de leurs belles proportions [2], les âmes des saints, même dans leurs chutes, portent les signes manifestes de leur vertu personnelle. David néanmoins était accusé par le prophète au milieu de son palais, devant une assistance nombreuse, tandis qu'Ozias, lui, était à l'intérieur du sanctuaire et recevait même des reproches sans témoin [3]. Il n'en supporta pas mieux les reproches. Quoi donc ? Demeura-t-il incurable ? Nullement, et cela est dû à l'amour de Dieu pour les hommes. Tout comme dans le cas du lunatique, alors que les disciples n'avaient pas eu la force de chasser le démon, le Christ leur dit : « Apportez-le-moi ici [b]. » Il en va de même en ce cas, où le prêtre avait été incapable de chasser un mal plus cruel que tout démon, le péché. Dieu traite alors lui-même le patient. Et que fait-il ? Il lui imprime la lèpre au front : [« Comme le roi menaçait le prêtre, est-il dit, la lèpre se leva sur son front [c]. »] Il sortit donc ; comme les gens

---

3   a. II Sam. 12, 13
     b. Matth. 17, 17
     c. Cf. II Chr. 26, 19

1. Bersabée est la leçon de la *Septante* et de nos manuscrits. La bible hébraïque porte Bath-Sheba, d'où nous avons tiré Bethsabée.
2. Il y a ici un souvenir du *Gorgias* 524 B-E.
3. *II Chr.* 26, 19 parle de la présence de prêtres à côté d'Azarias.

ἀπαγόμενοι, σπαρτίον ἐπὶ τοῦ στόματος ἔχοντες, τῆς κατα-
δικαζούσης σύμβολον ψήφου, οὕτω καὶ αὐτὸς τῆς ἀτιμίας
25 τὸ σύμβολον ἐπὶ τοῦ μετώπου φέρων, οὐ δημίων αὐτὸν
ἑλκόντων, ἀλλὰ αὐτῆς τῆς λέπρας ἀντὶ δημίων ἐπὶ κεφαλὴν ὠθούσης. Εἰσῆλθεν ἱερωσύνην λαβεῖν, ὁ δὲ καὶ τὴν
βασιλείαν ἀπώλεσεν · εἰσῆλθεν γενέσθαι σεμνότερος καὶ
γέγονεν ἐναγέστερος. Καὶ γὰρ ἰδιώτου παντὸς λοιπὸν
30 ἀτιμότερος ἦν, ἀκάθαρτος ὤν. Τοσοῦτόν ἐστι κακὸν τὸ μὴ
μένειν ἐπὶ τῶν δοθέντων ἡμῖν παρὰ τοῦ Θεοῦ μέτρων, ἄν
τε ἐπὶ τιμῆς, ἄν τε ἐπὶ γνώσεως τοῦτο ποιῇ. Οὐχ ὁρᾷς
ταύτην τὴν θάλατταν πῶς ἐστι ταῖς βίαις ἀφόρητος,
πόσοις κορυφοῦται τοῖς κύμασιν; Ἀλλ' ὅμως πρὸς ὕψος
35 διανισταμένη μέγα καὶ μετὰ πολλοῦ προϊοῦσα τοῦ θυμοῦ,
ἐπειδὰν ἔλθῃ πρὸς τὸ τεθὲν ὅριον αὐτῇ παρὰ τοῦ Θεοῦ, τὰ
κύματα διαλύσασα, πρὸς ἑαυτὴν πάλιν ἐπάνεισιν[d]. Καίτοι
γε τί ψάμμου γένοιτ' ἂν ἀσθενέστερον; Ἀλλ' οὐκ ἐκεῖνό
ἐστι τὸ κωλῦον, ἀλλ' ὁ τοῦ θέντος φόβος. Εἰ δὲ οὐ
40 σωφρονίζει σε τοῦτο τὸ παράδειγμα, τὰ κατὰ τὸν Ὀζίαν
σε παιδευσάτω, τὰ νῦν ἡμῖν εἰρημένα. Ἀλλ' ἐπειδὴ τὴν
ὀργὴν εἴδομεν τοῦ Θεοῦ καὶ τὴν ἀξίαν ἀνταπόδοσιν, φέρε
καὶ τὴν φιλανθρωπίαν αὐτοῦ καὶ τὴν πολλὴν ἐπιείκειαν
ἐπιδείξωμεν. Οὐ γὰρ μόνους τοὺς περὶ τῆς ὀργῆς δεῖ
45 κινεῖν λόγους, ἀλλὰ καὶ τοὺς περὶ τῆς χρηστότητος, ἵνα
μήτε εἰς ἀπόγνωσιν ἐμβάλωμεν τοὺς ἀκούοντας, μήτε εἰς
ῥαθυμίαν. Οὕτω καὶ Παῦλος ποιεῖ καὶ τούτοις ἀμφοτέροις
κιρνᾷ τὴν παραίνεσιν, οὑτωσὶ λέγων · «Ἴδε οὖν τὴν
χρηστότητα καὶ ἀποτομίαν Θεοῦ[e]», ἵνα καὶ τῷ φόβῳ καὶ

---

25 αὐτὸν *om.* tS ‖ 26 κεφαλὴν : κεφαλῆς jQ ‖ 27-28 καὶ —
ἀπώλεσεν *om.* S ‖ 29 λοιπὸν *om.* S ‖ 30 ἀτιμότερος : ἐναγέστερος W ‖
τὸ *om.* tS ‖ 31 μένειν] + ἔνδον U ‖ 32 ποιῇ Q *arm. :* ἢ *cett.* ‖
34 ἀλλ' ὅμως *hic* V *denuo* ‖ 36 παρὰ *om.* Q ‖ 37 κύματα] + εἰς
ἀφρὸν UjQ ‖ διαλύσασα : διαλύουσα r ‖ 39 θέντος : τεθέντος Q ‖
θέντος] + τὸν ὅρον Θεοῦ rV ‖ 41 παιδευσάτω Q : παιδευέτω *cett.* ‖ τὰ
... εἰρημένα : τὸ ... εἰρημένον j ‖ 46 ἐμβάλωμεν : ἐμβάλλωμεν tS ‖
47 ποιεῖ : εἶπεν Q ‖ 48 παραίνεσιν : προαίρεσιν Q

conduits à la mort avec un bâillon sur la bouche [1] en signe du
verdict qui les condamne, ainsi Ozias portait au front le signe
de son ignominie, sans bourreaux pour le traîner, mais avec la
lèpre elle-même, en guise de bourreaux, pour le précipiter la
tête la première [2]. Il était venu s'emparer du sacerdoce et il perdit même sa royauté. Il était venu pour être vénéré et il devint
maudit. Il était en effet plus méprisable qu'un simple particulier, puisqu'il était impur, tant c'est un mal que de ne pas se
renfermer dans les limites que Dieu nous a fixées, soit en fait
de dignité, soit en fait de connaissance. Ne vois-tu pas combien cette mer est irrésistible dans sa violence, de quelles
vagues elle se couronne, et pourtant elle a beau s'élever à une
grande hauteur et s'avancer avec beaucoup de furie, dès qu'elle
atteint les limites que Dieu lui a fixées, ses vagues retombent et
elle reflue de nouveau [d]. Quoi de plus faible néanmoins que le
sable ? Mais ce n'est pas là ce qui l'arrête, c'est la crainte de
celui qui lui a fixé des limites. Mais si cet exemple ne t'assagit
pas, que t'instruise le cas d'Ozias, dont nous t'avons parlé
aujourd'hui. Toutefois, puisque nous connaissons la colère de
Dieu et ses justes représailles, allons, montrons aussi son
amour des hommes et sa grande douceur. Il ne faut pas seulement prononcer des discours sur sa colère, mais en prononcer
sur sa bonté, pour ne jeter les auditeurs ni dans le découragement ni dans le relâchement. Paul aussi agit de la sorte et il
tempère par ces deux procédés sa leçon, quand il dit : « Vois la
bonté et la rigueur de Dieu [e] », afin que par la crainte et de

---

d. Cf. Prov. 22, 28 ; Job 38, 8-11
e. Rom. 11, 22

1. La IVe homélie offre un passage similaire (5, 83-85).
2. Le texte est lacunaire ! On en rapprochera PLATON, *République* 553 B,
où il est question de «précipiter la tête la première du trône de son âme
l'ambition et la fierté» (trad. E. Chambry, PLATON VII, 2, Paris 1934).

50 ταῖς χρησταῖς ἐλπίσιν ἀναστήσῃ τὸν πεπτωκότα. Εἶδες
ἀποτομίαν Θεοῦ; Ἰδὲ καὶ χρηστότητα. Πῶς οὖν ὀψόμεθα
134 τὴν χρηστότητα; Ἄν μάθωμεν τίνων ἄξιος ἦν ὁ Ὀζίας.
Τίνων οὖν ἄξιος ἦν; Ἅμα τῶν προθύρων ἐπιβὰς τῶν
ἱερῶν μετὰ τοσαύτης ἀναισχυντίας, μυρίων σκηπτῶν καὶ
55 τῆς ἐσχάτης κολάσεως καὶ τιμωρίας. Εἰ γὰρ οἱ πρῶτοι
ταῦτα τολμήσαντες ταύτην ἔδοσαν τὴν δίκην, οἱ περὶ
Δαθὰν καὶ Κορὲ καὶ Ἀβειρών[f], πολλῷ μᾶλλον τοῦτον
οὕτω κολάζεσθαι ἔδει, τὸν μηδὲ ταῖς ἐκείνων σωφρονι-
σθέντα συμφοραῖς. Ἀλλ' οὐκ ἐποίησεν οὕτως ὁ Θεός,
60 ἀλλὰ πρότερον λόγους προσήγαγε πολλῆς ἐπιεικείας
γέμοντας διὰ τοῦ ἱερέως. Καὶ ὅπερ ὁ Χριστὸς παρήνεσεν
ἀνθρώποις ποιεῖν, ὅταν εἰς ἀλλήλους ἁμάρτωσιν, τοῦτο ὁ
Θεὸς πρὸς τὸν ἄνθρωπον ἐποίησεν. « Ὅταν γάρ, φησίν,
ἁμάρτῃ εἰς σὲ ὁ ἀδελφός σου, ὕπαγε, ἔλεγξον αὐτὸν
65 μεταξὺ σοῦ καὶ αὐτοῦ μόνου[g].» Οὕτω καὶ τὸν βασιλέα
τοῦτον ἤλεγξεν ὁ Θεός. Καὶ ὁ μὲν Χριστός φησιν · « Ἐάν
μὴ ἀκούσῃ σου, ἔσται σοι ὡς ὁ ἐθνικὸς καὶ ὁ τελώνης[h] ·
ὁ δὲ Θεὸς φιλανθρωπίᾳ τοὺς οἰκείους ὑπερβαίνων νόμους,
οὐδὲ οὕτως αὐτὸν ἐξέκοψεν, ἀλλὰ καίτοι παρακούσαντα
70 καὶ ἀγανακτήσαντα οὐκ ἀπέρριψεν, ἀλλὰ πάλιν προσίεται
καὶ παιδεύει τρόπῳ διόρθωσιν ἔχοντι μᾶλλον ἢ τιμωρίαν.
Οὐ γὰρ σκηπτὸν ἀφῆκεν ἄνωθεν, οὐδὲ κατέφλεξε τὴν
ἀναίσχυντον κεφαλήν, ἀλλὰ τῇ λέπρᾳ μόνον ἐπαίδευσεν.
Καὶ τὰ μὲν κατὰ τὸν Ὀζίαν τοιαῦτα.
75 Ἐγὼ δὲ ἓν ἔτι μόνον προσθεὶς καταπαύσω τὸν λόγον.
Τί δὲ τοῦτό ἐστιν; Ὅ πάλαι καὶ ἐξ ἀρχῆς ἐζητήσαμεν ·

52 τίνων tSjr : τίνος cett. ‖ 53 ἅμα ... ἐπιβάς : ἅμα τῷ ... ἐπιβῆναι rV
‖ 55 πρῶτοι : πρώτως rV ‖ 59 οὕτως arm.: τοῦτο cod. ‖ 61 ὅπερ rV :
ἅπερ cett. ‖ 62 ἁμάρτωσι : ἁμαρτάνωσι Montf. e cod.? ‖ 62-63 τοῦτο –
ἐποίησεν om. tS ‖ 64 ἁμάρτῃ rV : ἁμαρτήσῃ cett. ‖ 65 μόνου om. Q ‖
66 τοῦτον om. tS ‖ 67 ἔσται SrV : ἔστω cett. ‖ 69 καίτοι rV : om. cett.
‖ 70 ἀγανακτήσαντα : ἀπειλήσαντα arm. μὴ μετανοήσαντα j ‖ 72 οὐ :
οὐδὲ UjQ ‖ 74 τοιαῦτα : ταῦτα tSrQ

favorables espoirs tout à la fois il relève l'homme déchu. Tu as
vu la rigueur de Dieu ? Vois aussi sa bonté. Comment verrons-
nous donc sa bonté ? En apprenant ce que méritait Ozias. Que
méritait-il donc ? Dès qu'il eut mis le pied, avec tant d'impudence, sur les parvis sacrés, mille traits de foudre, les derniers
châtiments, la punition suprême ! Car si les premiers coupables d'un pareil attentat ont été punis de la sorte : Dathan,
Coré et Abiron avec leurs partisans [f], combien davantage
Ozias devait-il être châtié, lui que même leur malheureux sort
n'avait pas assagi. Dieu ne le fit pas cependant, mais il lui
adressa d'abord par l'entremise du prêtre des paroles pleines
d'une grande douceur. Et la conduite que le Christ avait
conseillé de suivre envers les hommes quand ils ont péché l'un
contre l'autre, Dieu l'a adoptée à l'égard de cet homme.
« Quand, est-il dit, ton frère a péché contre toi, va le trouver et
reprends-le seul à seul [g]. » Ainsi Dieu a-t-il repris ce roi. Le
Christ dit encore « S'il ne t'écoute pas, il sera pour toi comme
un païen et un publicain [h 1]. » Dieu toutefois, transgressant par
amour des hommes ses propres lois, même ainsi ne le retran-
cha pas, mais en dépit de sa désobéissance et de son empor-
tement, il ne le rejeta point, mais il le ramène à lui et l'instruit
d'une manière qui tient plus de la correction que de la punition. Il n'a pas en effet lancé la foudre du haut du ciel, il n'a
pas calciné la tête impudente, il s'est contenté d'instruire par la
lèpre. Voilà ce qui concerne Ozias.

Je n'ajoute plus qu'un mot avant de clore mon discours. De
quoi s'agit-il ? Ce que nous avions recherché autrefois, pour

f.   Cf. Nombr. 16 ; Deut. 11, 6 ; Ps. 106, 16-18 ; Sir. 45, 18
g.   Matth. 18, 15
h.   Matth. 18, 16-17

1. Jean résume le passage évangélique où la procédure est plus complexe.

τίνος ἕνεκεν ἐν τοῖς ἔξω πράγμασι καὶ ἐν ταῖς προφη-
τείαις, ἁπάντων εἰωθότων τῆς ζωῆς τῶν βασιλέων τοὺς χρόνους ἐπισημαίνεσθαι, οὗτος τοῦτο ἀφείς, τοῦ χρόνου τῆς
80 τελευτῆς μέμνηται τοῦ Ὀζίου, οὑτωσὶ λέγων · «Καὶ ἐγένετο τοῦ ἐνιαυτοῦ, οὗ ἀπέθανεν Ὀζίας ὁ βασιλεύς¹. »
Καίτοι γε ἐνῆν τοῦ τότε βασιλεύοντος τὸν χρόνον εἰπεῖν,
ὥσπερ ἔθος τοῖς προφήταις ἦν · ἀλλ᾽ οὐκ ἐποίησε τοῦτο.
Τίνος οὖν ἕνεκεν οὐκ ἐποίησεν; Νόμος ἦν παλαιὸς τὸν
85 λεπρὸν τῆς πόλεως ἐξελαύνεσθαιʲ, ὥστε καὶ τοὺς τῇ πόλει
βελτίους γίνεσθαι καὶ αὐτὸν μὴ προκεῖσθαι τοῖς βουλο-
μένοις ὑβρίζειν σκωμμάτων καὶ χλευασίας ἀφορμήν, ἀλλ᾽
ἔξω τῆς πόλεως μένοντα παραπέτασμα τῆς συμφορᾶς ἔχειν
τὴν ἐρημίαν. Τοῦτο καὶ τὸν βασιλέα τοῦτον ὑπομένειν
90 ἐχρῆν μετὰ τὴν λέπραν · ἀλλ᾽ οὐχ ὑπέμεινεν, τῶν ἐν τῇ
πόλει διὰ τὴν ἀρχὴν αὐτὸν αἰδεσθέντων, ἀλλ᾽ ἔμενεν ἐν
τῷ οἴκῳ αὐτοῦ κρυφίως. Τοῦτο παρώξυνε τὸν Θεόν, τοῦτο
τὴν προφητείαν ἐκώλυσεν · καὶ ὅπερ ἐπὶ τοῦ Ἠλὶ
γέγονεν · «Ῥῆμα τίμιον ἦν καὶ οὐκ ἦν ὅρασις διαστέλ-
95 λουσαᵏ.» Σὺ δέ μοι καὶ ἐνταῦθα γνῶθι τοῦ Θεοῦ τὴν
φιλανθρωπίαν. Οὐ γὰρ ἀνέτρεψε τὴν πόλιν, οὐδὲ ἀπώλεσε
τοὺς ἐνοικοῦντας · ἀλλ᾽ ὅπερ φίλοι ποιοῦσι πρὸς τοὺς
ὁμοτίμους τῶν φίλων, ἐπειδὰν ἔχωσί τι δίκαιον ἐγκαλεῖν,
ἐν παρασιωπήσει μένοντες, τοῦτο καὶ ὁ Θεὸς πρὸς τὸ
100 ἔθνος ἐκεῖνο ἐποίησεν, μείζονος ὂν ἄξιον κολάσεως καὶ
τιμωρίας. Ἐγὼ μὲν γὰρ αὐτὸν ἐξέβαλον, φησί, τοῦ ἱεροῦ,

---

81 ὁ βασιλεὺς *om.* tS ‖ 82 τοῦ τότε ... τὸν χρόνον tS *arm.:* αὐτὸν
τοῦ ... τὸν χρόνον r τὸν τοῦ ... χρόνον *cett.* ‖ 83 ἦν *om.* rV ‖
84 ἕνεκεν] + τοῦτο rV ‖ 86 γίνεσθαι : γεν- tU ‖ 87 χλευασίας :
γέλωτος rV ‖ 89 τοῦτον *om.* S ‖ ὑπομένειν : -μεῖναι SQ ‖ 92 κρυφίως :
κρυφαίως tQ ‖ 95 γνῶθι *arm.:* σκόπησον S σκόπει *cett.* ‖
99 μένοντες : καμόντες S ‖ 100 ἐκεῖνο W *arm.: om. cett.* ‖ ὂν ἄξιον :
ἄξιον t ἀξίων S ‖ 101 ἐξέβαλον αὐτὸν ~ UjQ

i. Is. 6, 1
j. Cf. Lév. 13, 46
k. I Sam. 3, 1

commencer, la raison pour laquelle, en dépit de l'habitude partout répandue d'indiquer dans les affaires profanes et les prophéties le temps de la vie des rois, Isaïe a négligé cet usage
pour mentionner l'époque de la mort d'Ozias, quand il s'exprime de la sorte : «Or il arriva en l'année où mourut le roi
Ozias[i].» Il pouvait assurément parler du temps du roi alors
régnant, comme c'était la coutume de tous les prophètes, mais
il ne l'a pas fait. Pourquoi donc ne l'a-t-il pas fait? C'était une
loi antique qu'on chassât le lépreux de la ville[j] pour améliorer
la condition[1] des habitants et pour empêcher qu'il ne devînt un
objet de sarcasmes et de risée pour ceux qui voudraient l'outrager, et d'autre part pour qu'en demeurant hors de la ville il
eût la solitude pour voile de son malheur. Voilà le traitement
que ce roi aussi devait subir après la lèpre, mais il ne le subit
pas, car les habitants eurent des égards pour lui à cause de son
pouvoir et il demeura dans sa maison en secret. Cela exaspéra
Dieu, cela suspendit la prophétie, et ce qui était arrivé du
temps d'Éli, arriva : «La parole était rare et il n'y avait pas de
vision distincte[k][2].» Mais toi, discerne ici encore, je te prie,
l'amour de Dieu pour les hommes. Il n'a pas ruiné la cité, ni
exterminé les habitants, mais, ce que font précisément des
amis à des amis de leur rang dont ils ont à se plaindre justement, en demeurant silencieux[3], Dieu l'a fait à l'égard de cette
nation qui méritait plus rude châtiment et pire punition. Moi,
je l'ai expulsé du temple, dit-il, et vous, vous ne l'avez même

---

1. La lèpre est le châtiment du péché et le contact du pécheur est funeste.
2. Le texte hébraïque porte : «La parole de Jahvé était rare en ces jours-
là, la vision n'était pas fréquente.»
3. L'auteur de la Ve homélie se souvient-il d'un passage de la *Midienne :*
«C'est assez punir un ami, quand on le croit coupable d'un acte si grave, que
de l'exclure désormais de son amitié; l'acharnement dans la vengeance est
laissé à la victime ou aux ennemis personnels»? *Contre Midias,* 118 (trad.
J. Humbert), Paris 1951.

ὑμεῖς δὲ οὐδὲ τῆς πόλεως · ἐγὼ δήσας αὐτὸν διὰ τῆς
λέπρας, ἰδιώτην παρέδωκα, ὑμεῖς δὲ οὐδὲ οὕτω περι-
εγένεσθε, ἀλλὰ τὸν ὑπ' ἐμοῦ καταδικασθέντα οὐκ
105 ἠνέσχεσθε τῆς πόλεως ἐκβαλεῖν. Καίτοι ποῖος ἂν τοῦτο
βασιλεὺς πράως ἤνεγκεν, ἀλλ' οὐκ ἂν ἐκ βάθρων τὴν
πόλιν ἀνέτρεψεν, τὸν εἰς τὴν ὑπερορίαν μετοικισθῆναι
κελευσθέντα, ἐνδιατρίβοντα τῇ πόλει ὁρῶν; Ἀλλ' οὐχ ὁ
Θεὸς τοῦτο ἐποίησεν · «Θεὸς» γὰρ ἦν, «καὶ οὐκ ἄνθρωπος[1]».
110 Ἐπειδὴ δὲ ἐτελεύτησεν, τῇ ζωῇ τούτου καὶ τὴν πρὸς ἐκείνους ὀργὴν συγκατέλυσεν καὶ τῆς προφητείας τὰς θύρας
ἀνέῳξεν καὶ πάλιν πρὸς αὐτοὺς ἐπανῆλθεν. Σὺ δὲ καὶ τοῦ
135 τρόπου τῆς καταλλαγῆς γνῶθι τοῦ Θεοῦ τὴν φιλανθρωπίαν. Εἰ γάρ τις ἐξετάζοιτο τὸν τοῦ δικαίου λόγον, οὐδὲ
115 τότε καταλλαγῆναι ἐχρῆν. Τίνος ἕνεκεν; Ὅτι οὐκ αὐτῶν
κατόρθωμα γέγονε τὸ τὸν Ὀζίαν ἐκβαλεῖν. Οὐ γὰρ αὐτοὶ
λαβόντες αὐτὸν ἀπήλασαν, ἀλλ' ἡ τελευτὴ νόμῳ φύσεως
ἐπελθοῦσα τῆς πόλεως αὐτὸν ἐξέβαλε τότε. Ἀλλ' οὐκ ἀκριβολογεῖται μέχρι τούτων πρὸς ἡμᾶς ὁ Θεός, ἀλλ' ἓν μόνον
120 ζητεῖ, σχῆμα τῆς πρὸς ἡμᾶς καταλλαγῆς. Ὑπὲρ δὴ τούτων
ἁπάντων εὐχαριστήσωμεν αὐτῷ, δοξάσωμεν τὴν ἄφατον
αὐτοῦ φιλανθρωπίαν · ἧς γένοιτο καὶ ἡμᾶς ἀξίους φανῆναι,
χάριτι καὶ φιλανθρωπίᾳ Κυρίου ἡμῶν Ἰησοῦ Χριστοῦ,
μεθ' οὗ τῷ Πατρὶ δόξα, ἅμα τῷ ἁγίῳ Πνεύματι, εἰς τοὺς
125 αἰῶνας τῶν αἰώνων. Ἀμήν.

108 ὁρῶν : ἰδὼν tS ‖ 110-111 ante τῇ transp. συγκατέλυσεν tSr ‖
112 καὶ[2] tS : om. cett. ‖ 113 γνῶθι arm. : σκόπει cod. ‖ 117 αὐτὸν
om. UjQ ‖ 118 ἐπελθοῦσα τῆς πόλεως om. S ‖ 120 δὴ Sr : δὲ cett. ‖
122 καὶ j arm. : πάντας cett. ‖ ἀξίους φανῆναι : ἐπιτυχεῖν jrV ‖ 123
φιλανθρωπία j arm. : οἰκτιρμοῖς cett. ‖ Κυρίου arm. : τοῦ μονογενοῦς
αὐτοῦ υἱοῦ Κυρίου cod. ‖ 124 δόξα arm.] + κράτος τιμὴ cod. ‖ 124
ἅμα — Πνεύματι om. r ‖ πνεύματι arm.] + νῦν καὶ ἀεὶ καὶ cod.

pas expulsé de la ville. Moi je l'ai lié par la lèpre et vous l'ai livré comme un simple particulier, et vous, même ainsi, vous n'en êtes pas devenus maîtres, mais celui que j'ai condamné, vous n'avez pas eu le courage de l'expulser de la ville. Quel roi cependant aurait supporté cela patiemment et n'aurait pas détruit la ville de fond en comble, en voyant celui qui avait reçu un ordre de bannissement au-delà des frontières s'attarder dans la ville ? Cependant Dieu n'a point agi de la sorte, car il était « Dieu et non homme[1] ». Mais quand Ozias mourut, avec la vie de ce dernier Dieu fit cesser sa colère contre ce peuple, il ouvrit les portes de la prophétie et revint de nouveau vers eux. Mais toi, discerne encore dans le mode de réconciliation l'amour de Dieu pour les hommes. Car à scruter la teneur du droit, il n'y avait pas lieu dès alors de se réconcilier. Pourquoi ? Parce que l'éviction d'Ozias n'avait pas été un acte de vertu de leur part. Ils ne l'avaient pas arrêté pour le chasser, mais c'était la mort survenue selon les lois de la nature qui l'avait expulsé de la ville. Dieu néanmoins n'est pas envers nous vétilleux à ce point, mais il ne recherche qu'une seule chose, un prétexte de se réconcilier avec nous. Pour toutes ces raisons, rendons-lui grâce, célébrons son ineffable amour des hommes, duquel puissions-nous nous montrer dignes nous aussi par la grâce et la bonté pour les hommes de notre Seigneur Jésus-Christ à qui, avec le Père et le Saint-Esprit, la gloire pour les siècles des siècles. Amen.

---

1. Cf. Osée 11, 9

ς′

Εἰς τὸ ῥητόν· «Καὶ ἐγένετο τοῦ ἐνιαυτοῦ, οὗ ἀπέθανεν Ὀζίας ὁ βασιλεύς[a]», καὶ περὶ μετανοίας.

1. Μόλις ποτὲ τὸ κατὰ τὸν Ὀζίαν διεπλεύσαμεν πέλαγος, μόλις δὲ διεπλεύσαμεν, οὐ διὰ τὸ τῆς ὁδοῦ μῆκος, ἀλλὰ διὰ τὸ φιλομαθὲς ὑμῶν τῶν συμπλεόντων ἡμῖν. Οὕτω καὶ κυβερνήτης ἐπιβάτας ἔχων φιλοτίμους καὶ
5 πόλεις ἐρατεινὰς ἐπιθυμοῦντας ἰδεῖν, οὐκ ἐν ἡμέρᾳ μιᾷ διανύει τὴν ὁδόν, κἂν μιᾶς ἡμέρας τὸ διάστημα εἴη, ἀλλὰ πλείω διατρίβειν ἀναγκάζεται χρόνον, καθ' ἕκαστον λιμένα τὸ σκάφος ὁρμίζων, καθ' ἑκάστην πόλιν ἐπιβαίνειν ἐπιτρέπων, ὥστε χαρίσασθαί τι τῇ τῶν συμπλεόντων
10 ἐπιθυμίᾳ. Τοῦτο καὶ ἡμεῖς ἐποιήσαμεν, οὐ νήσους περιπλέοντες, οὐδὲ ἐπίνεια καὶ λιμένας καὶ πόλεις ἐπιδεικνύντες, ἀλλ' ἀνδρῶν κατωρθωκότων ἀρετὴν καὶ πεπτωκότων ῥαθυμίαν, βασιλέων ἀναισχυντίαν καὶ παρρησίαν ἱερέων, ὀργὴν Θεοῦ καὶ φιλανθρωπίαν,
15 ἀμφότερα πρὸς διόρθωσιν γεγενημένα. Ἀλλ' ἐπειδὴ λοιπὸν εἰς τὴν βασιλικὴν ἀπηντήσαμεν πόλιν, μηκέτι μέλλωμεν, ἀλλὰ καταστείλαντες ἑαυτούς, ὡς εἰς πόλιν εἰσιέναι

Testes tSUjPV(W)QL arm.

Titulus 1-2 Εἰς — μετανοίας arm.: εἰς τὸν Ὀζίαν καὶ τὰ Σεραφίμ PQ εἰς τὰ Σεραφίμ cett.] + καὶ ὅσον ἐστὶν ἀξίωμα πλησίον ἑστάναι τοῦ θρόνου τοῦ βασιλικοῦ, καὶ ὅτι ἀνθρώποις τὸ ἀξίωμα τοῦτο κεκτῆσθαι δυνατόν, καὶ περὶ μετανοίας V

1, 1-2 διεπλεύσαμεν — διεπλεύσαμεν: διαπλεύσαντες πέλαγος ἐπεραιώσαμεν L ‖ 3-4 τῶν — ἡμῖν om. L ‖ 5 ἐρατεινὰς arm.: ξένας cod. ‖ 7 πλείω: πλείονα j πλεῖον P ‖ χρόνον om. Q ‖ 10

HOMÉLIE VI

Sur la parole : « Il arriva en l'année, où mourut le roi Ozias[a] », et sur la pénitence.

1. Non sans peine nous avons enfin traversé l'océan qu'est l'histoire d'Ozias, non sans peine nous avons fait la traversée, et cela est dû non à la longueur du trajet, mais à votre curiosité à vous nos passagers. C'est ainsi qu'un pilote, ayant à son bord des voyageurs de marque, désireux de voir des villes charmantes, n'accomplit pas le trajet en un seul jour, n'y aurait-il qu'un jour de distance, mais se voit contraint d'y consacrer plus de temps, de faire mouiller son embarcation dans chaque port, de permettre de débarquer dans chaque ville, de manière à satisfaire aux désirs de ses passagers. Cela nous l'avons fait aussi sans montrer, au cours de la navigation, des îles, ni des arsenaux maritimes, ni des ports, ni des villes, mais le mérite des hommes vertueux, le relâchement de pécheurs endurcis, l'impudence de rois, le franc-parler de prêtres, la colère de Dieu et sa bonté pour les hommes, toutes deux pour l'amendement du coupable. Cependant, puisque désormais nous voici en vue de la cité royale, ne tardons plus, mais faisons nos préparatifs et comme si nous devions péné-

ἐποιήσαμεν : πεποιήκαμεν Q ‖ 11 περιπλέοντες jL *arm.* : πλεόντες *cett.* ‖ ἐπιδεικνύντες *om.* Q ‖ 12 *post* ἀρετὴν *def.* V *ex* W *supplevi* ‖ 13 πεπτωκότων *arm.* : διημαρτηκότων *cod.* ‖ 13-14 βασιλέων ... ἱερέων *arm.* : βασιλέως ...ἱερέως *cod.* ‖ 14 ὀργὴν — φιλανθρωπίαν *om.* L ‖ 16-17 μηκέτι — πόλιν *om.* Q ‖ 16-18 μηκέτι — μητρόπολιν *om. arm.*

Tit. a. Is. 6, 1

μέλλοντες, οὕτως ἀναβῶμεν εἰς τὴν ἄνω μητρόπολιν, τὴν
Ἱερουσαλήμ, τὴν μητέρα ἡμῶν, τὴν ἐλευθέραν[a], ἔνθα τὰ
20 Σεραφίμ, ἔνθα τὰ Χερουβίμ, ἔνθα χιλιάδες ἀρχαγγέλων,
ἔνθα μυριάδες ἀγγέλων, ἔνθα ὁ θρόνος ὁ βασιλικός.
Μηδεὶς οὖν παρέστω βέβηλος, μηδὲ ἐναγής — μυστικῶν
γὰρ μέλλομεν κατατολμᾶν διηγημάτων —, μηδεὶς
ἀκάθαρτος καὶ τῆς ἀκροάσεως ταύτης ἀνάξιος · μᾶλλον δὲ
25 καὶ βέβηλος καὶ ἐναγὴς παρέστω πᾶς, ἀλλὰ τὴν ἀκαθαρσίαν καὶ τὴν πονηρίαν ἀποθέμενος ἔξω πᾶσαν, οὕτως
εἰσίτω. Καὶ γὰρ ἐκεῖνον τὸν τὰ ῥυπαρὰ ἱμάτια ἔχοντα διὰ
τοῦτο ἐξήλασε τοῦ νυμφῶνος καὶ τῆς ἱερᾶς παστάδος ὁ
τοῦ νυμφίου πατήρ, οὐκ ἐπειδὴ εἶχεν ἱμάτια ῥυπαρά, ἀλλ'
30 ἐπειδὴ ἔχων αὐτὰ οὕτως εἰσῄει. Οὐδὲ γὰρ εἶπε πρὸς
αὐτόν · Διὰ τί οὐκ ἔχεις ἔνδυμα γάμου; ἀλλὰ · Διὰ τί
οὐκ ἔχων ἔνδυμα γάμου οὕτως εἰσῆλθες[b]; Ἐπὶ τῶν
τριόδων, φησίν, εἱστήκεις ἐπαιτῶν καὶ οὐκ ἐπῃσχύνθην
σου τὴν πενίαν, οὐκ ἐβδελυξάμην σου τὴν ῥυπαρίαν, ἀλλὰ
35 πάσης ἐκείνης ἀπαλλάξας σε τῆς εὐτελείας, εἰσήγαγον εἰς
τὸν νυμφῶνα τὸν ἱερὸν καὶ δείπνων ἠξίωσα βασιλικῶν καὶ
πρὸς τὴν ἀνωτάτω τιμὴν ἤγαγον τὸν ἐσχάτης ὄντα
κολάσεως ἄξιον · σὺ δὲ οὐδὲ ταῖς εὐεργεσίαις ἐγένου
βελτίων, ἀλλ' ἐπὶ τῆς συνήθους ἔμεινας κακίας, ὑβρίσας
40 μὲν εἰς τοὺς γάμους, ὑβρίσας δὲ εἰς τὸν νυμφῶνα. Ἄπιθι
τοίνυν λοιπὸν καὶ δίδου τὴν ὀφειλομένην τῆς τοιαύτης
ἀναισθησίας τιμωρίαν. Σκοπείτω τοίνυν καὶ ἡμῶν
ἕκαστος, μή πως ταύτην ἀκούσῃ τὴν φωνὴν καί, πάντα
λογισμὸν ἀποβαλὼν τῆς πνευματικῆς διδασκαλίας ἀνάξιον,

---

19 τὴν ἐλευθέραν ... τὴν μητέρα ∼ PQ ‖ ἡμῶν : πάντων ἡμῶν
Montf. e cod.? ‖ 20 ἔνθα² — ἀρχαγγέλων *om.* Q ‖ 20-21 ἔνθα² —
ἀγγέλων jP : *om. cett.* ‖ 22 οὖν : τοίνυν S ‖ 24 καὶ — ἀνάξιος *om.* L ‖
ἀκροάσεως *cod.* : διηγήσεως *arm.* ‖ 25 ἐναγὴς καὶ βέβηλος ∼ QL ‖ 25-
26 πονηρίαν καὶ τὴν ἀκαθαρσίαν ∼ L ‖ 26 πᾶσαν *om.* Q ‖ 27 ἔχοντα
ἱμάτια ∼ L ‖ 30 οὐδὲ : οὐ Q ‖ 33 ἐπαιτῶν : προσ- UPQL ‖ καὶ *om.*
tjWQ ‖ 34 ῥυπαρίαν *arm.*: ἀτιμίαν *cod.* ‖ 35 ἀπαλλάξας SU :
ἀπήλλαξα *ceit.* ‖ σε *om.* jPWQ ‖ εἰσήγαγον] + σε SL ‖ 37 ἀνωτάτω j :
ἀνώτατα L ἄνω *cett.* ‖ ἤγαγον : ἔφερον S ‖ 40 νυμφῶνα L *arm.* :

trer dans une ville, montons vers la métropole d'en haut, Jérusalem, notre mère, la cité libre [a], où sont les Séraphins et les
Chérubins, où sont des milliers d'archanges, où sont des
myriades d'anges, où est le trône royal. Que ne soit donc ici
présent aucun profane, aucun maudit, car nous allons aborder
hardiment des récits propres aux mystères [1], aucun impur,
indigne de cette audition, ou plutôt que soient présents tout
profane et tout maudit, mais qu'ils déposent au dehors toute
leur impureté et toute leur méchanceté, et ainsi qu'ils entrent.
La raison pour laquelle en effet celui qui portait des habits sordides a été chassé de la chambre nuptiale et des parvis sacrés
par le père de l'époux, ce ne fut pas qu'il portait des habits sordides, mais qu'il était entré ainsi accoutré. On ne lui a pas dit
en effet : Pourquoi ne portes-tu pas le vêtement de noces ?
Mais bien : Pourquoi es-tu entré sans porter le vêtement de
noces [b] ? Aux carrefours, lui dit-il, tu te tenais debout à men-
dier et je n'ai pas eu honte de ta pauvreté, je n'ai pas été dégoû-
té par ta crasse, mais je t'ai débarrassé de toute cette trivialité
pour t'introduire dans l'appartement sacré de l'époux, je t'ai
jugé digne des festins royaux et je t'ai admis à la dignité d'en
haut, toi qui étais digne du dernier châtiment, mais toi, même
par mes bienfaits, tu n'es pas devenu meilleur, mais tu en es
resté à ta méchanceté habituelle, tu as fait insulte aux noces,
insulte à la chambre nuptiale. Va-t-en donc et subis la punition
que mérite un tel endurcissement. Que chacun de nous donc
réfléchisse pour que personne n'entende cette voix : qu'il ban-
nisse tout raisonnement indigne de l'enseignement spirituel et

νυμφίον *cett.* ‖ 43 πως tSW : τις *cett.* ‖ ταύτην ... τὴν φωνήν : τὴν
τοιαύτην ... φώνην L ‖ 44 ἀποβαλὼν : ἀποθέμενος jL̄

1   a.   Cf. Gal. 4, 26 ; Hébr. 12, 22
     b.   Matth. 22, 12

1. Réminiscence du *Banquet* de PLATON 218 B. Cf. aussi L. MOULINIER,
Le pur et l'impur dans la pensée des Grecs, Paris 1952.

45 οὕτω τῆς ἱερᾶς μετασχέτω τραπέζης. «Καὶ ἐγένετο, φησί,
τοῦ ἐνιαυτοῦ, οὗ ἀπέθανεν Ὀζίας ὁ βασιλεύς, εἶδον τὸν
Κύριον καθήμενον ἐπὶ θρόνου ὑψηλοῦ καὶ ἐπηρμένουᶜ.»
Πῶς εἶδεν, οὐκ οἶδα · ὅτι μὲν γὰρ εἶδεν, εἶπεν, τὸ δὲ πῶς
ἐσιώπησεν · δέχομαι τὰ εἰρημένα, οὐ πολυπραγμονῶ τὰ
50 σεσιγημένα · κατανοῶ τὰ ἀποκαλυφθέντα, οὐ περιεργά-
ζομαι τὰ συγκεκαλυμμένα · διὰ τοῦτο γὰρ συγκεκάλυπται.
Πέπλος χρυσοῦς ἐστι τῶν Γραφῶν ἡ διήγησις, ὁ στήμων
χρυσός, ἡ κρόκη χρυσός. Οὐ παρυφαίνω τῶν ἀραχνῶν τὰ
ὑφάσματα, τῶν ἐμῶν λογισμῶν τὴν ἀσθένειαν. «Μὴ
55 μέταιρε ὅρια, φησίν, ἃ ἔθεντο οἱ πατέρες σουᵈ.» Ὅρια
κινεῖν οὐκ ἀσφαλές · καὶ πῶς, ἅπερ ἡμῖν ὁ Θεὸς ἔθηκεν,
μεταθήσομεν; Βούλει μαθεῖν πῶς εἶδε τὸν Θεόν; Γενοῦ
καὶ αὐτὸς προφήτης. Καὶ πῶς δυνατὸν τοῦτο, φησίν,
γυναῖκα ἔχοντα καὶ παιδοτροφίας ἐπιμελούμενον; Δυνατὸν
60 μέν, ἐὰν ἐθέλῃς, ἀγαπητέ. Καὶ γὰρ καὶ αὐτὸς γυναῖκα
εἶχεν καὶ παίδων δύο πατὴρ ἦν, ἀλλ' οὐδὲν τούτων
ἐκώλυσεν. Οὐ γάρ ἐστι κώλυμα τῆς πρὸς τὸν οὐρανὸν
ἀποδημίας ὁ γάμος · ἐπεὶ εἰ κώλυμα ἦν καὶ ἐπιβουλεύειν
ἡμῖν ἔμελλεν ἡ γυνή, οὐκ ἂν αὐτὴν ἐξ ἀρχῆς ποιῶν ὁ
65 Θεὸς ἐκάλεσε βοηθόνᵉ.
　　Ἐβουλόμην μὲν οὖν εἰπεῖν τί ποτέ ἐστι τὸ καθῆσθαι τὸν
Θεόν · οὐ γὰρ δὴ κάθηται ὁ Θεός · σωμάτων γὰρ ὁ
σχηματισμός · τὸ δὲ θεῖον ἀσώματον. 2. Ἐβουλόμην μὲν
οὖν εἰπεῖν τί ποτέ ἐστι θρόνος Θεοῦ · οὐ γὰρ δὴ θρόνῳ ὁ
Θεὸς ἐμπεριείληπται · ἀπερίγραπτον γὰρ τὸ θεῖον · ἀλλὰ
δέδοικα μὴ τῇ περὶ τούτων ἐνδιατρίβων διδασκαλίᾳ,

---

45 μετασχέτω Q : μετεχέτω cett. ‖ 48 πῶς PQ arm. : πῶς εἶδεν cett.
‖ 50-51 κατανοῶ − συγκεκαλυμμένα om. j ‖ 52 χρυσοῦς om. L ‖
διήγησις : ἀνάγνωσις S ‖ ὁ στήμων : οἱ στήμονες j ‖ 54 ἀσθένειαν L
arm. : ἀσθένειαν οἶδα cett. ‖ 55 ὅρια arm.] + αἰώνια cod. ‖ 58 τοῦτο
om. tSW ‖ 60 μὲν om. PQ ‖ ἐὰν ἐθέλῃς om. jL ‖ 61 παίδων : παιδίων
PQ ‖ τούτων] + αὐτὸν W ‖ 63 κώλυμα ἦν : κωλύειν L ‖ 64-65 αὐτὴν
... ἐκάλεσε : ἡμῖν ... ταύτην ἐκάλεσε L ‖ 66-68 ἐβουλόμην − ἀσώματον
om. L ‖ 68 τὸ θεῖον δὲ ∼ UPWQ.

participe ainsi à la sainte table. «Or il arriva, est-il dit, dans
l'année où mourut le roi Ozias, que je vis le Seigneur siégeant
sur un trône élevé et sublime[c].» Comment l'a-t-il vu? Je ne
sais. Qu'il l'ait vu en effet, il l'a dit, mais sur le mode de vision,
il a gardé le silence. J'admets ce qui est dit, sans me mêler de
ce qui est tu; je médite sur ce qui a été dévoilé, sans me tour-
menter pour ce qui reste voilé, car c'est pour cette raison qu'il
reste voilé[1]. C'est une tunique brodée d'or que le récit des Écritures, la chaîne est d'or, la trame est d'or; je ne brode pas là-
dessus les toiles d'araignée, la faiblesse de mes raisonnements.
«Ne déplace pas les bornes, est-il dit, que posèrent tes pères[d].»
Toucher aux bornes n'est pas prudent. Et comment déplacer
celles-là précisément que Dieu nous a fixées. Veux-tu savoir
comment Isaïe a vu Dieu? Sois prophète à ton tour. Et
comment serait-ce possible, me dit-on, quand on a une femme
et la charge d'élever des enfants? — C'est possible, si tu veux,
mon cher. C'est qu'en effet, lui aussi avait une femme et il était
père de deux enfants, mais rien de tout cela même ne fit obstacle. Ce n'est pas un obstacle sur le chemin du ciel que le
mariage, car si c'en était un et que la femme dût conspirer
contre nous, Dieu en la créant à l'origine ne l'eût pas appelée
une aide[e].

Je voudrais donc vous dire ce qu'est pour Dieu siéger, car
Dieu ne siège pas. Les corps en effet prennent cette position,
mais la divinité est incorporelle. **2.** Je voudrais dire en quoi
consiste dans ces conditions le trône de Dieu, car Dieu n'est
certes pas emprisonné dans un trône, la divinité ne se laisse
pas circonscrire, mais je crains qu'en consacrant mon temps à

2, 1-2 μὲν οὖν t : μὲν Q *om. cett.* ‖ 2 θρόνῳ : ἐν θρόνῳ L

c. Is. 6, 1
d. Prov. 22, 28
e. Cf. Gen. 2, 18

1. Dicton populaire déjà cité par PLUTARQUE, *De garrulitate* 3, *Moralia*
516 E.

5 παρελκύσω τὸ ὄφλημα. Καὶ γὰρ πάντας ὁρῶ πρὸς τὰ
Σεραφὶμ κεχηνότας, οὐχὶ τήμερον μόνον, ἀλλὰ καὶ ἐκ
πρώτης ἡμέρας· διόπερ, καθάπερ πλῆθος ἀνθρώπων,
πολλῇ τῇ ῥύμῃ διακόπτων ὁ λόγος τῶν ἀπαντώντων
νοημάτων τὸ πλῆθος, πρὸς ἐκείνην ἐπείγεται τὴν ἐξήγησιν.
10 «Καὶ τὰ Σεραφὶμ εἱστήκεισαν κύκλῳ αὐτοῦ[a]», φησίν.
Ἰδοὺ τὰ Σεραφίμ, ἃ πάλαι ἐπεθυμεῖτε πάντες ἰδεῖν.
Θεάσασθε τοίνυν καὶ τὴν ἐπιθυμίαν ἐμπλήσατε, ἀλλὰ μὴ
μετὰ θορύβου, μηδὲ σπεύδοντι λογισμῷ, ὅπερ ἐπὶ τῶν
βασιλικῶν ἐξόδων καὶ εἰσόδων γίνεται· ἐκεῖ μὲν γὰρ
15 εἰκότως τοῦτο αὐτὸ συμβαίνει. Οὐ γὰρ ἀναμένουσιν οἱ
δορυφόροι τῶν ὁρώντων τὰς ὄψεις, ἀλλὰ πρὶν ἢ πάντα
ὀφθῆναι καλῶς, ἀναγκάζουσι παρατρέχειν· ἐνταῦθα δὲ οὐχ
οὕτως· ἀλλ᾽ ἵστησιν ὑμῖν ὁ λόγος τὴν θεωρίαν, ἕως οὗ
πάντα ἐπέλθητε, ὅσα δυνατὸν ἐπελθεῖν. «Καὶ τὰ Σεραφὶμ
20 εἱστήκεισαν κύκλῳ αὐτοῦ[a].» Πρὸ τοῦ τῆς φύσεως
ἀξιώματος ἐδίδαξεν ἡμᾶς τὸ ἀπὸ τῆς ἐγγύτητος τῆς κατὰ
τὸν τόπον ἀξίωμα. Οὐ γὰρ εἶπε πρῶτον τίνα [ἦν] τὰ
Σεραφίμ, ἀλλ᾽ εἶπεν ἔνθα ἑστήκασιν. Τοῦτο γὰρ ἐκείνου τὸ
ἀξίωμα μεῖζον. Πῶς; Ὅτι οὐχ οὕτω δείκνυσι τὰς δυνάμεις
25 ἐκείνας μεγάλας οὔσας, τὸ Σεραφὶμ εἶναι, ὡς τὸ ἐγγὺς
ἑστάναι τοῦ θρόνου τοῦ βασιλικοῦ. Καὶ γὰρ καὶ ἡμεῖς τῶν
δορυφόρων ἐκείνους ἐπισημοτέρους εἶναι νομίζομεν, οὓς
ἂν ἴδωμεν ἐγγὺς τοῦ ζεύγους ἐλαύνοντας τοῦ βασιλικοῦ.
Οὕτω καὶ τῶν δυνάμεων τῶν ἀσωμάτων ἐκεῖναί εἰσιν
30 λαμπρότεραι, ὅσαιπερ ἂν ὦσιν ἐγγὺς τοῦ θρόνου. Διὰ
τοῦτο καὶ ὁ προφήτης ἀφεὶς διαλεχθῆναι περὶ τοῦ τῆς

137

7 διόπερ UjW: διὸ καὶ t διὸ cett. ‖ πλῆθος om. L ‖
8 ἀπαντώντων: ἀπάντων S arm. ‖ 12 ἐπιθυμίαν] + ὑμῶν L ‖
13 σπεύδοντι: σπεύδοντες L ‖ σπεύδ-] + τῷ UjL ‖ 14 ἐξόδων καὶ
εἰσόδων arm.: εἰδόδων cod. ‖ 16 πάντα] + αὐτοῖς U ‖
17 ἀναγκάζουσι: ἀναγκάζονται L ‖ 18 ὑμῖν jQL: ἡμῖν cett. ‖ 22 ἦν
om. arm. seclusi ‖ 23 εἶπεν U arm.: om. cett. ‖ ἑστήκασιν
εἱστήκεισαν L ‖ 25 τὸ[1] UjQ arm.: τὰ L τῶν cett. ‖ 26 τοῦ θρόνου
τοῦ βασ-: τοῦ βασ- θρόνου UPQ ‖ 28 τοῦ ζεύγους om. Q ‖
βασιλικοῦ] + ὀχήματος UQL ‖ 30 ἐγγὺς: ἔγγιστα UPQ ‖ τοῦ θρόνου
ἔγ- ~ UPQ

cet enseignement, je ne retarde le paiement de ma dette. Et je vous vois tous bayer aux Séraphins, non seulement aujourd'hui, mais dès le premier jour. Voilà pourquoi, comme on le fait à travers la foule des hommes, mon discours, se frayant avec beaucoup d'impétuosité un chemin à travers la foule des pensées qui me viennent, se hâte vers cette explication. «Les Séraphins, est-il dit, se tenaient debout en cercle autour de lui[a].» Voici les Séraphins que vous désirez tous voir depuis longtemps. Contemplez-les donc et comblez vos désirs, mais non dans le tumulte et la précipitation, comme cela se passe quand l'empereur arrive ou s'en va ; c'est en effet ce qui arrive normalement alors, car les gardes du corps n'attendent pas que les spectateurs aient vu, mais avant que tout soit bien vu, ils les forcent à passer rapidement leur chemin, mais il n'en va pas de même toutefois ici : notre discours prolonge pour vous le spectacle, jusqu'au moment où vous aurez examiné tout ce qu'il est possible d'examiner. «Or les Séraphins se tenaient debout en cercle autour de lui.» Avant de nous parler de la dignité de leur nature, le prophète nous a instruits de la dignité que leur vaut la proximité de leur position. Car il n'a pas dit d'abord ce qu'étaient les Séraphins, mais où ils se tenaient debout. C'est là un plus grand honneur. Comment cela ? Ce qui montre la grandeur de ces puissances, ce n'est pas tant d'être des Séraphins, que de se tenir à proximité du trône royal. C'est qu'en effet, nous attribuons aussi aux gardes du corps que nous voyons caracoler près du char royal un grade plus élevé[1]. Ainsi parmi les puissances incorporelles, celles-là ont plus d'éclat, qui sont tout près du trône. Voilà pourquoi aussi le prophète néglige de parler de la dignité de leur nature

---

2   a. Is. 6, 2

---

1. Le texte grec est altéré. On lit en arménien: «...que nous voyons entourer les mules blanches comme neige qui tirent le char royal.»

φύσεως αὐτῶν ἀξιώματος, πρότερον ἡμῖν διαλέγεται περὶ
τῆς τοῦ τόπου προεδρίας, εἰδὼς ὅτι οὗτος μείζων ὁ
κόσμος ἐστὶ καὶ τοῦτο τῶν φύσεων ἐκείνων τὸ κάλλος ·
35 καὶ γὰρ τοῦτο ἡ δόξα καὶ ἡ τιμὴ καὶ ἡ πᾶσα ἀσφάλεια, τὸ
κύκλῳ τοῦ θρόνου ἐκείνου φαίνεσθαι. Τοῦτο καὶ ἐπὶ τῶν
ἀγγέλων ἔστιν ἰδεῖν · καὶ γὰρ ἐκείνους βουλόμενος δεῖξαι
μεγάλους ὁ Χριστὸς οὐκ εἶπεν ὅτι ἄγγελοί εἰσιν, καὶ
ἐσίγησεν · ἀλλ' «ὅτι οἱ ἄγγελοι αὐτῶν διὰ παντὸς βλέ-
40 πουσι τὸ πρόσωπον τοῦ Πατρός μου τοῦ ἐν τοῖς οὐρανοῖς [b]». Ὥσπερ γὰρ ἐκεῖ μεῖζόν ἐστι τῆς ἀγγελικῆς ἀξίας
τὸ βλέπειν τὸ πρόσωπον τοῦ Πατρός, οὕτω τῆς τῶν
Σεραφὶμ ἀξίας μεῖζον τὸ ἑστάναι κύκλῳ τοῦ θρόνου καὶ
μέσον ἔχειν αὐτόν. Ἀλλὰ τοῦτο τὸ μέγα καὶ σοι δυνατὸν
45 ἐστιν, ἂν ἐθέλῃς, λαβεῖν. Οὐ γὰρ δὴ τῶν Σεραφὶμ μόνον
μέσος ἐστίν, ἀλλὰ καὶ ἡμῶν αὐτῶν, ἂν ἐθέλωμεν. «Οὗ γάρ
εἰσι δύο ἢ τρεῖς, φησί, συνηγμένοι εἰς τὸ ἐμὸν ὄνομα, ἐκεῖ
εἰμι ἐν μέσῳ αὐτῶν [c]» · καὶ «Κύριος ἐγγὺς τοῖς συντε-
τριμμένοις τῇ καρδίᾳ καὶ τοὺς ταπεινοὺς τῷ πνεύματι
50 σῴζει [d]». Διὰ τοῦτο καὶ ὁ Παῦλος βοᾷ · «Τὰ ἄνω
φρονεῖτε, οὗ ὁ Χριστός ἐστιν ἐν δεξιᾷ τοῦ Θεοῦ
καθήμενος [e].» Εἶδες πῶς ἡμᾶς ἔστησε μετὰ τῶν Σεραφίμ,
ἐγγὺς ἀγαγὼν τοῦ θρόνου τοῦ βασιλικοῦ; Εἶτά φησιν ·
«Ἓξ πτέρυγες τῷ ἑνὶ καὶ ἓξ πτέρυγες τῷ ἑνί [f].» Τί ἡμῖν αἱ ἓξ
55 πτέρυγες ἐνδείκνυνται αὗται; Τὸ ὑψηλὸν καὶ μετάρσιον
καὶ κοῦφον καὶ ταχὺ τῶν φύσεων ἐκείνων. Διὰ τοῦτο καὶ
ὁ Γαβριὴλ ὑπόπτερος κάτεισιν, οὐχ ὅτι πτερὰ περὶ τὴν
ἀσώματον ἐκείνην δύναμιν, ἀλλ' ὅτι ἐκ τῶν ὑψηλοτάτων
κατῆλθε χωρίων καὶ τὰς ἄνω διατριβὰς ἀφεὶς ἀφῖκται. Τί
60 δαὶ καὶ ὁ ἀριθμὸς βούλεται τῶν πτερύγων; Ἐνταῦθα οὗ

32 αὐτῶν om. P ‖ 33 τόπου] + αὐτῶν tSWL ‖ 34 τοῦτο − κάλλος
om. SQ ‖ 35 καὶ γὰρ U : om. cett. ‖ 40 τοῖς SQL : om. cett. ‖ 47 εἰς
− ὄνομα : εἰς τὸ ὄνομά μου tS   ἐν τῷ ὀνόματί μου j ‖ 49 τῇ καρδίᾳ :
τὴν καρδίαν Q ‖ 50 σῴζει : σώσει UjW ‖ 51 θεοῦ : πατρός L ‖
56 ταχὺ QL : τὸ ταχὺ cett. ‖ ἐκείνων τῶν φύσεων ∼ UPQL ‖
57 κάτεισιν cod. : ἐφαίνετο arm. ‖ 58 ἐκ : ἀπὸ L ‖ 60 δαὶ SW : δὲ cett.

pour nous entretenir d'abord de la place d'honneur qu'elles occupent, sachant qu'en cela consiste leur principal ornement, qu'en cela réside la beauté de ces natures, en cela leur gloire, leur honneur, leur assurance, dans le fait de paraître autour du trône. On peut le voir aussi pour les anges. C'est qu'en effet, quand il veut montrer qu'ils sont grands, le Christ n'a pas dit qu'ils étaient des anges ; il s'est tu sur ce point, mais il a dit : «Leurs anges voient continuellement la face de mon Père qui est dans les cieux[b].» De même que là-bas c'est un honneur supérieur à la dignité angélique que de voir la face du Père, ainsi est-ce un honneur supérieur à la dignité des Séraphins que de se tenir debout en cercle autour du trône et de l'avoir au milieu d'eux. Mais ce grand privilège, il t'est possible à toi aussi de l'obtenir si tu le veux. Car Dieu n'est pas seulement au milieu des Séraphins, il est aussi au milieu de nous, si nous le voulons. «Là où deux ou trois, est-il dit, sont réunis en mon nom, je suis au milieu d'eux[c]», et «Le Seigneur est près des cœurs contrits et il sauve les humbles en esprit[d].» Voilà pourquoi Paul s'écrie : «Songez aux réalités d'en haut, où est le Christ siégeant à la droite de Dieu[e].» Tu as vu comment il nous a placés avec les Séraphins, en nous amenant auprès du trône royal. Le prophète dit ensuite : «Six ailes étaient à l'un et six ailes à l'autre[f].» Que nous représentent ces six ailes ? L'élévation, la sublimité, la légèreté et la rapidité de ces natures. Voilà pourquoi aussi Gabriel descend à tire d'ailes, non que d'ailes soit dotée cette puissance incorporelle, mais parce qu'elle descend des régions les plus élevées et qu'elle a quitté les occupations de là haut pour venir ici-bas. Mais que veut bien dire le nombre des ailes. Ici il n'est pas besoin d'interpré-

b. Matth. 18, 10
c. Matth. 18, 20
d. Ps. 33, 19
e. Colos. 3, 1
f. Is. 6, 2

δεῖ τῆς παρ' ἡμῶν ἑρμηνείας · αὐτὸς γὰρ ἑαυτὸν ὁ λόγος
ἐπέλυσεν, τὴν χρείαν ἡμῖν αὐτῶν ἐξηγησάμενος. «Ταῖς γὰρ
δυσί, φησίν, ἐκάλυπτον τὰ πρόσωπα᾽» αὐτῶν, ὥσπερ τινὶ
διπλῷ διαφράγματι τὰς ὄψεις τειχίζουσαι, διὰ τὸ μὴ φέρειν
65 τὴν ἐκ τῆς δόξης ἐκείνης ἐκπηδῶσαν λαμπηδόνα. «Καὶ ταῖς
δυσὶ τοὺς πόδας ἐκάλυπτον᾽», διὰ τὴν αὐτὴν ἔκπληξιν.
Εἰώθαμεν γὰρ καὶ ἡμεῖς, ὅταν ὑπό τινος θάμβους
κατασχεθῶμεν, πάντοθεν περιστέλλεσθαι τὸ σῶμα. Καὶ τί
λέγω τὸ σῶμα, ὅπου γε καὶ αὐτὴ ἡ ψυχὴ τοῦτο παθοῦσα
70 ἀπὸ τῆς ἄκρας ἐπιφανείας καὶ τὰς ἐνεργείας αὐτῆς
συνέλκουσα, πρὸς τὸ βάθος καταφεύγει, καθάπερ τινὶ
περιβολαίῳ τῷ σώματι ἑαυτὴν πάντοθεν περιστέλλουσα;
Ἀλλὰ μή τις ἔκπληξιν καὶ θάμβος ἀκούων, ἀηδῆ τινα
ἀγωνίαν αὐταῖς ἐγγίνεσθαι νομιζέτω · καὶ γὰρ μετὰ τῆς
75 ἐκπλήξεως ταύτης καὶ ἡδονή τις ἀφόρητος κεκραμένη
ἐστίν. «Ταῖς δὲ δυσὶν ἐπέταντο᾽.» Καὶ τοῦτο σημεῖον τοῦ
τῶν ὑψηλῶν ἐφίεσθαι συνεχῶς καὶ μηδέποτε κάτω βλέπειν.
«Καὶ ἐκέκραγον ἕτερος πρὸς τὸν ἕτερον · Ἅγιος, ἅγιος,
ἅγιος᾽.» Καὶ ἡ κραυγὴ πάλιν τοῦ θαύματος ἡμῖν δεῖγμα
80 μέγιστον · οὐ γὰρ ἁπλῶς ὑμνοῦσιν, ἀλλὰ μετὰ κραυγῆς
ἰσχυρᾶς · καὶ οὐδὲ μετὰ κραυγῆς ἁπλῶς, ἀλλὰ καὶ
διηνεκῶς τοῦτο ποιοῦσιν. Τὰ μὲν γὰρ λαμπρὰ τῶν
σωμάτων, κἂν μεθ' ὑπερβολῆς ᾖ λαμπρά, τότε ἡμᾶς
μόνον ἐκπλήττειν εἴωθεν, ὅταν πρῶτον αὐτῶν ταῖς ὄψεσιν
85 ἀντιλαμβανώμεθα · ἐπειδὰν δὲ πλέον αὐτῶν ἐνδιατρίψωμεν
τῇ θεωρίᾳ, τῇ συνηθείᾳ τὸ θαῦμα καταλύομεν, τῶν
ὀφθαλμῶν ἡμῖν ἐμμελετησάντων λοιπὸν τοῖς σώμασιν. Διὰ
τοῦτο καὶ εἰκόνα βασιλικὴν ἄρτι μὲν ἀνατεθεῖσαν καὶ

61 ante αὐτὸς transp. ὁ λόγος Q ‖ 62 ἡμῖν om. W ‖ 63 αὐτῶν :
ἑαυτῶν jP ‖ 65 λαμπηδόνα Q arm.: ἀστραπὴν cett. ‖ 67 καὶ ἡμεῖς om.
jL ‖ 68 περιστέλλεσθαι L : περιστέλλειν cett. ‖ 70 ἀπὸ [ὑπὸ L] —
ἐπιφανείας: ἐν ταῖς ὑπερβαλλούσαις ἐπιφανείαις U ‖ αὐτῆς PQL :
ἑαυτῆς cett. ‖ 76 ἐπέταντο : ἐπέτοντο SUW om. L ‖ 76-77 τοῦ — καὶ
om. L ‖ 78 ἐκέκραγον L arm.: ἐκέκραγεν cett. ‖ 80 οὐ L arm.: οὐδὲ
cett. ‖ ὑμνοῦσιν: ὑμνουν arm. ‖ 80-81 ἀλλὰ — ἰσχυρᾶς om. j ‖

tation de notre part, car le récit lui-même fournit la solution en nous expliquant leur usage : « Avec deux ailes, est-il dit, elles se couvraient la face[f] », fortifiant ainsi leurs yeux comme d'une double paroi, faute de pouvoir soutenir l'éclat qui jaillissait de cette gloire. « Avec deux autres, elles se couvraient les pieds[f] », sous l'impression de la même terreur. Car nous avons nous aussi l'habitude, quand nous sommes sous le coup de quelque épouvante, de nous envelopper le corps de partout, et que dis-je le corps ? Quand l'âme éprouve cette impression, par suite d'une apparition fulgurante, elle réduit ses activités pour se réfugier dans ses profondeurs, comme si elle s'enveloppait de partout avec le corps, comme on le ferait d'un manteau. Mais qu'en entendant parler de terreur et d'épouvante on n'imagine pas qu'il y ait en ces puissances quelque déplaisante impression d'angoisse, car à cette terreur se mêle un insoutenable plaisir. « Et avec les deux autres, elles volaient[f]. » Et c'est le signe qu'elles aspiraient continuellement à s'élever, sans jamais regarder en bas : « Et elles se criaient l'une à l'autre : Saint, saint, saint[g]. » Leurs cris aussi sont pour nous très significatifs de leur admiration, car elles ne chantent pas uniquement, mais c'est avec des cris puissants et elles ne le font pas même avec des cris uniquement, mais encore continuellement. Les corps splendides en effet, fussent-ils splendides au suprême degré, ne nous frappent de stupeur [1] d'ordinaire que la première fois que nous attachons sur eux nos regards, mais quand nous avons passé plus de temps à leur contemplation, l'habitude met fin à notre admiration, car nos yeux désormais se sont accommodés à ces corps. Voilà aussi pourquoi à la vue de l'effigie royale qui vient d'être exposée et scintille de l'éclat

---

81 ἰσχυρᾶς *om.* L ‖ ἁπλῶς, ἀλλὰ *om.* L ‖ 84 μόνον *om.* Q ‖ πρῶτον : πρώτως Q ‖ 85 ἀντιλαμβανώμεθα : ἐπι- L ‖ 87 ἡμῖν tSW : ἡμῶν *cett.* ‖ 88 βασιλικὴν εἰκόνα ~ L

  f. Is. 6, 2
  g. Is. 6, 3

1. Réminiscence du *Charmide* 154 C et du *Phèdre* 254 B.

φαιδρὸν ἀπὸ τῶν χρωμάτων στίλβουσαν ἰδόντες,
90 ἐκπληττόμεθα · μετὰ δὲ μίαν καὶ δευτέραν ἡμέραν οὐκέτι.
Καὶ τί λέγω εἰκόνα βασιλικήν, ὅπου γε καὶ ἐπ' αὐτῶν τῶν
ἀκτίνων τοῦ ἡλίου τοῦτο αὐτὸ πεπόνθαμεν, ὧν οὐδὲν
γένοιτ' ἂν φαιδρότερον σῶμα; Οὕτως ἐπὶ τῶν σωμάτων
ἁπάντων ἡ συνήθεια καταλύει τὸ θαῦμα · ἐπὶ δὲ τῆς τοῦ
95 Θεοῦ δόξης οὐχ οὕτως, ἀλλὰ πᾶν τοὐναντίον. Ὅσον γὰρ
ἐνδιατρίβουσι τῇ θεωρίᾳ τῆς δόξης ἐκείνης αἱ δυνάμεις
αὗται, τοσοῦτον μᾶλλον ἐκπλήττονται καὶ ἐπιτείνουσι τὸ
θαῦμα · διά τοι τοῦτο καὶ ἐξ οὗ γεγόνασι μέχρι τοῦ νῦν
ὁρῶσαι τὴν δόξαν ἐκείνην, μηδέποτε ἐπαύσαντο μετ'
100 ἐκπλήξεως βοῶσαι · ἀλλ' ὅπερ ἡμεῖς πάσχομεν ἐν βραχεῖ
καιρῷ κατὰ τῶν ὄψεων ἡμῶν ἀστραπῆς φερομένης, τοῦτο
ἐκεῖναι διηνεκῶς ὑπομένουσιν καὶ ἀπαύστως μετά τινος
ἡδονῆς τὸ θαῦμα ἔχουσιν. Καὶ γὰρ οὐ μόνον κεκράγασιν,
ἀλλὰ καὶ πρὸς ἀλλήλους τοῦτο ποιοῦσιν, ὃ τῆς ἐπιτε-
105 ταμένης ἐκπλήξεως σημεῖόν ἐστιν. Οὕτω καὶ ἡμεῖς,
βροντῆς καταρρηγνυμένης ἢ τῆς γῆς σειομένης, οὐ μόνον
δεδοίκαμεν καὶ ἀναπηδῶμεν, ἀλλὰ καὶ πρὸς ἀλλήλους
βοῶμεν. Τοῦτο καί τὰ Σεραφὶμ ἐποίουν · καὶ διὰ τοῦτο
ἕτερος πρὸς τὸν ἕτερον ἐκέκραγον · Ἅγιος, ἅγιος, ἅγιος[g].

3. Ἆρα ἐπέγνωτε τὴν φωνὴν ταύτην; ἆρα ἡμετέρα
ἐστὶν ἢ τῶν Σεραφίμ; καὶ ἡμετέρα καὶ τῶν Σεραφὶμ διὰ
τὸν Χριστὸν τὸν ἀνελόντα τὸ μεσότοιχον τοῦ φραγμοῦ
καὶ εἰρηνοποιήσαντα τὰ ἐν οὐρανοῖς καὶ τὰ ἐπὶ γῆς, διὰ
5 τὸν ποιήσαντα τὰ ἀμφότερα ἕν[a].

91 ἐπ' : ἀπ' L ‖ 91-92 τῶν τοῦ ἡλίου ἀκτίνων ∼ S ‖ 92 τοῦ ἡλίου
om. L ‖ 93 φαιδρότερον γέν- ἂν σῶμα ∼ LQ ἂν γέν- σῶμα
φαιδρότερον ∼ S ‖ σῶμα om. PW ‖ 94 ἁπάντων om. L ‖ 95 πᾶν
τοὐναντίον : τοὐναντίον ἅπαν jL ‖ 96-97 ἐνδιατρίβουσι ... ἐκπλήττονται
... ἐπιτείνουσι P arm. : ἐνδιέτριβον ...ἐξεπλήττοντο ... ἐπέτεινον cett. ‖
97 αὗται : ἐκεῖναι L ‖ 98 τοι L : om. cett. ‖ τοῦ Q : om. cett. ‖
107 δεδοίκαμεν ... ἀναπηδῶμεν arm. : ἀναβοῶμεν ... πηδῶμεν
Q ἀναπηδῶμεν ... βοῶμεν cett. ‖ καὶ[2] tUQ arm. : οὐδὲ cett. ‖
108 βοῶμεν arm. : καταφεύγομεν ἐν ταῖς οἰκίαις cod. ‖ ἐποίουν arm. :

des couleurs, nous sommes frappés de stupeur, mais un jour ou deux après ce n'est plus le cas. Et pourquoi parler de l'effigie royale, alors que nous éprouvons la même impression devant le soleil et ses rayons dont aucun corps ne surpasserait l'éclat ? Ainsi pour tous les corps sans exception l'habitude met fin à l'admiration, tandis que pour la gloire de Dieu il n'en va pas ainsi, tout au contraire. Plus ces puissances s'attardent à la contemplation de cette gloire, plus elles sont frappées de stupeur et prolongent leur admiration. Voilà pourquoi elles ont beau voir depuis qu'elles existent jusqu'à présent cette gloire, elles n'ont jamais cessé de crier avec stupeur ; mais ce que nous éprouvons nous autres durant un bref laps de temps quand un éclair frappe nos regards, elles le ressentent continuellement et elles sont sans cesse saisies d'une admiration mêlée d'un certain plaisir. C'est qu'en effet elles ne poussent pas seulement des cris mais encore elles le font entre elles, ce qui dénote une stupeur intense. Ainsi de nous aussi aux éclats du tonnerre ou lors d'un tremblement de terre, non seulement nous avons peur et sursautons, mais encore nous nous crions les uns aux autres [1]. Cela les Séraphins le faisaient aussi, et voilà pourquoi ils criaient l'un à l'autre : «Saint, saint, saint [g]. »

3. N'avez-vous pas reconnu cette voix ? Est-ce la nôtre ou celle des Séraphins ? La nôtre et celle des Séraphins à la fois à cause du Christ qui a détruit le mur mitoyen et pacifié le ciel et la terre, à cause de celui qui les a unifiés tous deux [a 2].

ποιοῦσι *cod.* ‖ 109 ἐκέκραγον SQ *arm.* : κέκραγεν *cett.*

3, 2 ἐστίν — ἡμετέρα *om.* L ‖ καὶ τῶν Σερ- *om.* P ‖ 3 ἀνελόντα : ἀναστέλλοντα S ‖ 4 ἐν] + τοῖς Q ‖ γῆς j : τῆς γῆς *cett.*

g. Is. 6, 3
3 a. Cf. Éphés. 2, 14

1. Nous suivons ici la version arménienne qui cadre mieux avec le contexte.

2. Dans ce passage, Paul parle de l'unité réalisée par le Christ entre les païens et les Juifs.

Πρότερον μὲν γὰρ ἐν τοῖς οὐρανοῖς οὗτος ᾔδετο μόνον
ὁ ὕμνος · ἐπειδὴ δὲ ἐπιβῆναι τῆς γῆς κατηξίωσεν ὁ
Δεσπότης, καὶ τὴν μελῳδίαν ταύτην κατήνεγκε πρὸς ἡμᾶς.
Διὰ τοῦτο καὶ ὁ μέγας οὗτος ἀρχιερεύς, ἐπειδὰν ἐπὶ τῆς
10 ἁγίας ταύτης ἑστήκῃ τραπέζης τὴν λογικὴν ἀναφέρων
λατρείαν[b], τὴν ἀναίμακτον προσφέρων θυσίαν, οὐχ ἁπλῶς
ἡμᾶς ἐπὶ τὴν εὐφημίαν ταύτην καλεῖ, ἀλλὰ πρότερον τὰ
Χερουβὶμ εἰπὼν καὶ τῶν Σεραφὶμ ἀναμνήσας, οὕτω
παρακελεύεται πᾶσιν ἀναπέμψαι τὴν φρικωδεστάτην φωνὴν
15 ἐκείνην, τῇ τῶν συγχορευόντων μνήμῃ τὴν διάνοιαν ἡμῶν
ἀπὸ τῆς γῆς ἀνασπάσαι σπουδάζων πρὸς τοὺς οὐρανοὺς
καὶ μονονουχὶ βοῶν πρὸς ἕκαστον ἡμῶν καὶ λέγων · Μετὰ
τῶν Σεραφὶμ ᾄδεις, μετὰ τῶν Σεραφὶμ στῆθι, μετ᾽ ἐκείνων
τὰς πτέρυγας τοῦ νοῦ ἐκπέτασον, μετ᾽ ἐκείνων περιίπτασο
20 τὸν θρόνον τὸν βασιλικόν. Καὶ τί θαυμαστόν, εἰ μετὰ
τῶν Σεραφὶμ ἕστηκας, ὅπου γε ὧν οὐκ ἐτόλμησεν ἅψασθαι
τὰ Σεραφίμ, ταῦτά σοι μετὰ ἀδείας ἔδωκεν ὁ Θεός;
« Ἀπεστάλη γὰρ πρός με, φησίν, ἓν τῶν Σεραφὶμ καὶ εἶχεν
ἄνθρακα πυρός, ὃν τῇ λαβίδι ἔλαβεν ἀπὸ τοῦ
139 25 θυσιαστηρίου[c].» Ἐκεῖνο τὸ θυσιαστήριον τοῦ θυσιαστηρίου
τούτου τύπος ἐστὶ καὶ εἰκών · ἐκεῖνο τὸ πῦρ, τούτου τοῦ
πυρὸς τοῦ πνευματικοῦ. Ἀλλ᾽ οὐκ ἐτόλμησεν ἅψασθαι τῇ
χειρὶ τὰ Σεραφίμ, ἀλλὰ τῇ λαβίδι · σὺ δὲ τῇ χειρὶ
λαμβάνεις. Ἂν μὲν γὰρ πρὸς τὴν ἀξίαν ἴδῃς τῶν
30 προκειμένων, καὶ τῆς τῶν Σεραφὶμ ἁφῆς ταῦτα μείζω

---

6 μὲν om. QL ‖ 8 τὴν μελῳδίαν om. L ‖ 9 ἐπὶ : πρὸ L ‖
10 τραπέζης ἑστήκῃ ~ Q ‖ ἀναφέρων : ἐπιτελῶν L ‖ 11 προσφέρων :
προσάγων Q ‖ 14 παρακελεύεται] + λέγων L ‖ 15 ἐκείνην L : om.
cett. ‖ 16 ἀνασπάσαι σπουδάζων : ἀνασπῶν Montf. e cod.? ‖ 16 πρὸς
τοὺς οὐρανοὺς arm. : om. cod. ‖ 18-19 μετ᾽ — ἐκπέτασον om. j ‖
19 τοῦ νοῦ Q arm. : om. cett. ‖ ἐκπέτασον L : πέτασον cett. ‖
21 ἐτόλμησεν : -σαν Q ‖ 25 τοῦ θυσιαστηρίου² om. P ‖ 26 τούτου om.
S ‖ 29 γὰρ : οὖν W

b. Cf. Rom. 12, 1
c. Is. 6, 6

Auparavant en effet cet hymne n'était chanté qu'au ciel, mais depuis que le Maître a daigné descendre sur la terre, il nous a apporté aussi cette mélodie[1]. Voilà pourquoi, quand ce grand prêtre se tient debout à cette sainte table à offrir le culte spirituel[b] et à présenter le sacrifice non sanglant[2], il ne se borne pas à nous convier à cette prière[3], mais après avoir au préalable parlé des Chérubins, évoqué les Séraphins, il nous invite à pousser tous cette clameur à faire frémir, en s'efforçant d'élever nos pensées de la terre vers les cieux par le souvenir de nos compagnons de chœur[4], comme s'il disait en criant à chacun de nous : Tu chantes avec les Séraphins, tiens-toi debout avec les Séraphins, avec eux étends les ailes de l'esprit, avec eux vole autour du trône royal. Et quoi d'étonnant que tu te tiennes debout avec les Séraphins, alors que précisément ce que le Séraphin n'a osé toucher, Dieu t'a donné de le faire avec sécurité ? « L'un des Séraphins fut envoyé vers moi, est-il dit, avec une braise qu'il avait prise avec des pinces de dessus l'autel[c]. » Cet autel-là est le type[5] et l'image de cet autel-ci, comme ce feu-là l'est de ce feu spirituel. Le Séraphin n'a pas osé y toucher de la main, mais avec des pinces, alors que toi tu le reçois dans la main[6]. Si tu regardes en effet à la dignité des offrandes, celles-ci sont beaucoup trop grandes pour être tou-

---

1. Cf. PLATON, *Lois* 653 E - 654 A, où il est question des dieux qui forment un chœur avec nous, afin de nous apprendre le sens du rythme et de l'harmonie.

2. Par opposition aux sacrifices d'animaux des païens. Cf. ATHÉNAGORE, *Supplique* 13, 2 (*PG* 6, 916).

3. Le terme εὐφημία est l'équivalent de εὐχή chez PLATON, II *Alcibiade* 149 B.

4. La première homélie (1, 30-44) parle du chœur commun aux anges du ciel et aux fidèles de la terre.

5. Le mot *type,* τύπος, est le terme par lequel les exégètes désignent une réalité de l'Ancien Testament qui préfigure une réalité du Nouveau.

6. Il s'agit de la communion que les fidèles recevaient dans la paume de leur main.

πολλῷ · ἂν δὲ τοῦ Θεοῦ τὴν φιλανθρωπίαν ἐννοήσῃς, οὐδὲ
πρὸς τὴν ἡμετέραν εὐτέλειαν ἐπαισχύνεται κατελθεῖν ἐπὶ
τῶν προκειμένων τῇ χάριτι. Ταῦτ' οὖν ἐννοῶν, ἄνθρωπε,
καὶ τὸ μέγεθος τῆς δωρεᾶς λογιζόμενος, ἀνάστηθί ποτε καὶ
35 τῆς γῆς ἀπαλλάγηθι καὶ πρὸς τὸν οὐρανὸν ἀνάβηθι. Ἀλλ'
ἕλκει τὸ σῶμα καὶ βιάζεται κάτω; Ἀλλ' ἰδοὺ
προσελαύνουσιν νηστεῖαι, κοῦφα μὲν τῆς ψυχῆς
ἐργαζόμεναι τὰ πτερά, κοῦφον δὲ τῆς σαρκὸς ποιοῦσαι
τὸ φορτίον, κἂν μολύβδου παντὸς βαρύτερον λάβωσι
40 σῶμα. Ἀλλ' ἡ μὲν τῆς νηστείας νῦν ἀναμενέτω
διδασκαλία, ἡ δὲ τῶν μυστηρίων ἤδη κινείσθω, δι' ὧν καὶ
αἱ νηστεῖαι. Καθάπερ γὰρ τῶν ἐν τοῖς ὀλυμπιακοῖς ἀγῶσι
παλαισμάτων τέλος ὁ στέφανος, οὕτω καὶ τῆς νηστείας
τέλος ἡ καθαρὰ κοινωνία · ὡς ἐὰν μὴ τοῦτο κατορθώ-
45 σωμεν διὰ τῶν ἡμερῶν τούτων, εἰκῇ καὶ μάτην κατακόψαντες ἑαυτούς, ἀστεφάνωτοι καὶ χωρὶς βραβείων ἀπὸ
τοῦ σκάμματος τῆς νηστείας ἀναχωρήσομεν. Διὰ τοῦτο
καὶ οἱ πατέρες ἐξέτειναν τῆς νηστείας τὸ στάδιον,
προθεσμίαν μετανοίας διδόντες ἡμῖν, ἵνα καθηράμενοι καὶ
50 ἀποσμήξαντες ἑαυτούς, οὕτω προσίωμεν. Διὰ τοῦτο καὶ
αὐτὸς ἐντεῦθεν ἤδη βοῶ λαμπρᾷ τῇ φωνῇ καὶ διαμμαρτύ-

---

31 τοῦ θεοῦ τὴν : τὴν τοῦ δεσπότου σου U ‖ ἐννοήσῃς om. L ‖
32 ἐπὶ arm. : om. cod. ‖ 33 τῇ χάριτι arm. : ἡ χάρις cod. ‖ 35 πρὸς —
ἀνάβηθι om. L ‖ 36 ἕλκει — βιάζεται : εἰ καὶ βιάζεται τὸ σῶμα Q ‖
38 τὰ πτερά — ποιοῦσαι om. j ‖ τῆς σαρκὸς ποιοῦσαι om. Q ‖
ποιοῦσαι L arm. : κατασκευάζουσαι U ἐργαζόμεναι cett. ‖ 40-41 ἡ ...
διδασκαλία, ἡ arm. : ὁ ... λόγος, ὁ cod. ‖ 40 νῦν arm. : om. cod. ‖
41 δι' ὧν tQ : δι' ἃ U δι' οὗ cett. ‖ 45 κατακόψαντες : κόψαντες Q ‖
49 προθεσμίαν : προθυμίαν L ‖ 51 λαμπρᾷ βοῶ ~ Q

---

1. PLATON, *Phèdre* 251 B.

2. L. BRÉHIER, dans *La Civilisation byzantine* (p. 116), rappelle que
«sous Commode (180-192), Antioche avait acheté aux Éléens le droit de
célébrer tous les quatre ans les Jeux Olympiques». En 393, Théodose abolit
cette fête, qui était encore célébrée à l'époque de notre homélie.

3. La lice : le mot grec σκάμμα désigne la fosse sablée du sautoir où se
recevaient les sauteurs en longueur. L'expression reparaît dans la

chées même par un Séraphin, mais si tu songes à l'amour de
Dieu pour les hommes, il ne rougit pas de descendre par sa
grâce vers notre misère, sur les offrandes. Si tu y songes donc,
ô homme, et réfléchis à la grandeur du don, relève-toi enfin,
éloigne-toi de la terre et gravis le ciel. — Mais le corps me tire
avec violence vers le bas ! — Eh bien ! voici qu'arrivent à la
rescousse les jeûnes qui allègent les ailes de l'âme [1], rendent
léger le fardeau de la chair, même s'ils trouvent un corps plus
lourd que le plomb. Que l'enseignement sur le jeûne attende à
présent, mais que celui sur les mystères soit maintenant
abordé, car ils sont la cause des jeûnes. De même en effet
qu'aux Jeux Olympiques [2] les luttes ont pour but la couronne,
ainsi le but du jeûne est la sainte communion, car si nous ne
faisons pas cet acte de vertu durant ces jours ce sera en vain et
pour rien que nous nous serons épuisés, et nous nous reti-
rerons sans couronne et sans récompense de la lice [3] du jeûne.
Voilà pourquoi nos pères ont pour le jeûne prolongé la course
du stade [4] quand ils ont fixé une échéance [5] à notre pénitence,
afin que ce soit lavés et épongés que nous nous avancions [6].
Voilà pourquoi à mon tour dès à présent je crie d'une voix

IVe homélie 5, 21, mais l'emploi du mot au pluriel et l'adjonction de
l'adjectif ἴδιος (ὑπερβαίνεις τὰ ἴδια σκάμματα) montrent bien que toute
valeur métaphorique a disparu. Que signifierait une traduction littérale
comme : tu dépasses tes propres sautoirs ? σκάμματα est l'équivalent de ὄρη
ou μέτρα et ne signifie que bornes ou limites.

4. Tout ce passage évoque les exercices athlétiques. Le *stade du jeûne*
désigne le temps du carême dont la discipline fut fixée au cours du IVe siècle.
Les quarante jours rappelaient le jeûne du Christ dans le désert (*Matth.* 4, 2)
et la quarantaine de Moïse (*Ex.* 24, 18). Ce laps de temps fut prolongé
jusqu'à huit semaines dans l'Église d'Orient à la fin du IVe siècle, car le
samedi et le dimanche n'étaient pas jeûnés.

5. Le mot προθεσμία appartient au vocabulaire juridique. Il désigne
l'échéance d'une dette, le terme d'une assignation et exprime ici le délai
laissé par l'Église au pécheur pour se repentir avant les fêtes pascales.

6. Comme l'athlète s'éponge après l'épreuve gymnique, le chrétien doit se
purifier avant de communier.

ρομαι καὶ ἱκετεύω καὶ ἀντιβολῶ μὴ μετὰ κηλῖδος, μηδὲ
μετὰ πονηροῦ συνειδότος τῇ ἱερᾷ ταύτῃ προσιέναι
τραπέζῃ · οὐ γὰρ ἂν εἴη τοῦτο πρόσοδος, οὐδὲ κοινωνία,
55 κἂν μυριάκις ἁψώμεθα τοῦ ἁγίου σώματος ἐκείνου, ἀλλὰ
καταδίκη καὶ κόλασις καὶ τιμωρίας προσθήκη[d]. Μηδεὶς
τοίνυν ἁμαρτωλὸς προσίτω, μᾶλλον δὲ οὐ λέγω · μηδεὶς
ἁμαρτωλός, ἐπεὶ πρότερον ἐμαυτὸν ἀπείργω τῆς θείας
τραπέζης, ἀλλὰ μηδεὶς μένων ἁμαρτωλὸς προσίτω. Διὰ
60 τοῦτο ἐντεῦθεν ἤδη προλέγω, ἵνα μὴ τῶν βασιλικῶν
καταλαβόντων δείπνων[e] καὶ τῆς ἱερᾶς ἑσπέρας
παραγενομένης ἐκείνης, ἔχῃ τις λέγειν · Ἀπαρασκεύαστος
εἰσῆλθον καὶ ἐέργομαι, καὶ ὅτι πάλαι ταῦτα προειπεῖν
ἐχρῆν. Εἰ γὰρ πάλαι ταῦτα ἤκουσα, πάντως ἂν μετε-
65 βαλόμην, πάντως ἂν ἐμαυτὸν καθάρας, οὕτω προσῆλθον.
Ἵν' οὖν μηδεὶς ταῦτα πρεφασίζεσθαι ἔχῃ, ἐντεῦθεν ἤδη
προδιαμαρτύρομαι καὶ παρακαλῶ πολλὴν ἐπιδείξασθαι τὴν
μετάνοιαν. Οἶδα ὅτι πάντες ἐσμὲν ἐν ἐπιτιμίοις καὶ ὅτι
οὐδεὶς καυχήσεται ἁγνὴν ἔχειν τὴν καρδίαν · ἀλλ' οὐ
70 τοῦτό ἐστι τὸ δεινόν, ὅτι ἁγνὴν καρδίαν οὐκ ἔχομεν, ἀλλ'
ὅτι μὴ ἔχοντες καρδίαν ἁγνήν, οὐδὲ τῷ δυναμένῳ ποιῆσαι
ταύτην ἁγνὴν προσερχόμεθα. Δύναται γάρ, ἐὰν ἐθέλῃ · καὶ
θέλει δὲ μᾶλλον ἡμῶν αὐτῶν · ἀλλὰ ἀναμένει μικρὰν
πρόφασιν παρ' ἡμῶν λαβεῖν, ἵνα μετὰ παρρησίας ἡμᾶς στε-
75 φανώσῃ. Τίς τοῦ τελώνου γέγονεν ἁμαρτωλότερος ; Ἀλλ'
ὅτι μόνον εἶπεν · « Ἱλάσθητί μοι τῷ ἁμαρτωλῷ[f]», κατῆλθεν

---

53 προσιέναι : προσίετε Q ‖ 54 πρόσοδος L *arm. :* προσεδρία
Q προσεδρεία *cett.* ‖ 60 ἤδη *om.* L ‖ 62 παραγενομένης : -γινομένης
SUP γινομένης L ‖ 63 ἐέργομαι L *arm. :* ἔρημος *cett.* ‖ ταῦτα πάλαι
~ Q ‖ προειπεῖν : εἰπεῖν Q ‖ 64 μετεβαλόμην : -βαλόμην tUL ‖
67 προδιαμαρτύρομαι : προμαρτύρομαι t διαμαρτύρομαι W ‖
ἐπιδείξασθαι : ἐπιδείξασθε Q ‖ 69-70 ἀλλ' — ἔχομεν *om.* Q ‖ 71 μὴ :
οὐκ Q ‖ 71-72 οὐδὲ — ἁγνὴν *om.* L ‖ 72 δύναται γὰρ ἐὰν *om.* L ‖ 72-
73 καὶ θέλει δὲ μᾶλλον ἡμῶν αὐτῶν [ἡμῖν αὐτὸς Q] [+ καθαροὺς εἶναι
ἡμᾶς tSUjPQL] *cod. arm. :* μᾶλλον δὲ καὶ πλέον ἡμῶν καθαροὺς ἡμᾶς
εἶναι θέλει W ‖ 73 ἀναμένει : ἀνέμεινεν Q ‖ 74 πρόφασιν παρ' ἡμῶν L
arm. : παρ' ἡμῶν ἀφορμὴν *cett.* ‖ 74-75 στεφανώσῃ ἡμᾶς ~ Q ‖ 75 τίς

éclatante, je vous prends à témoin, je vous supplie, je vous
conjure de ne pas vous avancer à cette table sainte avec une
souillure, ni avec une mauvaise conscience, car ce ne serait pas
en tirer profit, ni communier, toucherions-nous mille fois ce
saint corps, mais il y aurait condamnation, châtiment, surcroît
de punition[d]. Qu'aucun pécheur donc ne s'avance, ou plutôt je
ne dis pas aucun pécheur, puisque je m'exclurais moi-même le
premier de la divine table, mais qu'aucun pécheur endurci ne
s'avance. Voilà pourquoi dès à présent je vous préviens, pour
que, à l'heure du banquet royal[e] et quand sera arrivée cette
veillée sainte, personne ne puisse dire : Je suis venu sans préparation et l'on m'écarte, et aussi : il aurait fallu m'en pré-
venir de longue date, car si de longue date j'avais entendu cela,
j'aurais complètement changé, et c'est complètement purifié
que je me serais avancé. Pour que personne donc ne puisse
alléguer ces prétextes, dès maintenant je vous prends à témoin
et je vous exhorte à manifester un grand repentir. Je sais que
nous sommes tous sous le coup d'une peine légale[1] et que personne ne se glorifiera d'avoir un cœur pur. Mais il y a pis que
de ne pas avoir un cœur pur, c'est, si nous ne l'avons pas, de ne
point nous approcher de celui qui peut le rendre pur. Il le peut,
s'il le veut, et il le veut même plus que nous. Il attend néanmoins que nous lui fournissions le moindre prétexte pour nous
couronner avec assurance. Qui a été plus pécheur que le publicain ? Mais pour avoir seulement dit : «Aie pitié du pécheur

---

... ἁμαρτωλότερος : τί ... ἁμαρτωλότερον L ‖ 76 ὅτι − εἶπεν *arm.* : ἵνα
μόνον εἴπῃ SU   ἵνα εἴπῃ *cett.* ‖ εἶπεν] + ὁ θεὸς tSWQ ‖ κατῆλθεν] +
εἰς τὸν οἶκον αὐτοῦ L

d. Cf. I Cor. 11, 29
e. Cf. Matth. 22, 1-14
f. Lc 18, 13

1. Cf. *Gen.* 2, 17 ; 3, 19 ; *Rom.* 5, 12.

ὑπὲρ τὸν φαρισαῖον δεδικαιωμένος. Καίτοι πόσην δύναμιν
εἶχεν ἡ λέξις ἐκείνη; Ἀλλ᾽ οὐχ ἡ λέξις αὐτὸν ἐκάθηρεν,
ἀλλ᾽ ἡ διάθεσις, μεθ᾽ ἧς καὶ τὴν λέξιν ἐκείνην εἶπεν·
80 μᾶλλον δὲ οὐδὲ ἡ διάθεσις μόνη, ἀλλὰ πρὸ ταύτης ἡ τοῦ
Θεοῦ φιλανθρωπία.

4. Ποῖος γάρ, εἰπέ μοι, κάματος, ποῖος πόνος, ποῖος
ἱδρὼς τῷ ἁμαρτωλῷ πεῖσαι ἑαυτὸν ὅτι ἔστιν ἁμαρτωλὸς
καὶ πρὸς τὸν Θεὸν τοῦτο εἰπεῖν; Ὁρᾷς ὡς οὐ μάτην
ἔλεγον ὅτι μικρᾶς παρ᾽ ἡμῶν ἐπιλαβέσθαι προφάσεως
5 βούλεται καὶ τὸ πᾶν αὐτὸς εἰσφέρει λοιπὸν εἰς τὴν σωτηρίαν ἡμῶν; Μετανοήσωμεν τοίνυν, κλαύσωμεν, θρηνή-
σωμεν. Θυγατέρα τις πολλάκις ἀποβαλὼν τὸν πλείω
διατελεῖ τῆς ζωῆς αὐτοῦ χρόνον ἐν θρήνοις καὶ ὀδυρμοῖς·
ἡμεῖς ψυχὴν ἀπωλέσαμεν, καὶ οὐ θρηνοῦμεν; σωτηρίας
10 ἐξεπέσομεν, καὶ οὐ κατακοπτόμεθα; Καὶ τί λέγω ψυχὴν
καὶ σωτηρίαν; Δεσπότην παρωξύναμεν οὕτω πρᾷον καὶ
ἥμερον, καὶ οὐ κατορύττομεν ἑαυτούς; Καὶ γὰρ οὐχὶ
Δεσπότου κηδεμονικοῦ μόνον, ἀλλὰ καὶ πατρὸς
φιλόπαιδος καὶ μητρὸς φιλοστόργου πᾶσαν εὔνοιαν
15 ὑπερβαίνει τῇ περὶ ἡμᾶς κηδεμονίᾳ. «Μὴ ἐπιλήσεται γάρ,
φησί, γυνὴ τοῦ παιδίου αὐτῆς, ἢ τοῦ μὴ ἐλεῆσαι τὰ
ἔκγονα τῆς κοιλίας αὐτῆς; Εἰ δὲ καὶ ἐπιλάθοιτο γυνή, ἀλλ᾽
ἐγὼ οὐκ ἐπιλήσομαι, λέγει Κύριος[a].» Πιστὴ μὲν οὖν καὶ
πρὸ ἀποδείξεως ἡ ἀπόφασις· Θεοῦ γάρ ἐστιν· πλὴν ἀλλὰ
20 καὶ διὰ τῶν πραγμάτων, φέρε, παράσχωμεν τὴν ἀπόδειξιν.
Ἡ Ῥεβέκκα ποτὲ κελεύουσα τῷ παιδὶ τὸ κατὰ τὴν κλοπὴν

80 μόνη : μόνον Q.
4, 1 ποῖος[1] ... κάματος arm.: ποῖον ... κατόρθωμα cod. ‖ 7
ἀποβαλὼν πολλάκις ∼ Q ‖ 8 διατελεῖ UjW arm.: διετέλεσεν cett. ‖
αὐτοῦ om. L ‖ 9 καὶ οὐ θρηνοῦμεν om. L ‖ 10-11 ψυχὴν καὶ
σωτηρίαν PWL : ψυχῆς καὶ σωτηρίας cett. ‖ 11-12 καὶ[2] ἥμερον om. Q
‖ 14 φιλόπαιδος ... φιλοστόργου L arm.: φιλοστόργου ... φιλόπαιδος
cett. ‖ 15 τῇ — κηδεμονίᾳ : ἡ περὶ ἡμῶν τοῦ θεοῦ κηδεμονία W ‖
16 τοῦ παιδίου αὐτῆς γυνή ∼ tS ‖ 17 ἐπιλάθοιτο] + ταῦτα L ‖
18 ἐπιλήσομαι] + σου U ‖ 20 παράσχωμεν arm.: ἐπαγάγωμεν cod. ‖
τὴν ἀπόδειξιν om. L ‖ 21-22 τὴν — εὐλογιῶν : τὴν εὐλογίαν L

que je suis [f] », il se retira justifié, mieux que le pharisien. Quelle
puissance avait donc ce langage [1] ? Mais ce n'est pas ce langage qui l'a purifié, ce sont les dispositions dans lesquelles il a
tenu ce langage, ou plutôt ce ne sont pas les dispositions
seules, mais avant elles l'amour de Dieu pour les hommes.

4. Quelle fatigue [2], dis-moi, quel labeur, quelle sueur faut-il
donc au pécheur pour se persuader à lui-même qu'il est
pécheur, et pour le dire à Dieu ? Tu vois que je ne parlais pas
en l'air en disant qu'il veut que nous lui fournissions le
moindre prétexte, et que pour tout le reste il contribue lui-
même à notre salut ! Repentons-nous donc, pleurons, menons
le deuil. Quelqu'un a-t-il perdu une fille, il passe souvent la
plus grande partie de sa vie dans le deuil et les gémissements ;
nous avons, nous, perdu notre âme et nous ne menons pas le
deuil ? Nous nous sommes écartés de la voie du salut et nous
ne nous frappons pas la poitrine ? Et pourquoi parlé-je d'âme
et de salut ? Nous avons irrité un Maître si doux et si bon, et
nous ne nous cachons pas sous la terre ? Et ce n'est pas seulement toute la bienveillance d'un Maître plein d'attentions, c'est
celle d'un père affectueux et d'une tendre mère pour son enfant,
qu'il surpasse dans ses attentions pour nous. « Une femme, est-
il dit, oubliera-t-elle son petit enfant, en vient-elle à n'avoir pas
pitié du fruit de ses entrailles ? Mais une femme serait-elle
oublieuse, moi je ne t'oublierai pas, dit le Seigneur [a]. » On peut
se fier à cette affirmation avant même toute démonstration, car
elle émane de Dieu. Néanmoins, ajoutons-y encore la démonstration des faits. Jadis, quand Rébecca invitait son enfant à

---

4   a. Is. 49, 15

1. λέξις, διάθεσις sont des termes de la rhétorique pour désigner l'un
l'expression, l'élocution, et l'autre la disposition, l'ordonnance des mots dans
la phrase.
2. Le terme κατόρθωμα, qu'emploie Jean avec prédilection, appartient au
vocabulaire stoïcien. Il désigne l'action droite, l'action parfaitement correcte
et vertueuse du Sage accompli. C'est la leçon de nos mss. Nous lui préférons
avec l'arménien κάματος en accord avec le contexte.

τῶν εὐλογιῶν ὑποκρίνασθαι δρᾶμα καὶ περιστείλασα αὐτὸν
πάντοθεν καλῶς καὶ τὸ προσωπεῖον ἐπιθεῖσα τοῦ ἀδελφοῦ,
ἐπειδὴ εἶδεν οὐδὲ οὕτω θαρροῦντα, βουλομένη πάντα
25 φόβον τοῦ παιδὸς ἐξελεῖν · « Ἐπ' ἐμὲ ἡ κατάρα σου,
τέκνον[b]», φησίν. Μητρὸς ὄντως τὸ ῥῆμα, καὶ ἐκκαιομένης
τῇ φιλότητι τοῦ παιδός. Ἀλλ' ὁ Χριστὸς τοῦτο οὐκ εἶπεν
μόνον, ἀλλὰ καὶ ἐποίησεν. οὐκ ἐπηγγείλατο μόνον, ἀλλὰ
καὶ ἐγένετο. Καὶ Παῦλος βοᾷ λέγων · «Χριστὸς ἡμᾶς
30 ἐξηγόρασεν ἐκ τῆς κατάρας τοῦ νόμου, γενόμενος ὑπὲρ
ἡμῶν κατάρα[c].» Τοῦτον οὖν παροξυνοῦμεν · εἰπέ μοι · καὶ
πῶς οὐ γεέννης αὐτῆς τοῦτο χαλεπώτερον καὶ τοῦ
ἀτελευτήτου σκώληκος καὶ τοῦ ἀσβέστου πυρός[d];
Ὅταν οὖν τῇ ἱερᾷ τραπέζῃ προσιέναι μέλλῃς, νόμιζε
35 ἐκεῖ καὶ τὸν βασιλέα τῶν ἁπάντων παρεῖναι · καὶ γὰρ
πάρεστιν ὄντως, τὴν ἑκάστου καταμανθάνων γνώμην, καὶ
τίς μὲν μετὰ προσηκούσης ἁγιωσύνης, τίς δὲ μετὰ
πονηροῦ προσέρχεται συνειδότος, μετὰ λογισμῶν
ἀκαθάρτων καὶ ῥυπαρῶν, μετὰ πράξεων μιαρῶν. Κἂν μὲν
40 εὕρῃ τινὰ τοιοῦτον, τέως μὲν αὐτὸν τῷ δικαστηρίῳ τοῦ
συνειδότος παραδίδωσιν · εἶτα ἂν μὲν λαβὼν ἐκεῖνος
μαστίξῃ τοῖς λογισμοῖς καὶ βελτίω κατασκευάσῃ, προσίεται
πάλιν αὐτόν · ἂν δὲ ἀδιόρθωτος μείνῃ, κελεύει πρὸς τὰς
αὐτοῦ παραδοθῆναι χεῖρας τὸν ἀγνώμονα καὶ ἀναίσθητον.
45 «Φοβερὸν δὲ τὸ ἐμπεσεῖν εἰς χεῖρας Θεοῦ ζῶντος[e].» Οἶδα
ὅτι δάκνει τὰ ῥήματα, ἀλλὰ τί πάθω; Εἰ μὴ πικρὰ ἐπιθῶμαι
τὰ φάρμακα, τὰ τραύματα οὐκ ἀφαιρεθήσεται · ἂν πικρὰ

---

23 προσωπεῖον : πρόσωπον L ‖ 24 εἶδεν : οἶδεν S ‖ θαρροῦντα] +
αὐτόν L ‖ 27 τῇ φιλότητι arm. : τῷ φίλτρῳ L om. cett. ‖ 29 ἐγένετο :
ἔργῳ ἔδειξεν Montf. ‖ βοᾷ Παῦλος ~ tU ‖ 31 παροξυνοῦμεν : -νωμεν j
‖ 35 τῶν ἁπάντων tU arm. : om. cett. ‖ γὰρ om. L ‖ 36 καὶ] + ὁρᾷ U
‖ 38 προσέρχεται : συν- t om. L ‖ 39 μετὰ – μιαρῶν om. P ‖
μιαρῶν : πονηρῶν L ‖ 40 εὕρῃ : εὕροι tjUW ‖ 42 βελτίω : βελτίονα L
‖ 43 μείνῃ : μένῃ tQ ‖ 43-45 κελεύει — τὸ : καὶ οὕτω τότε λοιπὸν εἰς
τὰς αὐτοῦ χεῖρας ἐμπίπτει, ὡς ἀχάριστος καὶ ἀγνώμων. Ὅσον δὲ τοῦτό

tenir un rôle dans le drame du vol des bénédictions, elle le travestit complètement avec adresse et lui fit porter le masque de son frère, mais voyant que même ainsi il manquait d'audace, elle voulut ôter à son enfant toute frayeur et lui dit : « Je prends sur moi ta malédiction, mon enfant[b]. » C'est bien là le mot d'une mère qui brûlait d'amour pour son enfant. Cependant le Christ ne se borna pas à le dire, mais il le fit ; il ne s'en tint pas à une promesse, il devint malédiction. C'est ce que clame Paul : « Le Christ nous a rachetés de la malédiction de la Loi en devenant pour nous malédiction[c]. » Exciterons-nous donc sa colère, dis-moi ? Et comment ce geste ne serait-il pas plus fâcheux que la géhenne même, que le ver qui ne meurt pas, que le feu inextinguible[d] ?

Quand donc tu dois t'avancer à la sainte Table, pense que tu y trouves présent le roi même du monde, qu'il y est en effet réellement présent, à examiner les dispositions de chacun et à voir qui s'avance avec la sainteté requise, mais aussi qui le fait avec une mauvaise conscience, avec des pensées impures et sordides, avec des actions malpropres... S'il vient à trouver un homme de ce genre, il le livre alors au tribunal de sa conscience, puis quand il l'a saisi et fustigé par les raisonnements et rendu meilleur, Dieu l'attire à lui de nouveau ; mais si cet homme demeure incorrigible il ordonne que lui soit livré entre ses mains l'homme dénué de sens et sans réactions. Or « il est terrible de tomber entre les mains du Dieu vivant[e]. » Je sais que ce sont des paroles mordantes, mais que va-t-il m'arriver ? Si je n'applique pas des remèdes cuisants, les blessures ne disparaîtront pas ; si j'en applique de cuisants, vous ne sup-

ἐστιν, ἄκουε Παύλου λέγοντος· Φοβερὸν δὲ τὸ *Montf. e Paris gr. 1176* (XIIe s.)

b.   Gen. 27, 13
c.   Gal. 3, 13
d.   Cf. Mc 9, 47-48
e.   Hébr. 10, 31

141 ἐπιθῶμαι, ὑμεῖς τὴν ὀδύνην οὐ φέρετε. Στενά μοι
πάντοθεν · πλὴν ἀλλ' ἀναγκαῖον ἀνασχεῖν τὴν χεῖρα
50 λοιπόν · καὶ γὰρ ἱκανὰ τὰ εἰρημένα πρὸς διόρθωσιν τῶν
προσεχόντων. 'Αλλ' ἵνα μὴ μόνοις ὑμῖν, ἀλλὰ καὶ ἑτέροις
δι' ὑμῶν γένηται χρήσιμα, φέρε αὐτὰ πάλιν ἀνακεφα-
λαιωσώμεθα.

Διελέχθημεν περὶ τῶν Σεραφίμ, ἐδείξαμεν ὅσον ἐστὶν
55 ἀξίωμα πλησίον ἑστάναι τοῦ θρόνου τοῦ βασιλικοῦ καὶ ὅτι
καὶ ἀνθρώποις τὸ ἀξίωμα τοῦτο κεκτῆσθαι δυνατόν.
Εἴπομεν περὶ τῶν πτερύγων καὶ τῆς ἀπροσίτου δόξης τοῦ
Θεοῦ καὶ περὶ τῆς πρὸς ἡμᾶς αὐτοῦ φιλανθρωπίας
γινομένης · προσεθήκαμεν τὴν αἰτίαν τῆς κραυγῆς καὶ τοῦ
60 διηνεκοῦς θαύματος καὶ πῶς ἐν ἀκαταπαύστῳ θεωρίᾳ
ἀκατάπαυστος καὶ ἡ δοξολογία τῶν Σεραφίμ · ἀνεμνή-
σαμεν ὑμᾶς εἰς ποῖον ἐτελέσαμεν χορὸν καὶ μετὰ τίνων
τὸν κοινὸν ἀνυμνήσαμεν Δεσπότην · τοὺς περὶ μετανοίας
προσεθήκαμεν λόγους · καὶ τέλος ὅσον ἐστὶ κακὸν
65 προσιέναι τοῖς μυστηρίοις μετὰ πονηροῦ συνειδότος
142 ἐδείξαμεν καὶ πῶς οὐκ ἔστι διαφυγεῖν τὸν τὰ τοιαῦτα
τολμήσαντα. Ταῦτα　καὶ γυνὴ παρὰ ἀνδρὸς μανθανέτω[f]
καὶ παιδία παρὰ πατρὸς καὶ οἰκέτης παρὰ δεσπότου καὶ
γείτων παρὰ γείτονος καὶ φίλος παρὰ φίλου, μᾶλλον δὲ
70 καὶ πρὸς τοὺς ἐχθροὺς ταῦτα διαλεγώμεθα · καὶ γὰρ καὶ
τῆς ἐκείνων σωτηρίας ἡμεῖς ἐσμεν ὑπεύθυνοι. Εἰ γὰρ καὶ
τὰ ὑποζύγια αὐτῶν πεπτωκότα διαναστῆσαι καὶ πεπλανη-

---

48 ἐπιθῶμαι : ἐπιθῶμεν L ‖ 51 προσεχόντων : ἀκουόντων L ‖ ὑμῖν
μόνοις ~ tSjPWQ ‖ 52 ὑμῶν : ἡμῶν tSW ‖ 54-55 ὅσον ... ἀξίωμα :
ὅσα ... ἀξιώματα Q ‖ 56 ἀνθρώποις ... δυνατόν : ἄνθρωπος ... δύναται
WQ ‖ 57 εἴπομεν : εἴπαμεν P ‖ δόξης L arm. : δυνάμεως cett. ‖
58 φιλανθρωπίας arm. : συγκαταβάσεως cod. ‖ 59 γινομένης LQ :
γενομένης cett. ‖ 66 ἐδείξαμεν : ἀπεδείξαμεν U ‖ 66-67 τὸν —
τολμήσαντα cod. arm. : τὸν ἀδιόρθωτον μένοντα Montf. e Paris. gr.

portez pas la douleur. Je me sens gêné de toutes parts. Néanmoins il faut retenir mon bras désormais, car j'en ai dit assez
pour corriger les auditeurs attentifs. Cependant pour que mes
paroles soient utiles non seulement à vous-mêmes, mais à
d'autres grâce à vous, eh bien! résumons-les de nouveau.

Nous vous avons parlé des Séraphins, nous avons montré
combien l'honneur est grand de se tenir auprès du trône royal
et qu'il est possible même aux hommes de jouir de cet honneur. Nous avons parlé des ailes et de la gloire inaccessible de
Dieu et de sa bonté envers nous; nous avons ajouté la cause
des cris et de l'admiration prolongée et dit comment dans une
contemplation ininterrompue sont ininterrompues pareil-
lement les invocations des Séraphins; nous vous avons
rappelé dans quel chœur nous sommes entrés et avec qui nous
avons célébré notre commun Maître. Nous avons ajouté les
propos sur la pénitence, et pour finir nous avons exposé quel
grand mal c'était de s'approcher des mystères [1] avec une mauvaise conscience, comment aussi il n'y a pas d'échappatoire
pour celui qui a eu pareille audace. Que cet enseignement la
femme le reçoive de son mari [f2], les enfants de leur père, le
serviteur de son maître, le voisin de son voisin, l'ami de son
ami, ou plutôt parlons-en aussi à nos ennemis. C'est qu'en effet
nous sommes comptables aussi de leur salut. Car si nous
sommes même tenus à relever leurs bêtes de somme quand
elles sont tombées, à les garder et les ramener quand elles sont

---

1176 ‖ 67 μανθανέτω : ἀκουέτω L ‖ 68 παιδία *arm.* (*cod.* C N s) : παῖς
cett. ‖ 68-69 καὶ³ — γείτονος *om.* S

f. Cf. I Cor. 14, 35

1. S'approcher de la table sainte.
2. Cf. *I Cor.* 14, 35 ; mais l'optique de Jean est ici différente.

μένα διασῶσαι καὶ ἐπαναγαγεῖν κελευόμεθα[8], πολλῷ
μᾶλλον τὴν ψυχὴν αὐτῶν πλανωμένην ἐπαναγαγεῖν χρὴ
75 καὶ πεπτωκυῖαν διανιστᾶν. Ἂν οὕτω τὰ καθ᾽ ἑαυτοὺς καὶ
τὰ κατὰ τοὺς πλησίον οἰκονομῶμεν, δυνησόμεθα μετὰ
παρρησίας στῆναι ἔμπροσθεν τοῦ βήματος τοῦ Χριστοῦ,
μεθ᾽ οὗ τῷ Πατρὶ σὺν τῷ ἁγίῳ Πνεύματι δόξα, νῦν καὶ ἀεὶ
καὶ εἰς τοὺς αἰῶνας τῶν αἰώνων. Ἀμήν.

74-75 τὴν ψυχὴν ... πλανωμένην ... πεπτωκυῖαν : τὰς ψυχὰς ...
πλανωμένας ... πεπτωκυίας tS ‖ 78 Πατρὶ] + δόξα, τιμή, κράτος *cod.* ‖
σὺν τῷ ἁγίῳ Πνεύματι SP *arm.* : σὺν τῷ ἁγίῳ καὶ ἀγαθῷ καὶ ζωοποιῷ
Πνεύματι L   σὺν τῷ ἁγίῳ Πνεύματι τῷ ἀγαθῷ καὶ ζωοποιῷ tjW   σὺν
τῷ ἁγίῳ καὶ ζωοποιῷ πνεύματι UQ

égarées[g 1], combien plus devons-nous ramener leur âme égarée et la relever de sa chute. Si nous administrons de la sorte nos affaires personnelles et celles du prochain, nous pourrons comparaître avec assurance devant le tribunal du Christ, à qui comme au Père et à l'Esprit-Saint la gloire maintenant et toujours et pour les siècles des siècles. Amen.

g. Cf. Ex. 23, 4-5 ; Deut. 22, 1-4

1. L'écrivain sacré enjoint d'agir ainsi quand il s'agit de veau ou de brebis. Il parle aussi de l'âne d'un *frère*. Il ne s'agit pas de service à rendre à un *ennemi*. Mais Jean songe sans doute à un passage de l'*Exode* (23, 4-5), où nous lisons : « Quand tu rencontreras le bœuf de ton ennemi, ou son âne égaré, tu devras le lui ramener. Quand tu verras l'âne de celui qui te hait couché sous sa charge, tu te garderas de l'abandonner... » Trad. Osty, *La Bible,* Paris 1973.

NOTE ANNEXE.

L'homélie I a subi des remaniements. Il suffit de comparer *Marcianus gr. 363* (P) ou *Vatopedinus 336* (r) pour découvrir des rédactions différentes du reste de la tradition, mais à l'intérieur de cette tradition on remarque des passages qui font double emploi. Voir I, 3, 44-50 et I, 3, 61-65

L'homélie IV˙ ne présente plus de simples remaniements, mais apparaît comme un pastiche des homélies III et V. Il faudrait comparer

IV, 4, 58-61	et	V, 1, 57-59
5, 40-42		2, 74-78
6, 23-26		3, 84-89
6, 79-80		3, 118-120

Nous nous contenterons de mettre en parallèle deux passages de cette homélie avec un passage de la troisième et un autre de la cinquième.

IV, 4, 23-28	III, 2, 52-56
Ὥσπερ οὖν ἐπὶ τῶν πλοίων οἱ μὲν ἔχοντες κενὸν πλοῖον οὐ δεδοίκασι πειρατῶν σύστημα· — οὐ γὰρ ἔρχονται διατρῆσαι τὸ πλοῖον τὸ μηδὲν ἔχον· — οἱ δὲ φόρτου γέμον ἔχοντες πλοῖον δεδοίκασι πειρατάς — ὁ γὰρ πειρατὴς ἐκεῖ ἀπέρχεται ὅπου χρυσός, ὅπου ἄργυρος, ὅπου λίθοι τίμιοι.	Καθάπερ οἱ τὴν θάλατταν πλέοντες πειραταί, οὐχ ὅταν ἴδωσιν ἐξιόντα τοῦ λιμένος τὰ πλοῖα, τότε ἐπιτίθενται· — τί γὰρ αὐτοῖς ὄφελος κενὸν καταδῦσαι τὸ σκάφος; — ἀλλ' ὅταν ἐπανίῃ πλήρη τὸν φόρτον ἔχοντα, τότε πᾶσαν κινοῦσι μηχανήν.

Qu'il suffise de remarquer que dans l'homélie IV, le mot πλοῖον est répété quatre fois, le mot πειρατής trois fois, le mot δεδοίκασι deux fois. Et que dire de la richesse de la cargaison, seule susceptible d'attirer les pirates !

IV, 5, 83-85

Καθάπερ οἱ κατάδικοι, ἐπειδὰν
σπαρτίον λάβωσιν, ἐξάγουσιν
αὐτοὺς τὸ σπαρτίον ἐπὶ τοῦ
στόματος ἔχοντας.

V, 3, 22-24

Καθάπερ οἱ τὴν ἐπὶ θάνατον
ἀπαγόμενοι, σπαρτίον ἐπὶ τοῦ
στόματος ἔχοντες, τῆς καταδι-
καζούσης σύμβολον ψήφου.

L'auteur de l'homélie V nous instruit de la portée de la condamnation et de la signification du bâillon. Celui de l'homélie IV ne dit rien
de tel, il se borne à répéter le mot σπαρτίον à deux reprises en deux
lignes.

INDEX SCRIPTURAIRE

Les chiffres de droite renvoient aux pages de ce volume ; lorsqu'ils sont en italique, ils concernent de simples allusions.

ANCIEN TESTAMENT

NOUVEAU TESTAMENT

INDEX DES NOMS PROPRES

Les références renvoient aux numéros des homélies (chiffres romains), suivis des numéros des chapitres et des lignes de ces chapitres.

Les noms figurant dans les intitulés n'ont pas été relevés.

INDEX DES MOTS GRECS

Les mots grecs dont se compose cet index figurent ici avec toutes leurs références, à l'exclusion des intitulés.

Le choix de ces mots a été dicté par le souci d'illustrer ainsi les différents thèmes des homélies : transcendance de Dieu, sacerdoce et royauté, mariage, présomption, péché et châtiment, angélologie.

Les références renvoient aux numéros des homélies (chiffres romains), suivis des numéros des chapitres et des lignes de ces chapitres.

TABLE DES MATIÈRES

Pages

SOURCES CHRÉTIENNES

N.B. − L'ordre suivant est celui de la date de parution et il n'est pas tenu compte ici du classement en séries : grecque, latine, byzantine, orientale, textes monastiques d'Occident ; et série annexe : textes para-chrétiens.

Sauf indication contraire, chaque volume comporte le texte original, grec ou latin, souvent avec un apparat critique inédit.

Pour abréger cette liste, nous ne donnons le détail des volumes qu'à partir du n° 200. Cependant, tous les volumes sont mentionnés dans la liste alphabétique qui suit.

Hors série :

Directives pour la préparation des manuscrits (de «Sources Chrétiennes»). A demander au Secrétariat de «Sources Chrétiennes», 29, rue du Plat, 69002 Lyon.

La Règle de S. Benoît. VII. Commentaire doctrinal et spirituel. A. de Vogüé (1977).

SOUS PRESSE

TERTULLIEN : **Contre les Valentiniens.** J.-C. Fredouille (2 volumes).

CLÉMENT D'ALEXANDRIE : **Stromate V.** A. Le Boulluec (2 volumes).

ROMANOS LE MÉLODE : **Hymnes,** tome V. J. Grosdidier de Matons.

GRÉGOIRE DE NAZIANZE : **Discours** 24-25. J. Mossay.

PROCHAINES PUBLICATIONS

IRÉNÉE DE LYON : **Contre les hérésies,** livre II. A. Rousseau et L. Doutreleau.

THÉODORET DE CYR : **Commentaire sur Isaïe,** tome II. J.-N. Guinot.

CYPRIEN DE CARTHAGE : **A Donat** et **La vertu de patience.** J. Molager.

GUILLAUME DE BOURGES : **Livre des guerres du Seigneur.** G. Dahan.

JEAN CHRYSOSTOME : **Panégyriques de S. Paul.** A. Piédagnel.

ORIGÈNE : **Homélies sur le Lévitique.** M. Borret.

LACTANCE : **La colère de Dieu.** C. Ingremeau.

EUSÈBE DE CÉSARÉE : **Préparation évangélique,** livre XI. G. Favrelle et É. des Places.

FRANÇOIS D'ASSISE : **Écrits.**

Les Règles des saints Pères. A. de Vogüé.

SOURCES CHRÉTIENNES

(1-277)

LES ŒUVRES DE PHILON D'ALEXANDRIE
publiées sous la direction de
R. ARNALDEZ, C. MONDÉSERT, J. POUILLOUX.

Texte grec et traduction française.

Photocomposition
C.C.S.O.M.
Abbaye de Melleray
44520 Moisdon-la-Rivière

Impression
Imprimerie de l'Indépendant
53200 Château-Gontier

Nᵒ Éditeur : 7329

Dépôt légal : 1ᵉʳ trimestre 1981